FRANKREICH

ANMERKUNG

Da dieses Buch in mehreren Sprachen veröffentlicht und großtenteils im Ausland vertrieben wird, erscheinen beträge in französischen Franc mit irhem Gegenwert in US-Dollar. Brei Herausgabe der französischen Version war der durchschnittliche Wechselkurs für 1 US-Dollar 5,50 frz. Franc (0,18 Dollar pro Franc). Diese Werte wurden für die deutsche Fassung beibehalten.

INHALT

ANGLETERRE BELGIQUE

ALLEMAGNE

MANCHE

LUXEMBOURG

Normand V O S G E S

M A S S Beauce s a c

Bretagne PARIS

ARMORI Sologne

J U Suisse

Rob

OCÉAN Limousin M A S S I F

ATLANTIQUE Puy de Sancy ITALIE

Dordogne C E N T R A L

Quercy Provence

B Cévennes

AQUITA Langued

Gasco

Cors

ESPAGNE MER MÉDITERRANÉE

1

Geographie

Frankreich liegt im westlichen Teil Europas und grenzt an sechs Nachbarländer: an Belgien und Luxemburg im Nordosten, an Deutschland und die Schweiz im Osten, an Italien im Südosten und Spanien im Südwesten. Seine geographische Lage macht Frankreich zum Bindeglied zwischen Nordeuropa, Südeuropa und den Ländern Mittel- und Osteuropas. Durch seine ausgedehnten Küsten ist es außerdem nach Amerika und Afrika hin offen.

Das französische Staatsgebiet bildet ein Sechseck, dessen Schenkel knapp 1.000 km lang sind. Mit einer Fläche von 550.000 km² gehört es weltweit zu den Ländern mittlerer Größe; in Westeuropa ist es das größte Land vor Spanien, Deutschland und Großbritannien.

Die gute Ausstattung mit modernen Verkehrsmitteln macht Frankreich zu einer europäischen Drehscheibe. Mit seinen östlichen Regionen grenzt es an ein weiträumiges Industriegebiet, das sich von der Rheinmündung bis zur Poebene ausdehnt. Zu den Industriezonen Großbritanniens und der Nordseeanrainer bestehen ebenfalls gute Verbindungen. Im Süden bildet es einen Teil des Mittelmeerbogens, der sich von Katalonien bis Mittelitalien erstreckt.

Das Satellitenfoto zeigt Frankreichs zentrale Lage im europäischen Raum (aufgenommen von Meteosat)

Auch auf den Tourismus wirkt sich die Lage als Kreuzungspunkt günstig aus. Die meisten Urlauber aus dem nördlichen Europa kommen auf ihrem Weg zum Mittelmeer durch Frankreich und verweilen oft dort, vor allem wegen der Schönheit der Küstenlandschaften, der ländlichen Gebiete oder der Berge, aber auch wegen der zahlreichen Sportmöglichkeiten sowie des reichen Kulturerbes.

Die vier größten Flüsse - Loire (1.010 km), Seine (770 km), Garonne (650 km) und Rhône (522 km in Frankreich) - sowie der Rhein, der auf 190 km Länge die Grenze zwischen Frankreich und Deutschland bildet, sind wichtige Verkehrsadern mit entsprechender Bedeutung für die industrielle und urbane Entwicklung des Landes.

Die Oberflächengestalt Frankreichs spiegelt in ihrer Vielfalt das Relief Europas wider. Eine gedachte Diagonale von Bayonne nach Sedan macht deutlich, daß in der nordwestlichen Hälfte des Landes Ebenen und Hochebenen überwiegen, so das Pariser Becken mit der *Beauce*, der *Brie* und der *Picardie*. Am Rande des Pariser Beckens zeichnen sich Höhenzüge ab: die Ardennen im Norden und das Armorikanische Gebirge im Westen. Im Aquitanischen Becken im Südwesten überwiegen ebenfalls Ebenen und Hochebenen: die *Landes*, das *Quercy* und das *Périgord*. Die südöstliche Landeshälfte ist gebirgiger.

Die mittleren Erhebungen (1.200 bis 1.800 m) sind gerundet (Vogesen, Zentralmassiv) oder gefaltet (Jura) und bilden den Kontrast zum Hochgebirge der über 3.000 m hohen Pyrenäen und der über 4.000 m hohen Alpen. Der Mont Blanc ist mit 4.807 m der höchste Berg Frankreichs und Westeuropas. Diese Gebirgsmassive sind durch Ebenen oder Flußtäler (z.B. Saône, Rhône) getrennt.

Gradlinige Strände und Steilküsten prägen die Küste zwischen Calais und Boulogne, hier nahe Cap Blanc-Nez

Die Vielfalt der Oberflächengestalt wiederholt sich an den Küsten: Die Kalkfelsen des *Pays de Caux*, die zerklüftete Granit- oder Schieferküste der *Bretagne*, die flachen geraden Strände der *Landes* und des *Languedoc* und die schroffen Felsen der *Provence* und des westlichen Korsika bilden kontrastreiche Gegensätze.

Frankreich liegt auf dem 45. Breitengrad am westlichen Rand des eurasischen Kontinents und gehört klimatisch zur nördlichen gemäßigten Zone. Die Einflüsse des Meeres dringen weit in das

Die Gipfel der Grands-Montets im Mont-Blanc-Massiv

Land vor, vor allem die vom Atlantik kommenden Tiefdruckgebiete bringen hohe Luftfeuchtigkeit und plötzliche Wetteränderungen mit sich. Das Land läßt sich in vier große Klimazonen einteilen: Seeklima (milde Winter, frische Sommer, reichlich Niederschläge zu allen Jahreszeiten); halb-kontinentales Klima (kalte Winter, heiße, gewitterreiche Sommer, mittlere Niederschläge); Mittelmeerklima (heiße, trockene Sommer, milde Winter, oft heftige Niederschläge); Gebirgsklima. In ganz Frankreich grenzen sich die Jahreszeiten deutlich voneinander ab, aber zwischen den Küsten und dem Landesinneren sowie dem Norden und dem Süden bestehen große Unterschiede.

Diese Vielfalt des Reliefs und des Klimas begünstigt sowohl die Landwirtschaft als auch den Tourismus.

Frankreich ist in 96 Departements eingeteilt. Hinzu kommen vier Übersee-Departements: Guadeloupe und Martinique (Antillen), Réunion (Indischer Ozean), Französisch-Guayana (Südamerika); vier Übersee-Territorien: Neukaledonien, Französisch-Polynesien, Wallis und Futuna (alle im Pazifik) sowie die Französischen Süd- und Antarktisgebiete; zwei Gebietskörperschaften: Mayotte, St. Pierre und Miquelon (Nordamerika). Die Übersee-Gebiete bedecken eine Fläche von rund 559.000 km^2. Frankreich verfügt damit nach den Vereinigten Staaten und Großbritannien über das drittgrößte Seegebiet der Welt mit rund 10 Millionen km^2 exklusiver Wirtschaftszone, in der es das Recht auf die Nutzung der Bodenschätze sowie der biologischen und pflanzlichen Ressourcen hat.

Das Mutterland Frankreich hat vier Meerzugänge (Nordsee, Ärmelkanal, Atlantik und Mittelmeer) mit 5.500 km Küste und zahlreichen Häfen. Neben dem Fischfang (Thunfisch, Seehecht, Sardinen, Krustentiere) und der Austern- und Muschelzucht wird seit einigen Jahren intensiv Aquakultur betrieben, um die Ausfälle durch die Überfischung in den traditionellen Fanggebieten und durch die internationale Konkurrenz ein wenig auszugleichen. Frankreich ist jedoch nach Dänemark und Spanien nach wie vor die drittgrößte Fischfangnation der Europäischen Union.

Die größten Möglichkeiten bietet die Natur zweifellos für die Landwirtschaft. Das gemäßigte Klima mit ausreichend Niederschlägen ist ein ebenso wichtiger Vorteil wie der fruchtbare Boden. Mit 30,4 Millionen Hektar (55 % der Gesamtfläche) hat Frankreich die größte landwirtschaftlich genutzte Fläche der Europäischen Union. Hauptsächlich werden Getreide, Futterpflanzen, Wein, Gemüse und Obst angebaut.

Außerdem besitzt Frankreich die größten Waldflächen Europas. 15 Millionen Hektar Wald bedecken rund 28 % des Landes. Das entspricht einem Viertel der Waldgebiete der Europäischen Union. Der Wald liefert Holz für die Möbelherstellung, die Industrie und die Papiererzeugung. Die Forstwirtschaft und die Holzverarbeitung erwirtschaften nahezu 4 % des Sozialprodukts. Trotz seiner reichen Ressourcen muß Frankreich Holz und Holzerzeugnisse importieren. Daher wurden Maßnahmen ergriffen, um die Nutzung des Waldes im Besitz des Staates, der Gebietskörperschaften und der 3,7 Millionen Privatbesitzer durch die Fachindustrie zu fördern.

Der Wald von Paimpont (Bretagne) im Herbst

Dagegen besitzt Frankreich, abgesehen von relativ großen Uranvorkommen, weniger Bodenschätze und Energiequellen. Der Boden liefert zwar reichlich Kies, Sand und Kalkstein für die Zementherstellung und Rohstoffe wie Kaolin, Talkum, Schwefel, Salz und Kali. Aber lothringisches Eisenerz, Bauxit aus der Provence oder Nickel aus Neukaledonien reichen für den Eigenbedarf nicht aus. Metalle wie Kupfer, Chrom, Mangan, Zinn, Titan und Blei muß Frankreich ebenfalls einführen. Die Kohleproduktion - nahezu 6 % des Energieverbrauchs - geht beständig zurück (1960: 58,8 Mt; 1993: 11 Mt), und der Abbau der wenigen Reserven ist schwierig und unrentabel. Über 80 % der Produktion stammen aus dem lothringischen Becken; der Rest wird im Zentralmassiv und in Südfrankreich abgebaut. Die Erzeugung von Erdöl (jährlich 2,9 Mt) und Erdgas (2,4 Milliarden m^3) ist sehr gering.

Vielfältige
Landschaften:

Der Golf von Porto auf
Korsika
Die Höhenzüge der
Auvergne
Der Aber-Wrach in der
Bretagne
Der Cirque de Salazie
auf Réunion
Der Zusammenfluß von
Loire und Vienne

Für weitere Informationen:

R. Brunet, F. Auriac, *Atlas de France* (14 Bde.), Bd. 6 : *Milieux et ressources*, Paris : Reclus-La Documentation française, 1995

M. Baleste, *L'économie française*, Paris, 1992

L'état de la France 95-96, Paris, 1995

J. Martin, L. Pernet, *Géographie*, Paris, 1991

Ph. Pinchemel, *La France*, 2 Bde., Paris, 1992

Frankreich mit seinen überseeischen Departements, Territorien und Gebietskörperschaften

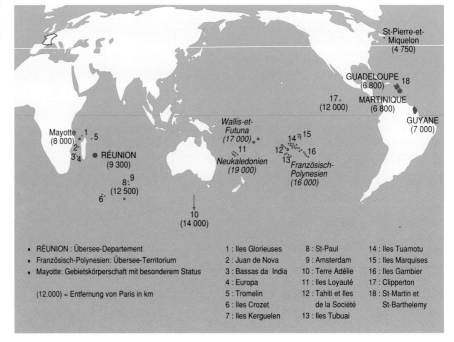

- RÉUNION : Übersee-Departement
- Französisch-Polynesien: Übersee-Territorium
- Mayotte: Gebietskörperschaft mit besonderem Status

(12.000) = Entfernung von Paris in km

1 : Iles Glorieuses	8 : St-Paul	14 : Iles Tuamotu
2 : Juan de Nova	9 : Amsterdam	15 : Iles Marquises
3 : Bassas da India	10 : Terre Adélie	16 : Iles Gambier
4 : Europa	11 : Iles Loyauté	17 : Clipperton
5 : Tromelin	12 : Tahiti et Iles	18 : St-Martin et
6 : Iles Crozet	de la Société	St-Barthelemy
7 : Iles Kerguelen	13 : Iles Tubuai	

Die Menschen

Am 1. Januar 1995 lebten im Mutterland Frankreich 58.027.308 Menschen. Frankreich nimmt damit den 20. Platz in der Welt und den 4. in Europa ein. Mit den Überseegebieten hat das gesamte Territorium rund 60 Millionen Einwohner.

Die Bevölkerungsdichte ist gering

Mit einer durchschnittlichen Bevölkerungsdichte von 105 E/km^2 gehört Frankreich zu den schwach besiedelten Ländern Westeuropas (zum Vergleich: Deutschland hat 228 E/km^2, Großbritannien 239 E/km^2). Darüber hinaus ist die Bevölkerung sehr ungleichmäßig verteilt. Die meisten Menschen leben in den großen In-

Bevölkerungsdichte
E/km^2

☐ <50
50 bis150
150 bis 300
300 bis 500
>500

Bevölkerungsdichte in Europa: Im Vergleich mit Europa ist Frankreich dünn besiedelt; eine Ausnahme bildet der Großraum Paris

Traditionelle Dörfer:

Brancion (Saône-et-
Loire)
Bergheim (Haut-Rhin)
Volx (Alpes de Haute-
Provence)
Saint-Cirq-Lapopie (Lot)
Locronan (Finistère)

dustriegebieten und Städten in den Regionen Ile-de-France, Nord-Pas-de-Calais und Rhône-Alpes, entlang der großen Flüsse Seine, Rhein und Rhône sowie an den Küsten. Entlang einer Diagonale von den Pyrenäen bis zu den Ardennen mit dem Zentralmassiv, dem östlichen Teil des Pariser Beckens, den *Landes* und den südlichen Alpen sowie im Binnenland Korsikas ist die Bevölkerungsdichte dagegen sehr gering (nicht selten unter 50 E/km^2).

18,9 % der Gesamtbevölkerung leben 1995 im Großraum Paris (1936 16,2 %). Anders als die alten Industrieregionen im Norden und Osten des Landes, die unter dem Niedergang der Kohle-, Stahl- und Textilindustrie leiden, hat der Großraum Paris nicht an Anziehungskraft verloren. Auch der Westen und vor allem der Süden des Landes, wo sich moderne Industrien angesiedelt haben und das Umfeld attraktiv ist, sind heute bei Arbeitnehmern wie bei Rentnern besonders beliebt. Dennoch nimmt die Mobilität zwischen den Regionen seit etwa 15 Jahren ab, und die meisten Umzüge werden innerhalb der Departements und Gemeinden verzeichnet.

Die Verstädterung hat in Frankreich später eingesetzt als beispielsweise in Deutschland oder Großbritannien. Heute macht die Stadtbevölkerung 72,6 % aus (1954 59 %). Der Drang in die Städte, der nach dem Zweiten Weltkrieg zu beobachten war, hat allerdings in den letzten 10 Jahren nachgelassen. Zunächst hatten die Großstädte erhebliche Zuzüge verzeichnet, dann die Städte mittlerer Größe und seit 1982 wieder verstärkt die Ballungsgebiete. Dieses neue Wachstum weist in allen großen Städten die gleichen Merkmale auf: Die Bevölkerungszahl in den Innenstädten stagniert oder nimmt ab, obgleich die alten Viertel umfassend saniert werden, während die nahegelegenen Vorstädte langsamer wachsen. Weiter entfernte Vororte und vor allem ländliche Gemeinden in Stadtnähe dagegen verzeichnen eine starke Zuwanderung. Hier sind die Mieten günstiger, der Lebensraum angenehmer, und die Verkehrsanbindungen an die Innenstädte sind gut. Das gilt auch für die "neuen Städte", die um Paris herum entstanden sind, wie Cergy-Pontoise oder Marne-la-Vallée, in denen außerdem viele Arbeitsplätze in der Industrie und im Dienstleistungsgewerbe geschaffen wurden. Die stadtfernen ländlichen Gegenden dagegen stehen vor dem Problem einer kontinuierlichen Entvölkerung. Vor allem im Zentralmassiv und im Binnenland Korsikas ist eine starke Abwanderung zu beobachten.

Die Bevölkerungszunahme verlangsamt sich

Nach einem moderaten Wachstum im 19. Jh. und einer langen Stagnation zwischen den beiden Weltkriegen wuchs die französische Bevölkerung von 1945 bis Anfang der 70er Jahre stärker als in den meisten Ländern Europas. Die zusammengefaßte Geburtenziffer, die zwischen den beiden Weltkriegen auf zwei Kinder pro Frau zurückgegangen war, stieg wieder auf fast drei Kinder an. Die Geburtenzahl, die zwischen 1925 und 1930 auf unter 750.000 gefallen war, stieg zwischen 1946 und 1973 wieder auf rund 850.000 jährlich. Außerdem trugen die höhere Lebenserwartung, eine starke Zuwanderung von Ausländern und die Rückkehr von Franzosen aus Nordafrika zum Bevölkerungswachstum bei, das bei durchschnittlich 1 % jährlich lag.

Großmutter oder sogar Urgroßmutter sein: Französische Frauen haben eine Lebenserwartung von über 80 Jahren

Infolge des Geburtenrückgangs und einer geringeren Zuwanderung wächst die französische Bevölkerung seit 1975 um 0,5 % jährlich. Die Geburtenrate lag 1994 bei 12,2 ‰ (1960-1965 17,9 ‰) und ist vergleichbar mit der Großbritanniens, aber um einiges höher als die Italiens und Deutschlands. In der niedrigeren Geburtenrate schlägt sich die zunehmende Berufstätigkeit der Frauen ebenso nieder wie die allgemeine Verbreitung von Verhütungsmitteln und das sich wandelnde Familienmodell. Zweifellos spielt auch die Wirtschaftskrise seit 1973, der Anstieg der Arbeitslosigkeit, der Wandel der Einstellungen, ein stärkerer Individualismus und der Wunsch, besser auf die Bedürfnisse jedes einzelnen Kindes einzugehen, eine Rolle. Die zusammengefaßte Geburtenziffer liegt bei 1,7 und ist im europäischen Vergleich relativ hoch. Die Geburtenzahl liegt heute wieder bei rund 708.000 jährlich.

Nachdem die Sterberate in den letzten hundert Jahren erheblich gesenkt werden konnte, hat sie sich bei 9 ‰ eingependelt. Aufgrund der verbesserten Lebensbedingungen, der besseren Gesundheitsvorsorge und vor allem der Fortschritte in der Medizin stieg seit 1950 die Lebenserwartung der Frauen von 67 auf 81,5 Jahre und die der Männer von 62 auf 73,3 Jahre. Die Kindersterblichkeitsrate ist mit 6,7 ‰ weltweit eine der niedrigsten. Im gleichen Zeitraum haben sich die Todesursachen verändert: Infektionskrankheiten sind zurückgegangen, während Tumorerkrankungen und Herz-Kreislauf-Erkrankungen stark zugenommen haben. Verkehrsunfälle sind, vor allem bei jungen Leuten, ebenfalls eine häufige Todesursache. Hinzu kommt heute AIDS.

Die Verlangsamung des natürlichen Bevölkerungswachstums wird sich in dem Maße verstärken, in dem die nach 1973 Geborenen erwachsen werden. Denn noch gibt es viele Frauen im gebärfähigen Alter, die selbst aus der "Baby-Boom"-Generation der Nachkriegszeit stammen. Wenn die zusammengefaßte Geburtenziffer von 1,7 sich auf Dauer hält, dürfte die Bevölkerung erst gegen 2020 zurückgehen.

Die ausländische Bevölkerung

Die Franzosen verlassen ihr Land nicht gerne: Weniger als 1,5 Millionen leben im Ausland. Dagegen gilt Frankreich seit jeher als Aufnahmeland für Einwanderer. 1990 lebten 3.580.000 Ausländer in Frankreich (6,3 % der Bevölkerung des Mutterlandes), 1982 waren es 6,8 %, 1931 6,6 %. Ihr Anteil schwankt also nur geringfügig, und in den vergangenen 10 Jahren war sogar ein leichter Rückgang zu verzeichnen. Das liegt vor allem an den strengeren Einwanderungs-bestimmungen, die 1993 verschärft wurden. Die genaue Zahl der in Frankreich lebenden Ausländer ist nicht leicht zu bestimmen, besonders wegen der illegalen Einwanderer, die per definitionem jeder Zählung entgehen. Das wurde deutlich, als den illegalen Einwanderern 1981 Gelegenheit gegeben wurde, ihre Situation zu legalisieren und sich Papiere ausstellen zu lassen: 130.000 ausländische Arbeitnehmer

Kinder auf dem Champs-de-Mars in Paris: Der Integrationsprozeß von Einwanderern ist meist ab der zweiten Generation erfolgreich

meldeten sich, während die meisten Schätzungen von einer größeren Zahl ausgegangen waren.

Viele Menschen, die die französische Staatsbürgerschaft durch Naturalisierung oder auch durch Geburt (in Frankreich geborene Kinder ausländischer Eltern) erworben haben, werden weiterhin als Ausländer angesehen. Das Integrationsproblem betrifft also eine viel größere Bevölkerungsgruppe als die Ausländer im eigentlichen Sinn. Wenn die Grenzen hier nicht immer genau gezogen werden, so liegt das daran, daß 14 Millionen Menschen, also ein Viertel der Bevölkerung, entweder selbst Ausländer oder Kinder bzw. Enkelkinder von Ausländern sind. Entsprechend dem neuen Gesetz über die Staatsangehörigkeit, das 1993 angenommen wurde, müssen Kinder, die in Frankreich geboren sind und deren Eltern nicht die französische Staatsangehörigkeit haben, die französische Staatsangehörigkeit beantragen, sofern sie das wünschen, wenn sie volljährig (18 Jahre) werden.

Bis Mitte der 60er Jahre kamen die Einwanderer hauptsächlich aus den benachbarten Mittelmeerländern Italien, Spanien und Portugal. Dann folgten Einwanderer aus dem Maghreb, aus Schwarzafrika, dem Nahen Osten (hauptsächlich Türkei) und aus Südostasien. Zu den einwandernden Arbeitnehmern kamen politische Flüchtlinge sowie Frauen und Kinder im Rahmen der Familienzusammenführung hinzu.

1975 stammte etwas mehr als die Hälfte der Einwanderer aus Ländern der Europäischen Gemeinschaft (54,3 %), 1990 waren es nur noch 36,3 %. Der Anteil der Einwanderer aus afrikanischen Ländern (einschließlich Maghreb) nahm dagegen deutlich zu und stieg von 34,6 % auf 45,8 %. Die meisten in Frankreich lebenden Ausländer sind nach wie vor Portugiesen, gefolgt von Algeriern, Marokkanern, Italienern und Spaniern.

Die ausländische Bevölkerung ist jünger als die französische, der Anteil der Männer ist größer und die Geburtenrate liegt höher (12,7 % der Neugeborenen), gleicht sich jedoch langsam an die französische an. Der Ausländeranteil ist in den Industriegebieten in der östlichen Landeshälfte besonders hoch. In der Region Ile-de-France leben die meisten Ausländer (40 %), dahinter folgen die Regionen Rhône-Alpes und Provence-Alpes-Côte-d'Azur. Der größte Teil lebt in den Ballungsgebieten. Trotz wiederkehrender Spannungen in einigen Stadtvierteln oder Vororten verwischen sich die unterschiedlichen Kulturen und Lebensarten immer mehr, vor allem bei den Kindern der zweiten Generation.

Der Rückgang der Geburtenziffern und der Bevölkerungsanstieg durch Zuwanderer hat, wie in den meisten anderen Industrieländern, nach und nach zur Überalterung der Bevölkerung geführt. Die Gruppe der über 65jährigen macht heute 15 % aus (1946 11 %), während der Anteil der unter 20jährigen immer kleiner wird (1995 26,1 %).

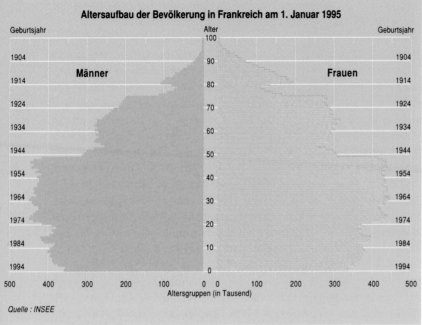

Altersaufbau der Bevölkerung in Frankreich am 1. Januar 1995

Geburtsjahr — Alter — Geburtsjahr

Männer — Frauen

Altersgruppen (in Tausend)

Quelle : INSEE

Die französische Bevölkerung: Die vielen nach dem Krieg geborenen Kinder sind heute zwischen 25 und 50 Jahren alt. Bei jüngeren Generationen verschmälert sich die Alterspyramide, wie in allen Ländern der Europäischen Union

Diese Überalterung bringt erhebliche wirtschaftliche und soziale Probleme mit sich, um so mehr als die Gruppe der Erwerbstätigen, die die Sozialversicherung finanzieren, durch die längeren Ausbildungszeiten und die Senkung des Rentenalters immer kleiner wird. Die Lage könnte sich zu Beginn des 21. Jh. verschärfen, wenn die geburtenstarken Jahrgänge von 1945 bis 1965 aus dem Erwerbsleben ausscheiden.

Die Erwerbsbevölkerung

1994 zählte Frankreich 25,1 Millionen Erwerbspersonen; das sind 43,4 % der Gesamtbevölkerung. Infolge der geburtenstarken Jahrgänge, der Zuwanderung und der zunehmenden Berufstätigkeit von Frauen ist die Zahl der Erwerbspersonen seit dem zweiten Weltkrieg stark angestiegen. Die Zahl der erwerbstätigen Frauen hat sich seit 1960 verdoppelt und macht heute 47 % der gesamten Erwerbsbevölkerung aus.

Im selben Zeitraum hat sich die Struktur der Erwerbsbevölkerung verändert. Die Arbeitnehmerschaft ist größer geworden und macht heute 86 % der Erwerbspersonen aus (1962 72 %). Mehr als ein Drittel der Arbeitnehmer sind Bedienstete des Staates oder der Gebietskörperschaften. Auch die Teilzeitarbeit hat stark zugenommen und macht heute 14 % der Arbeitsplätze aus; vier Fünftel davon werden von Frauen besetzt. Außerdem haben sich die verschiedenen Wirtschaftssektoren in den vergangenen 20 Jahren sehr unterschiedlich entwickelt.

Infolge der Mechanisierung und der Konzentration der Höfe ist die Zahl der Beschäftigten in der Landwirtschaft stark zurückgegangen. 1968 waren 15 % der Erwerbstätigen in der Landwirtschaft beschäftigt, 1993 waren es nur noch 5,9 %. Zu den 990.000 Inhabern von landwirtschaftlichen Betrieben kommen 282.000 Arbeitnehmer in diesem Sektor hinzu. In ländlichen Gebieten gibt es heute oft schon mehr Arbeiter oder Rentner als Landwirte.

Die Industrie beschäftigt 29,6 % der Erwerbstätigen (6,3 Millionen). Infolge der Wirtschaftskrise, der Automatisierung und der internationalen Konkurrenz gingen in den vergangenen 20 Jahren immer mehr Arbeitsplätze verloren. Die traditionellen Industriezweige mit hohen Beschäftigtenzahlen - Metall-, Textil- und Lederindustrie - waren am stärksten betroffen. In jüngster Zeit mußten auch die Automobilindustrie und die Elektronikindustrie Arbeitsplätze abbauen. Davon waren ungelernte Arbeiter besonders stark betroffen; sie machen nur noch 42 % der Erwerbsbevölkerung aus.

Mit 14,3 Millionen Erwerbstätigen (64,5 % aller Beschäftigten; 1968 46 %) stellt der Dienstleistungssektor heute die meisten Arbeitsplätze. Der Frauenanteil ist in manchen Bereichen, wie Gesundheitswesen und Schulwesen, besonders hoch. Jedoch ist infolge der Automatisierung und Informatisierung ein anhaltender Abbau von Arbeitsplätzen zu beobachten, vor allem bei den Banken.

1995 sind 3,3 Millionen Menschen arbeitslos (12,2 % der Erwerbsbevölkerung; 1970 2,4 %). Frankreich liegt damit im Mittel der Länder der Europäischen Union. Zur konjunkturellen Arbeitslosigkeit, die in Frankreich selbst in Jahren des Wachstums zu verzeichnen war, kommt damit eine strukturelle Arbeitslosigkeit hinzu, in der sich die Verlangsamung der Wirtschaftstätigkeit, die Steigerung der Produktivität und der Zustrom der geburtenstarken Jahrgänge auf den Arbeitsmarkt widerspiegeln. Betroffen sind vor allem junge Leute, Frauen und Ausländer, besonders solche mit unzureichender Qualifikation. Die alten Industriegebiete, wie Nordfrankreich und Lothringen, verzeichnen die höchsten Arbeitslosen-

Arbeiterinnen in einer Uhrenfabrik in Morteau (Doubs): In der Industrie nimmt die Zahl der weiblichen Arbeitskräfte ab

	Landwirtschaft	Industrie	Dienstleistungen
Deutschland	3,7	39,1	57,2
Österreich	7,1	35,5	57,4
Belgien	2,9	30,9	66,2
Dänemark	5,2	27,4	67,4
Spanien	10,1	32,7	57,2
Finnland	8,6	27,8	63,5
Frankreich	**5,9**	**29,6**	**64,5**
Griechenland	21,9	25,4	52,8
Irland	13,8	28,9	57,1
Italien	7,9	33,2	58,9
Luxemburg	3,1	29,6	67,3
Niederlande	3,9	25,2	70,9
Portugal	11,5	32,6	55,9
Großbritannien	2,2	30,2	67,5
Schweden	3,2	26,6	70,2

Quelle: Eurostat, 1994

Die Struktur der Erwerbstätigen - ein gutes Bild des Produktivsystems in den Ländern der Europäischen Union

quoten, während die Regionen um Paris und Lyon sowie das Elsaß, dessen Arbeitskräfte zum Teil in Deutschland und in der Schweiz beschäftigt sind, weniger Arbeitslose verzeichnen. Die Langzeitarbeitslosigkeit nimmt zu. 37 % der Arbeitslosen sind schon über ein Jahr ohne Beschäftigung. Ihre Wiedereingliederung ist besonders schwierig. Im übrigen unterstreicht die steigende Zahl der Zeitarbeitsplätze und befristeten Arbeitsverträge die prekäre Lage, wobei diese Verträge allerdings manchmal die Eingliederung arbeitsloser Jugendlicher ermöglichen.

Für weitere Informationen:

R. Brunet, F. Auriac, *Atlas de France* (14 Bde.), Bd.2: *Population*, Paris, 1995
Bilan économique et social, Paris, 1995
M. Cicurel, *La génération inoxydable*, Paris, 1989
L'état de la France 95-96, Paris, 1995
D. Noin et Y. Chauviré, *La population de la France*, Paris, 1991
J. Vallin, *La population française*, Paris, 1989
"La France et sa population", *Les Cahiers français*, n° 259, La Documentation française, Paris, Januar-Februar 1993
A. Lebon, "Des chiffres et des hommes", *Revue française des affaires sociales*, Dezember 1992.

DIE
GESCHICHTE

Frankreich von 1789 bis heute

1789-1799 Französische Revolution. Erklärung der Menschen- und Bürgerrechte. Abschaffung des Königtums (1792). Erste Republik. Direktorium. Konsulat.

1799-1815 Aufstieg Napoleon Bonapartes, Erster Konsul und Kaiser der Franzosen (1804). Schaffung moderner Verwaltungseinrichtungen, Kodifizierung der Gesetze. Europäische Kriege, die zur Abdankung des Kaisers führten.

1815-1848 Restauration der konstitutionellen Monarchie (Ludwig XVIII., Karl X.). Revolution von 1830. Regierung von Ludwig Philipp. Wirtschaftlicher Wohlstand durch die Industrialisierung und den Bau der Eisenbahn. Erste Kolonialniederlassungen.

1848-1851 Revolution. Zweite Republik. Erste Gesetze über die Arbeit, die Presse und das Bildungswesen. Staatsstreich von Louis-Napoleon Bonaparte, dem Neffen von Napoleon I.

1852-1870 Zweites Kaiserreich. Politische Liberalisierung (1860). Phase starken Wachstums und kolonialer Ausdehnung.

1870-1875 Krieg mit Preußen, Verlust Elsaß-Lothringens, Sturz Napoleons III. Pariser Kommune (1871). Dritte Republik (Verfassungsgesetze von 1875).

1875-1914 Höhepunkt der Parlamentarisierung. Anerkennung der gewerkschaftlichen Freiheit. Trennung von Kirche und Staat (1905). Große wissenschaftliche und technische Erfindungen.

1914-1918 Erster Weltkrieg. Sieg Frankreichs an der Seite seiner Bündnispartner. Rückkehr Elsaß-Lothringens.

1919-1939 Friedensverträge. Künstlerische Ausstrahlung von Paris. Wirtschaftskrise. Regierung der Volksfront (1936), Sozialverträge. Spannungen in Europa (Aufkeimen des Faschismus).

1939-1945 Zweiter Weltkrieg. Niederlage und Besetzung (1940); Sturz der Dritten Republik. Vichy-Regierung (Pétain). De Gaulle führt die Widerstandsbewegung von London und Algier aus an, Sieg der Alliierten (1945).

1946-1957 Vierte Republik. Wiederaufbau, Bevölkerungsanstieg und Wirtschaftswachstum. Entkolonialisierung. Gründung der Europäischen Gemeinschaften (Römische Verträge, 1957).

1958-1969 Rückkehr General de Gaulles an die Macht. Reform der Institutionen. Fünfte Republik. Wirtschaftswachstum. Soziale Krise (1968).

1969-1981 Staatspräsidenten Georges Pompidou (1969-1974) und Valéry Giscard d'Estaing (1974-1981). Ölkrisen (1973 und 1979).

1981-1995 François Mitterrand wird 1981 Staatspräsident und 1988 wiedergewählt. Wechsel zwischen Linksregierungen (1981-86 und 1988-93) und Mitte-Rechts-Regierungen (1986-88 und seit März 1993). Referendum mit anschließender Ratifizierung des Vertrags über die Europäische Union (September 1992).

1995 Wahl von Jacques Chirac zum Staatspräsidenten.

3

Von der Revolution bis 1945

Frankreich definierte sich mit der Revolution von 1789 endgültig als Nation. Am 14. Juli 1790, dem Tag des *Föderationsfestes*, erklärten Delegierte aus allen Landesteilen durch freiwilligen Beitritt ihre Zugehörigkeit zu ein und derselben nationalen Gemeinschaft. Damit wurde zum ersten Mal das Recht der Völker auf Selbstbestimmung bekundet, das die Franzosen sozusagen zunächst auf sich selbst anwandten, bevor es allen Nationen Europas und der Welt als Modell galt. Die nationale Einheit wurde bewußt am ersten Jahrestag des Sturms auf die Bastille verkündet, denn er galt als der erste revolutionäre Akt des Volkes gegen die Willkür der Monarchie und machte Frankreich zu einer der Wiegen der Freiheit.

Die Idee von einer Nation, in der alle Aufnahme finden, die sich als freie Menschen fühlen, fand auch Ausdruck in der Erklärung der Menschen- und Bürgerrechte (26. August 1789).

Die Revolution: Grundideen und Grundwerte

Die so erlangte Freiheit ließ sich aber ohne Gesetze nicht bewahren. Juristen, die unter dem Einfluß der Philosophie der Aufklärung und zugleich in einer alten legalistischen Tradition standen, bildeten den überwiegenden Teil der Generalstände, aus denen nach dem Ballhausschwur am 20. Juni 1789 die Verfassunggebende Nationalversammlung hervorging, welche Frankreich 1791 seine erste Verfassung gab. Bis zu der heute gültigen von 1958 sollten 15 weitere folgen. Dies ist jedoch nicht Ausdruck einer konstitutionellen Instabilität, sondern vielmehr eines redlichen Bemühens des Staates und der öffentlichen Hand um Verbesserungen. Die neuen Verfassungen stützten sich auf das Prinzip der Volkssouveränität und standen damit im Gegensatz zum "gnädigsten Willen" des Königs.

Le général Bonaparte à
Arcole von Antoine
Gros (1799): Nach dem
Italienfeldzug entsteht
langsam das Bild des
Revolutionshelden

Die Unentschlossenheit des Königs, seine Flucht nach Varennes und die Herbeirufung fremder Streitkräfte gegen das Volk endeten nach der Erstürmung des Tuilerienpalastes am 10. August 1792 mit der Ausrufung der Republik (22. September 1792). Aber nach der Hinrichtung Ludwig XVI. am 21. Januar 1793 verwarf die neugegründete Republik nicht das gesamte monarchistische Erbe. Der Föderalismus wurde abgeschafft, und die Dezentralisierungs- und Gleichheitsprinzipien der Verfassung von 1793 kamen nicht zur Anwendung. Im Geiste der Jakobiner und unter dem von Robespierre beherrschten Wohlfahrtsausschuß wurde vielmehr eine ultra-zentralistische und diktatorische Politik betrieben. Ihre Anhänger rechtfertigten die Schreckensherrschaft mit den Angriffen der verbündeten europäischen Monarchien und mit den Aufständen im Inland. Die Phase der Instabilität, die auf die Hinrichtung Robespierres folgte und sich unter dem Direktorium fortsetzte, wurde mit dem Staatsstreich am 18. Brumaire VIII (9. November 1799) beendet.

Bonaparte, einer der brillantesten Generäle der Republik, wurde Erster Konsul, dann Konsul auf Lebenszeit und schließlich 1804 als Napoleon I. "Kaiser der Franzosen". In der Zeit des Konsulats wurde die republikanische Regierungsform noch beibehalten, aber im Ersten Kaiserreich setzten sich wieder monarchische Formen durch (Wiederherstellung der persönlichen Macht, Wiedereinsetzung eines neuen Adels). Der wichtigste Teil seines Vermächtnisses stützte sich jedoch weitgehend auf das revolutionäre Erbe und wurde vor allem mit der Verabschiedung des *Code Civil* im Jahr 1804 und mit der Einsetzung der Präfekten, des Staatsrats, der *Banque de France*, der *École Polytechnique* und der *École Normale Supérieure* festgeschrieben.

Nachdem Napoleon 1815 bei Waterloo endgültig besiegt worden war, wurde unter Ludwig XVIII., Karl X. und nach den Revolutionstagen vom Juli 1830 unter Ludwig Philipp die Monarchie fortgeführt. Darauf folgten die Zweite Republik (1848-1851) und das Zweite Kaiserreich (1852-1870). Erst mit der Ausrufung der Dritten Republik im Jahre 1875 setzte sich in Frankreich die republikanische Staatsform mit der siebenjährigen Amtszeit des Staatspräsidenten und der allgemeinen Wahl der Abgeordneten dauerhaft durch.

Das revolutionäre Erbe

Ende des 19. Jh. sah man die Idee von der Nation - einig und unteilbar und auf freiwilligem Zusammenschluß begründet -, die Menschenrechte und die nationale Souveränität, den Rechtsstaat und die republikanische Staatsform als die dauerhaftesten Beiträge der Französischen Revolution an. Symbole für diese Begriffe sind die 1792 von Rouget de Lisle komponierte Nationalhymne *Marseillaise*, die Trikolore, die zu dem Weiß des Königshauses die Farben Blau und Rot des Pariser Wappens aufgenommen hatte und nur zwischen 1815 und 1830 nicht Landesflagge war, der 14. Juli, der 1880 endgültig zum Nationalfeiertag erklärt wurde, sowie die Devise "Freiheit, Gleichheit, Brüderlichkeit", die 1848 wieder eingeführt wurde.

Als bedeutendste Dimension der revolutionären Bewegung zwischen 1789 und 1793 galt lange das starke Streben nach Gleichheit, das sich aus der Aufklärung nach Rousseau entwickelt hatte und die Französische Revolution von den großen Freiheitsbewegungen abhob, die ihren Ursprung in den Vereinigten Staaten hatten.

Die Gleichheit der Völker wurde ebenso als Wert festgeschrieben wie die Gleichheit der Konfessionen: Protestanten erhielten ebenso wie Juden oder Ungläubige die vollen Bürgerrechte; die Anschauung, daß alle Menschen "frei und gleich an Rechten geboren werden", veranlaßte den Nationalkonvent und die Zweite Republik zur Abschaffung der Sklaverei in den Kolonien; das Gleichheitsprinzip bezog sich auch auf den Zugang aller - zumindest in Abhängigkeit von den Befähigungen - zu Vermögen, auch wenn dieser Grundsatz durch den anderen großen Grundsatz der unternehmerischen Freiheit und der freien Verfügbarkeit über das eigene Vermögen ausgeglichen wurde. Die Eigentumsgarantie, die Aufteilung des gemeindeeigenen Besitzes und die Veräußerung des nationalen Besitzes festigten im übrigen in Frankreich lange den Kleinbesitz, vor allem auf dem Land, und die damit verbundene Mentalität.

Jean-Jacques Rousseau (1712-1778) von E. Jeaurat: Der Autor von "Der Sozialvertrag" wacht über die voranschreitende Revolution, ihre Grundsätze und Symbole, dargestellt in einer ländlichen Szenerie

Vielleicht erklärt das Streben nach Gleichheit zu einem guten Teil das Verhalten der Franzosen seit 1789. Vor allem das

Bemühen um bürgerliche und soziale Gerechtigkeit führte zu der typisch französischen politischen Strömung des Radikalismus. Lange war er Ausdruck für das Streben nach Gleichheit, Individualität und Liberalität der mittleren Schichten, die die Privilegien des Adels ebenso ablehnten wie den Kollektivismus der Massen. Er findet sich in unterschiedlichen Formen von den Jakobinern über Ledru-Rollin (1848) bis zur ersten politischen Partei der Neuzeit, der 1901 gegründeten *Parti radical*.

Auch die Arbeiterbewegung in ihren vielfältigen gewerkschaftlichen und politischen Ausdrucksformen entstand aus dem Bemühen um Gleichheit. Sie begleitete die erste industrielle Revolution, die sich in Frankreich ab 1830 (mit der Entstehung des Eisenbahnbaus, des Bergbaus und des Textilgewerbes sowie der Bankenkonzentration) entwickelte.

Die soziale Frage und die Rolle der Schule

Die industrielle Revolution veränderte die Arbeit und die sozialen Beziehungen. Die Arbeits- und Lebensbedingungen der Arbeiter standen lange Zeit im Mittelpunkt der sozialen Frage. Sozialistisches Gedankengut kam auf (Fourier, Saint-Simon). Durch die Revolution von 1848 sollte der Traum von einer umfassenden Gleichstellung Wirklichkeit werden. Aber mit der Konfrontation zwischen den von den Nationalwerkstätten entlassenen Arbeitern und der Armee wurde er im Juni 1848 zum Alptraum. Die Zweite Republik führte noch das allgemeine Wahlrecht (für Männer) ein, bevor Louis-Napoleon am 2. Dezember 1851 durch einen Staatsstreich die Macht übernahm.

Eine Grundschulklasse in der Dritten Republik (1910): Auf dem Lehrplan standen neben Geschichte, Geographie, Naturwissenschaften und Mathematik auch Moral- und Gesundheitsunterricht

Im Zweiten Kaiserreich wurde ebenfalls versucht, die soziale Frage durch die Förderung der wirtschaftlichen Entwicklung zu lösen. Die Anreize dazu sollte der Staat in Verbindung mit dem freien Unternehmertum und im Rahmen des freien Außenhandels geben. Aber Napoleon III., der die Grundfreiheiten ebenso wie die politischen Freiheiten unterdrückte, begab sich in aussichtslose Abenteuer im Ausland (Krim, Mexiko). Der Krieg mit Preußen besiegelte 1870 mit der Niederlage von Sedan sein Schicksal. Am 4. September 1870 wurde die Republik ausgerufen.

Mit der Verabschiedung der Verfassungsgesetze wurde die Dritte Republik 1875 institutionalisiert. Soziale Instabilität machte der jungen Republik zu schaffen. Innerhalb der Arbeiterbewegung, die sich immer stärker in Gewerkschaften und Parteien organisierte, wurde der utopische Sozialismus vom Anarchismus und vom Marxismus überholt. Aber weder die erneute Infragestellung der Zugehörigkeit der Arbeiterklasse zur Nation durch die anarchistische Bewegung noch die manchmal vom Marxismus befürwortete Abschaffung der Freiheiten zugunsten der Gleichheit überzeugten die Franzosen jemals wirklich. Das zeigte sowohl der Aufstand der Pariser Kommune, der sich gegen den preußischen Feind ebenso wie gegen die soziale Ordnung im Land richtete und 1871 von Thiers und den "Versaillern" niedergeschlagen wurde, als auch die Beteiligung der Arbeiter an der nationalen Verteidigung im Jahr 1914.

Die gemäßigten Politiker der Dritten Republik (die "Opportunisten"), die sich auf das Klein- und Mittelbürgertum in den Städten wie auf dem Land stützten, suchten auf die soziale Frage eine nuanciertere Antwort: eine soziale Integration der Arbeiter wie der Bauern in einen liberalen demokratischen Staat ohne die alten klerikalen, cäsaristischen oder militaristischen Einflüsse. Unter dem damaligen Erziehungsminister Jules Ferry wurde die Grundschule zwischen 1882 und 1885 als schulgeldfreie, laizistische Pflichtschule verankert. Die oft heftige Debatte zwischen Klerikalen und Antiklerikalen um die Schule führte 1905 zur Trennung zwischen Kirche und Staat. Die Rolle der öffentlichen Schule und die Trennung von Kirche und Staat wurden so zu den Hauptmerkmalen der sozialen Ordnung in Frankreich und blieben es mindestens ein Jahrhundert lang.

Die Dreyfus-Affäre und die Armee

Die Dreyfus-Affäre hat die französische Gesellschaft um die Jahrhundertwende tiefgreifend geprägt. Der elsässer Offizier jüdischer Abstammung Alfred Dreyfus war wegen Hochverrats degradiert und verbannt worden; der herrschende Antisemitismus begünstigte seine Verurteilung durch ein Militärgericht, die aus Gründen der Staatsräson nicht aufgehoben wurde. Der Kampf für die Wahrheit und die Freisprechung von Hauptmann Dreyfus wurde unterstützt durch das Engagement der Intellektuellen und des Schriftstellers Emile Zola, der in *L'Aurore* seinen Artikel "Ich klage an" veröffentlichte. Befürworter und Gegner standen sich in der Sache gegenüber. Schließlich wurde Dreyfus rehabilitiert. Die Republikaner feierten ihren Sieg über ihre monarchistischen und klerikalen Gegner; ein wesentlicher republikanischer Grundsatz wurde bestätigt: die militärische Macht muß der zivilen Gewalt immer untergeordnet sein.

Zur gleichen Zeit setzte die Regierung die Streitkräfte zur Eroberung eines riesigen Kolonialreiches ein. Sie führte die Wehrpflicht ein und förderte vor allem durch den Schulunterricht das patriotische Gefühl der Franzosen in der Frage der Wiedererlangung der 1871 verlorenen Gebiete (Elsaß und Teile Lothringens).

Zeichnung aus dem
Jahr der Kolonial-Aus-
stellung (1931): In ei-
ner exotischen
Umrandung präsentiert
sich das französische
Kolonialreich; wie auf
allen Schullandkarten
ist es in Rosa darge-
stellt

Kolonialer Aufschwung und Außenpolitik

Nach der Eroberung Algeriens zwischen 1830 und 1847 ergriffen Jules Ferry sowie einige Geschäftsleute, Forschungsreisende und Offiziere die Initiative zur Eroberung Tunesiens, Indochinas, Madagaskars und eines Teils von Schwarzafrika. Mit der Errichtung eines Protektorats über Marokko kurz vor Beginn des Ersten Weltkriegs wurde Frankreich das zweitgrößte Kolonialreich der Welt. Es wurden entsprechende Institutionen geschaffen: eine Kolonialarmee, ein Ministerium für die Kolonien, eine Schule für Verwaltungsbeamte in den Kolonien. Die anfänglich gleichgültige Haltung der Öffentlichkeit gegenüber diesen Initiativen wurde zunehmend positiver und entwickelte sich nach und nach sogar in Nationalstolz, während sich in den kolonisierten Ländern die ersten Aufstände abzeichneten.

Die Niederlage von 1870 brachte Frankreich u.a. dazu, seine diplomatische Isolation aufzugeben. Die Annäherung an Großbritannien ("Entente cordiale" von 1904), an Rußland (Bündnis von 1893) sowie an die mit Österreich-Ungarn verfeindeten Balkanländer (Serbien, Montenegro) führte zur Bildung der Tripelentente als Gegenpol zum Dreibund zwischen Deutschland, Österreich-Ungarn und Italien, dem sich das Osmanische Reich anschloß. Als der österreichisch-ungarische Thronfolger am 28. Juni 1914 in Sarajewo erschossen wurde, führte dieses Bündnissystem zum Ausbruch des Ersten Weltkriegs.

Vom Ersten
zum Zweiten Weltkrieg

Am 3. August 1914 trat Frankreich an der Seite Englands und Rußlands, denen sich später Italien und die Vereinigten Staaten anschlossen, in den Krieg gegen Deutschland und Österreich-Ungarn ein. Teile des französischen Staatsgebiets wurden besetzt und verwüstet, und 1.325.000 Tote waren zu beklagen. Der Waffenstillstand des 11. November 1918 wird bis heute nicht nur als Tag des Sieges gefeiert, sondern auch als der Tag, an dem ein schreckliches Gemetzel endete. In jeder Gemeinde zeugen Denkmäler für die Gefallenen des "Großen Krieges" von einem der blutigsten Ereignisse der jüngsten französischen Geschichte. Der Tod vieler junger Menschen lähmte die demographische Entwicklung der französischen Gesellschaft für lange Zeit. Die materiellen Verluste waren nicht minder beträchtlich; sie wurden auf ein Viertel des französischen Staatsvermögens geschätzt.

Die Dritte Republik ging scheinbar gestärkt aus dem Sieg hervor, den sie in der *Union sacrée* der politischen Parteien für die Verteidigung der Nation errungen hatte. Die Nationale Union von Raymond Poincaré beherrschte das politische Leben der 20er Jahre. Davon ausgenommen war nur die sozialistische Linke, die seit der Gründung der Kommunistischen Partei im Dezember 1920 gespalten war. Das Linkskartell (1924-1926) aus Sozialisten und Radikalen war nur eine kurze Episode in der langen Vorherrschaft der Rechtsparteien.

Die Wirtschaftskrise in den 30er Jahren und der Aufstieg der Nationalsozialisten in Deutschland verschärften die Probleme und vergrößerten die Spaltung. Am 6. Februar 1934 organisierten die Faschistischen Ligen eine antiparlamentarische Demonstration vor der Abgeordnetenkammer. Das führte zu einem antifaschistischen Bündnis von den Radikalen bis zu den Kommunisten. Nach ihrem Wahlsieg 1936 bildeten die Sozialisten unter Léon Blum eine Volksfrontregierung, unter der viele wichtige Reformen durchgeführt wurden: 40-Stunden-Woche, Tarifverträge, bezahlter Urlaub, erste Verstaatlichungen, Änderung des Status der *Banque de France*. Aber die innenpolitische Spaltung und die außenpolitischen Schwierigkeiten wurden größer, und nachdem man geglaubt hatte, den Feindseligkeiten durch die Zugeständnisse an Hitler in München im Jahr 1938 entgangen zu sein, führte der neue Regierungschef Daladier das Land an der Seite der Briten in den Zweiten Weltkrieg (3. September 1939).

Die schwarzen Jahre
des französischen Staates

Die traumatischen Kriegserlebnisse wirkten nachhaltig auf die französische Bevölkerung. Der Zusammenbruch der französischen Armee beim Einmarsch der Nationalsozialisten im Mai 1940 trieb Millionen von Zivilisten zur Massenflucht.

Die Dritte Republik brach zusammen: Am 10. Juli 1940 übertrug das Parlament Pétain uneingeschränkte Vollmachten. Er setzte in der provisorischen Hauptstadt Vichy eine neue Regierung ein, den *État français*, der allein auf seine Person zugeschnitten war, autoritären, korporatistischen und antiparlamentarischen Charakter hatte und die Juden einem diskriminierenden Sonderstatus unterwarf. Die Kollaboration mit Nazi-Deutschland, die beim Treffen Pétains mit Hitler am 24. Oktober 1940 in Montoire beschlossen wurde, hatte zur Folge, daß die Vichy-Regierung den Besetzern ab 1942 französische Arbeitskräfte zur Verfügung stellte und eine allgemeine Arbeitspflicht einführte. Außerdem wurden eine Legion französischer Freiwilliger gegen den Bolschewismus, die an der Seite der Achsenmächte an der Ostfront kämpfte, sowie eine Miliz zum Aufspüren der immer zahlreicher werdenden Oppositionellen (Juden, Aufsässige gegen den Arbeitsdienst und Widerstandskämpfer) gebildet. Vier Jahre lang zwang die Besatzungsmacht den Franzosen ein Leben in der Entbehrung auf.

Die Résistance und die Ehre Frankreichs

Die ersten Widerstandsorganisationen bildeten sich 1940. Von London aus rief General de Gaulle die Franzosen am 18. Juni 1940 auf, den Kampf an der Seite der Alliierten fortzusetzen. Um ihn entstand eine Widerstandsgruppe im Exil, die sich aus den Freien Französischen Streitkräften und einem Französischen Nationalkomitee zusammensetzte und der sich einige Kolonialgebiete anschlossen. In Frankreich selbst sabotierten Einzelpersonen Nazi-Einrichtungen und bekämpften die Besatzungsmacht und die Vichy-Regierung. Dieser "innere" Widerstand wurde größer. Er organisierte sich immer besser und wurde immer stärker von der Bevölkerung unterstützt. Es entstanden Partisanengruppen, und in Nordafrika, das schon im November 1942 von den Alliierten befreit worden war, wurde eine neue französische Armee zusammengestellt. Im Frühjahr 1943 vereinten sich auf Betreiben des Vertrauten de Gaulles im besetzten Frankreich, Jean Moulin, die wichtigsten Widerstandsorganisationen im Nationalen Widerstandsrat. Gleichzeitig bildete General de Gaulle in Algier die aus dem Nationalen Widerstandsrat hervorgegangene Provisorische Regierung der Französischen Republik.

So waren französische Truppen, die auf französischem Boden zusammengestellt worden waren, und weitere, die mit den Alliierten in der Normandie (Juni) und in der Provence (August) landeten, an der Befreiung von Paris durch General Leclerc am 25. August 1944, an der Befreiung ganz Frankreichs und an der endgültigen Vernichtung des Dritten Reichs (1945) beteiligt. Die gefangengenommenen oder geflohenen Vichy-Politiker wurden sofort ersetzt. Die Alliierten erkannten Frankreichs Mitwirkung am Sieg an.

Daher war Frankreich bei der Unterzeichnung der deutschen Kapitulation am 8. Mai 1945 zugegen und erhielt eine Besatzungszone in Deutschland sowie einen ständigen Sitz im Sicherheitsrat der Vereinten Nationen.

Wiederaufbau

Mit zwei Kriegen in 30 Jahren war die erste Hälfte des 20. Jh. eine schwere Zeit für Frankreich. Zwar hatte es im Zweiten Weltkrieg nicht so viele Opfer zu beklagen (600.000 Tote) wie im Ersten. Die materiellen Schäden dagegen waren erheblich größer. Im ganzen Land waren Städte, Fabriken, Brücken, Bahnhöfe und Eisenbahnstrecken zerstört. Hinzu kamen die Verluste durch die intensive Ausbeutung einer unterjochten Wirtschaft durch die Besatzungsmacht.

Zweimal, nach dem Sieg von 1918 und nach der Befreiung von 1944, mußte Frankreich wiederaufgebaut werden. Aus den Prüfungen dieser beiden Kriege und aus der Wirtschaftskrise ab 1929 hat es Lehren gezogen, die zu tiefgreifenden Änderungen in seinen politischen und wirtschaftlichen, aber auch sozialen und moralischen Strukturen führten. Die wirtschaftlichen Erfolge wurden ab den 50er Jahren deutlich, in der Phase, die seither die "dreißig Ruhmreichen" (1945-1975) genannt werden. Die in Frankreich traditionell bedeutende Rolle des Staates wurde dadurch noch gestärkt. Aber der deutlichste Beweis für den neuen Elan war vielleicht der Bevölkerungszuwachs, der 1943 mit einer deutlichen Zunahme der Geburten einsetzte.

Die Befreiung von Paris am 26. August 1944: General de Gaulle auf der Place de la Concorde

Frankreich seit der Vierten Republik

Schon kurz nach der Befreiung entzweiten sich die aus der *Résistance* hervorgegangenen politischen Kräfte (Kommunisten, Sozialisten und Christdemokraten), die die Provisorische Regierung General de Gaulles unterstützt hatten, insbesondere über institutionelle Fragen. De Gaulle selbst war schon im Januar 1946 als Regierungschef zurückgetreten. Zwei Verfassunggebende Nationalversammlungen, die nach allgemeinem Wahlrecht gewählt wurden - Frauen haben seit 1944 Stimmrecht -, und drei Referenden waren notwendig, bis am 13. Oktober 1946 die Verfassung der Vierten Republik angenommen werden konnte. Ihr erster Präsident, Vincent Auriol, der im Januar 1947 vom Parlament gewählt wurde, hatte nur beschränkte Befugnisse. Dennoch wurde in dieser Zeit unmittelbar nach dem Krieg Wichtiges geleistet: Wiederaufbau, soziale Sicherheit für Arbeitnehmer, Betriebsräte, Verstaatlichung der wichtigsten Wirtschaftssektoren, Wirtschaftsplanung (Monnet-Plan), Schaffung von Organisationen wie dem Kommissariat für Atomenergie (CEA).

Die neue Republik und das Atlantische Bündnis

Zur innerfranzösischen Uneinigkeit kamen bald die Probleme hinzu, die sich aus dem Kalten Krieg und der Entkolonialisierung ergaben. Frankreich nahm das Hilfsprogramm an, das der amerikanische Außenminister am 5. Juni 1947 allen europäischen Ländern zur Unterstützung beim Wiederaufbau angeboten hatte. Die Sowjetunion und in

der Folge auch die Staaten Osteuropas lehnten eine Teilnahme daran
ab. Die Verteilung der Hilfsleistungen übernahm die im April 1948 in Paris
gegründete Organisation für europäische wirtschaftliche Zusammenarbeit
(OEEC). Im April 1949 trat Frankreich der NATO bei. Im übrigen verzich-
tete Frankreich Deutschland gegenüber auf Reparationsforderungen und
eine Politik der wirtschaftlichen Schwächung und betrieb statt dessen eine
Politik der Verständigung mit einem Westdeutschland, das in ein vereintes
und demokratisches Europa eingebunden war. Jean Monnet und Robert
Schuman waren gemeinsam mit Konrad Adenauer die Initiatoren des europäischen Aufbaus, dessen Grundlagen 1951 mit dem Vertrag über die Europäische Gemeinschaft für Kohle und Stahl (EGKS) geschaffen wurden.

Frankreichs Ratifizierung des Vertrags über eine Europäische Verteidigungs-
gemeinschaft (EVG) wurde jedoch nach einer heftigen Parlamentsdebatte mit
den Stimmen der Kommunisten und der Gaullisten abgelehnt. Die Verträge
über die Bildung der Europäischen Wirtschaftsgemeinschaft und der Europäischen Atomgemeinschaft wurden dagegen einstimmig angenommen und
am 25. März 1957 in Rom unterzeichnet.

Die Vierte Republik wäre damals fast in einer schweren, durch die Entkolonialisierung hervorgerufenen Krise untergegangen. Die ersten Folgen
der Entkolonialisierung waren in Indochina zu spüren, von wo sich Frankreich nach einem schwierigen, achtjährigen Krieg zurückziehen mußte.
Unter der Regierung von Pierre Mendès-France wurde der Indochina-
Krieg am 20. Juli 1954 durch die Genfer Verträge beendet. Mendès-France
und seine Nachfolger Edgar Faure und Guy Mollet erkannten auch die Unabhängigkeit Marokkos und Tunesiens (1956) an. Gleichzeitig begann die
friedliche Entkolonialisierung Schwarz-Afrikas. Ab 1954 wütete allerdings ein
immer schärfer werdender militärischer Konflikt in Algerien, in den die französische Armee verwickelt war und der sich bis 1962 hinziehen sollte.

Die Rückkehr General de Gaulles

Die Aufstände der Algerienfranzosen am 13. Mai 1958
führten zum Sturz der letzten Regierung der Vierten Republik. De Gaulle
wurde von Staatspräsident Coty zum Regierungschef berufen und am 1.
Juni 1958 von den Abgeordneten gewählt. Er begann mit der Umsetzung
eigener politischer Konzepte, die er bis dahin nicht hatte durchsetzen
können. Die Verfassung der Fünften Republik war durch das Referendum
vom 28. September 1958 angenommen worden. Sie bezieht sich nicht
nur auf das Mutterland Frankreich, sondern auf die gesamte *Communau-
té*, die Gemeinschaft, zu deren Bildung Frankreich die überseeischen
Gebiete einlud. Obwohl fast alle (außer Guinea) für die neue Verfassung
gestimmt hatten, wurden die Länder Französisch-Afrikas schnell in die Unabhängigkeit entlassen, unterhielten aber weiter privilegierte Beziehungen zu
Frankreich.Die neue Verfassung, die am 4. Oktober 1958 in Kraft trat, verlieh
dem Präsidenten der Republik eine herausragende Stellung. De Gaulle wur-

Das "Bad in der Menge"
suchte General de Gaul-
le bei vielen seiner Rei-
sen durch das Land -
hier 1960 (Foto: Henri
Cartier-Bresson)

de am 21. Dezember 1958 von einem Wahlkollegium aus Abgeordneten, Senatoren und Vertretern der lokalen Körperschaften in das höchste Amt des Staates gewählt.

Nun mußte der Algerienkrieg beendet werden. Schwere Unruhen sowohl in Frankreich als auch in Algerien gingen den Verhandlungen von Evian über die Unabhängigkeit Algeriens voraus, die durch das Referendum vom 8. April 1962 mehrheitlich gebilligt wurde. Etwa eine Million Franzosen kehrte ins Mutterland zurück.

Durch das Referendum vom 28. Oktober 1962 wurde das Wahlverfahren geändert: Seither wird der Staatspräsident durch allgemeine direkte Wahl gewählt. Am 19. Dezember 1965 wurde de Gaulle im zweiten Wahlgang gegen den Kandidaten der vereinigten linken Opposition, François Mitterrand, in seinem Amt bestätigt.

Bekräftigung der Rolle Frankreichs in der Welt

Die neuen Institutionen und eine dauerhafte parlamentarische Mehrheit der Gaullisten sicherten der amtierenden Macht große Beständigkeit. Nachdem die Stabilisierung der Währung mit der Schaffung des "neuen Franc" (1960) zu wirtschaftlichem Wohlstand geführt hatte, konnte de Gaulle eine aktive Außenpolitik führen. Sein Ziel war, Frankreichs Unabhängigkeit und seine Rolle in der Welt zu bekräftigen. Dazu stützte er sich auf die nuklearen Kapazitäten des Landes. Am 13. Februar

statt. Frankreich rüstete sich in der Folge mit Thermonuklearwaffen (erster
Test 1968) sowie Flugzeugen, Raketen und U-Booten mit Atomspreng-
köpfen aus und entwickelte sich, wie seine amerikanischen und britischen
Bündnispartner und wie die Sowjetunion, zu einer Atomstreitmacht. Da
die Vereinigten Staaten Frankreich keine Beteiligung an der gemeinsamen
Entscheidung über den Einsatz der Atomwaffen in der NATO zugestanden, verließ Frankreich am 1. April 1967 den militärischen Verbund, blieb
aber Mitglied des Atlantischen Bündnisses.

Zweifellos wirkte sich auch das "Gleichgewicht des Schreckens" sowie
die relative Entspannung zwischen den beiden Blöcken günstig auf die
Bekräftigung der eigenständigen Rolle Frankreichs aus. De Gaulle organisierte im Mai 1960 in Paris das Treffen zwischen Chruschtschow und
den westlichen Bündnispartnern (das wegen der U2-Affäre scheiterte).
Er ging außerdem viel auf Reisen und gab zahlreiche, manchmal aufse-
henerregende Erklärungen ab, vor allem im August 1966 in Kambodscha
und im Juli 1967 in Quebec. 1964 nahm Frankreich als erstes westliches
Land diplomatische Beziehungen zur Volksrepublik China auf.

Fortführung des europäischen Aufbaus

Die französische Europa-Politik orientierte sich an zwei
Zielen: Es ging zum einen darum, das zu vollenden, was de Gaulle "Entspannung, Verständigung und Zusammenarbeit" mit den Ostblockländern
nannte, um zu versuchen, den Kalten Krieg zu beenden und langfristig
ein Europa vom "Atlantik bis zum Ural" zu errichten; und zum anderen
sollten die Römischen Verträge umgesetzt, dabei aber die Souveränität
der einzelnen Staaten und ihre grundlegenden Interessen entschlossen
verteidigt werden. Folglich hielt Frankreich sich 1965 sechs Monate lang
von allen europäischen Treffen fern (Politik des "leeren Stuhls"), als seiner
Ansicht nach die Europäische Kommission ihre Kompetenzen überschritten hatte. Die Krise endete mit dem Luxemburger Kompromiß, der bein-
haltete, daß eine Entscheidung nur getroffen werden kann, wenn eine für
alle annehmbare Lösung gefunden wird, falls sich ein Mitgliedstaat in
seinen grundlegenden Interessen bedroht fühlt. Im übrigen scheiterten
Frankreichs Vorschläge zu einer politischen Union (Fouchet-Plan), und
de Gaulle widersetzte sich zweimal dem britischen Antrag auf Beitritt zur
EWG, da er ihn für verfrüht hielt.

Das Wichtigste am europäischen Aufbau war aber zweifellos die Entwicklung einer engen deutsch-französischen Zusammenarbeit, für die die persönlichen Beziehungen zwischen Bundeskanzler Adenauer und General
de Gaulle sehr förderlich waren. Die Staatsbesuche des Bundeskanzlers
in Frankreich und des Generals in Deutschland, die Einrichtung des
Deutsch-Französischen Jugendwerks und schließlich die Unterzeichnung

des deutsch-französischen Freundschaftsvertrags im Jahr 1963 waren Höhepunkte dieser Annäherung und machten das deutsch-französische Paar zu einem der "Motoren" für den Aufbau Europas.

Der technische und demographische Boom der Fünften Republik brachte große Wirtschaftsprojekte hervor: den Passagierdampfer *France*, das Überschallflugzeug *Concorde*, die ersten Raumfahrtprojekte (1965) sowie allgemein eine technologische Innovation und einen Aufschwung der Informatik.

In den 60er Jahren lösten tiefgreifende innere Veränderungen in der französischen Wirtschaft Unruhe und neue soziale Forderungen aus, die durch die Verbreitung neuer Medien (Transistorradio, Fernsehen) im ganzen Land aufgegriffen wurden. Sie gipfelten in den Unruhen vom Mai/Juni 1968.

Die Maiunruhen von 1968 und die Nachfolge de Gaulles

Studentenrevolten gab es in vielen Industrieländern. Auch Frankreich, wo immer mehr Studenten in die Universitäten strömten, die diesem Ansturm nicht gewachsen waren, blieb nicht verschont. Vor allem in Paris gab es Zusammenstöße mit den Ordnungskräften. Den Studentendemonstrationen schloß sich eine Streikwelle der Arbeiterschaft an, wie es sie seit 1936 nicht mehr gegeben hatte, und die Bewegung entwickelte sich zu einer Gefahr für die Regierung. Eine entschlossene Rede de Gaulles, die Mobilisierung seiner Parteifreunde und die Ankündigung von Neuwahlen nach der Auflösung der Nationalversammlung trugen im Juni 1968 wieder zur Normalisierung der Lage bei. Knapp ein Jahr später jedoch trat de Gaulle nach dem gescheiterten Referendum über die Regional- und Senatsreform am 28. April 1969 zurück. Einer seiner ehemaligen Premierminister, Georges Pompidou, wurde am 15. Juni 1969 zu seinem Nachfolger gewählt. Nach dessen Tod wurde der ehemalige Finanzminister Valéry Giscard d'Estaing am 19. Mai 1974 Staatspräsident.

Die Amtseinführung von Georges Pompidou am 29. Juni 1969 im Elysée-Palast; hinter ihm Senatspräsident Alain Poher (Foto: Raymond Depardon)

Beide zeigten eigene politische Nuancierungen, folgten aber im großen und ganzen der diplomatischen Richtung General de Gaulles.

Unter der Präsidentschaft Georges Pompidous zog Frankreich sein Veto gegen den Beitritt Großbritanniens zur EWG zurück (1973), der gleichzeitig Irland und Dänemark beitraten. Valéry Giscard d'Estaing initiierte mit Bundeskanzler Helmut Schmidt das Europäische Währungssystem (EWS) und die allgemeine Wahl der Abgeordneten des Europäischen Parlaments.

Die innenpolitische Diskussion drehte sich um das von Premierminister Jacques Chaban-Delmas (1969-1972) vorgeschlagene Programm der *nouvelle société* und später um die *société libérale avancée* von Präsident Giscard d'Estaing, den Versuch einer Synthese zwischen Marktwirtschaft und Sozialdemokratie.

Die französische Gesellschaft erlebte seit den 60er Jahren tiefgreifende Veränderungen: Die Beschleunigung der Landflucht, die Unternehmenskonzentration, die Infragestellung des Gewinnprinzips (Idee der Selbstverwaltung) und die Forderungen der Frauen nach gleicher Bezahlung sowie nach dem Recht auf Verhütung (1967) und auf Schwangerschaftsabbruch (1975) waren die wichtigsten neben der Entstehung von Supermärkten zu Lasten des Kleinhandels, der Sensibilisierung für Umweltprobleme (Georges Pompidou richtete als erster ein Umweltministerium ein) und der Meinungsfreiheit in den audiovisuellen Medien.

Dieser tiefgreifende soziale Wandel rief Spannungen und Konflikte hervor, die mit der Erdölkrise im Jahr 1973 neue Dimensionen annahmen: Anstieg der Inflation, deren Bekämpfung die Regierungen sich zur Hauptaufgabe machten, bedeutende Umstrukturierungen in der Industrie (Eisen und Stahl), anhaltender Anstieg der Arbeitslosigkeit, die sich als strukturbedingt und dauerhaft erwies.

Die Machtübernahme der Linken

Die Regierungspolitiker bekamen diese Entwicklungen nicht ganz in den Griff. Nach und nach traten Differenzen zwischen ihnen zutage, vor allem zwischen den Gaullisten, die von Jacques Chirac im Dezember 1976 in der Partei *Rassemblement pour la République (RPR)* organisiert wurden, und den Erben einer gemäßigten, klassischeren Rechten, die in der Bewegung *Union pour la démocratie française (UDF)* von Valéry Giscard d'Estaing vertreten sind.

Die Opposition fand in den wachsenden Schwierigkeiten der Regierung die Gelegenheit, sich neu zu ordnen. Die Sozialistische Partei erneuerte sich bei ihrem Parteitag von Epinay (Juni 1971) auf Betreiben von François Mitterrand und bildete mit der Kommunistischen Partei und den Radicaux de gauche 1973 vor den Parlamentswahlen die *Union de la gauche* mit einem gemeinsamen Regierungsprogramm. Trotz schwerer Spannungen, die bis zum vorübergehenden Bruch und zur Aufgabe des gemeinsamen Programms im Jahr 1978 führten, bildete sich diese Union für die Präsidentschaftswahlen im April/Mai 1981 noch einmal neu. François Mitterrand siegte über den bisherigen Amtsinhaber Valéry Giscard d'Estaing.

Zum ersten Mal kam die Linke in der Fünften Republik an die Macht. Der politische Wechsel machte deutlich, wie gefestigt die Institutionen sind. Das zeigte sich erneut von 1986 bis 1988 während der *cohabitation* zwischen Premierminister Jacques Chirac, als die Konservativen die Mehrheit in der Nationalversammlung zurückgewannen, und dem sozialistischen Staatspräsidenten, der 1988 wiedergewählt wurde. Auch die Parlamentswahlen im März 1993 führten wieder zu einer *cohabitation* mit Edouard Balladur (RPR) als Premierminister.

1981-1995:
Die Zeit der politischen Wechsel

Die erste *cohabitation*: François Mitterrand und Jacques Chirac in Lomé (Togo); im Ausland sprechen der Staatspräsident und der Premierminister mit einer Stimme

In der 1981 gebildeten Regierung von Pierre Mauroy waren vier kommunistische Minister vertreten. Diese Regierung betrieb von Anfang an eine Reformpolitik mit den vorrangigen Themen Arbeitszeitverkürzung auf 39 Wochenstunden, fünfte bezahlte Urlaubswoche, Einstellung von Beamten, Dezentralisierung, Nationalisierung von Banken und Unternehmensgruppen, Vermögenssteuer, Abschaffung der Todesstrafe, Ende des Staatsmonopols bei Rundfunk und Fernsehen, Ruhestand mit 60 Jahren.

Aber die anhaltende Inflation und eine Währungskrise, die drei Abwertungen zur Folge hatte, zwangen die Sozialisten nach und nach, die marktwirtschaftlichen Zwänge stärker zu berücksichtigen, die wegen des europäischen Engagements nicht außer Acht gelassen werden konnten. Finanzminister Jacques Delors führte also eine Spar- und Stabilisierungspolitik mit einer strengeren Kontrolle der öffentlichen Defizite und einer Aufhebung der Indexbindung der Einkommen an die Preisentwicklung ein. Außerdem wurde über die Rolle der Privat-schulen im Bildungssystem erneut so heftig diskutiert, daß die Regierung Mauroy gezwungen war, bei diesem für Frankreich seit langem symboli-schen Thema nachzugeben. Als Laurent Fabius im Juli 1984 das Amt des Premierministers übernahm, verließen die Kommunisten die Regie-rung und eine "realistische" Strömung, die sich immer offener sozialde-mokratisch zeigte, gewann an Einfluß.

Unter der liberalen Regierung von Jacques Chirac (1986 bis 1988) wur-den Teile des öffentlichen Sektors privatisiert (z.B. das erste Fernsehpro-gramm) und verschiedene Deregulierungsmaßnahmen durchgeführt. Die nachfolgende sozialistische Regierung von Michel Rocard, der nach der Wiederwahl Präsident Mitterrands und dessen Auflösung der Nationalver-sammlung nur noch eine relative Mehrheit erzielte, machte die Privatisie-rungen nicht rückgängig. Die fortbestehende Arbeitslosigkeit, der die kon-servativen wie die linken Regierungen durch ein "Sozialprogramm" beizukommen versuchten (Ausbildungspraktika, ABM-Maßnahmen, die der Staat teilweise trägt, und nach 1988 die Einführung eines Mindest-gehalts zur beruflichen Eingliederung, das der Staat an Arbeitslose zahlt, die keine Ansprüche mehr auf Unterstützung aus der Arbeitslosenversi-cherung haben), führt jedoch bei den Wählern zu einer gewissen Ver-drossenheit.

Bei den Parlamentswahlen im März 1993 erlitten die Sozialisten eine schwere Niederlage. Die rechten Parteien errangen die Mehrheit in der Nationalversammlung. Philippe Séguin wurde Parlamentspräsident, Edou-ard Balladur Premierminister. Seine Regierung erzielte zwar gewisse wirt-schaftliche Erfolge, wurde aber bald durch politische Affären, die Unruhe an den Universitäten und die weiterhin hohe Arbeitslosigkeit auf die Probe gestellt. Der Präsidentschaftswahlkampf im April/Mai 1995 war von der Gegnerschaft zwischen zwei Kandidaten, Jacques Chirac und Edouard Balladur, aus demselben politischen Lager (*Rassemblement pour la Ré-publique, RPR*) überschattet. Jacques Chirac überrundete seinen Kon-trahenten und traf im zweiten Wahlgang auf den sozialistischen Kandi-daten Lionel Jospin, der trotz seines hoffnungsvollen Ergebnisses im ersten Wahlgang unterlag. Jacques Chirac wurde der fünfte Präsident der Fünften Republik und ernannte Alain Juppé zum Premierminister.

Außenpolitik und europäische Verankerung

Obwohl Frankreich immer entschlossen im westlichen La-ger stand (Präsident Mitterrand trat in seiner Rede vor dem Bundestag im Januar 1983 für die Stationierung amerikanischer Pershing-II-Raketen in Europa ein, der sich in Deutschland eine starke Friedensbewegung widersetzte), zögerte es dennoch nicht, zu bestimmten Themen eine an-dere Haltung einzunehmen als sein amerikanischer Bündnispartner, vor

G7-Treffen in Paris im
Juli 1989: Die Staats-
und Regierungschefs
der Industrieländer
nach ihrem Treffen, das
während der Feierlich-
keiten zum 200. Jahres-
tag der Französischen
Revolution stattfand,
vor der Louvre-Pyramide

allem in der Entwicklungshilfe (Cancun 1981, Eintreten für einen Schul-
denerlaß der ärmsten Länder), in der Nahost-Politik (Verteidigung des
Rechts der Palästinenser auf einen Staat) oder in den internationalen
Handelsgesprächen (GATT). Frankreich verzichtet nicht auf seinen eigenen Weg, beteiligte sich aber an von der UNO beschlossenen militärischen Operationen (1990 nach der Invasion Kuwaits durch den Irak, bei
den humanitären Einsätzen in Somalia und im ehemaligen Jugoslawien).

Der europäische Weg wird mit großer Kontinuität im Denken wie im Handeln verfolgt: vom Europäischen Währungssystem bis zum Binnenmarkt,
von der politischen und diplomatischen Zusammenarbeit bis zur Entscheidung, das Europäische Parlament in allgemeiner Wahl zu wählen.
Dieses Engagement führte am 7. Februar 1992 in Maastricht zur Unterzeichnung des Vertrags über die Europäische Union, in dem insbesondere die Einführung einer einheitlichen Währung sowie die Ausweitung
der Zusammenarbeit auf neue Gebiete (Sozial-, Kultur-, Außen- und Sicherheitspolitik) vorgesehen ist.

Die lebhafte Debatte, die dieser Vertrag in Frankreich auslöste, und das
knappe Ergebnis des Referendums vom 20. September 1992 (51,04 %
zu 48,95 %), das zur Ratifizierung führte, offenbarten jedoch die Fragen
und Zweifel der Bevölkerung bezüglich der bisherigen Europa-Politik, die
häufig als technokratisch und bürgerfern empfunden wird. Besonders die
heftige Opposition der Bauern gegen die neue Gemeinsame Agrarpolitik
(Produktionsquoten, Brache, Einkommenszulagen, Subventionsabbau)
hat gezeigt, daß die Gefühle der Betroffenen nicht immer mit den politischen Vorhaben übereinstimmen.

Trotz dieser Debatten, die ein Zeichen für die Kontinuität eines traditionell lebhaften politischen Lebens sind, sind die Franzosen insgesamt der Ansicht, daß ihr Land eine besondere Rolle beim harmonischen Aufbau Europas spielt. Ebenso sind sie überzeugt, daß es wichtig für ihr Land ist, sich an der Suche nach friedlichen Lösungen für die Konflikte in der Welt zu beteiligen.

Für weitere Informationen:

Histoire de France, Bd. II "1348-1852", Bd. III"1852 à nos jours", Paris, 1971
Histoire de France, Bd. IV "La Révolution (1770-1880)", Bd. V "La République (1880 à nos jours)", Paris, 1990
D. Borne, *Histoire de la société française depuis 1945*, Paris, 1992
P. Nora (Hg.), *Les lieux de mémoire*, Bd. 1 et 2, Paris, 1984 und 1986
J.-P. Rioux (Hg.), *Histoire de la France contemporaine*, Paris, 1983.

Die Präsidenten der Französischen Republik:

L.-N. Bonaparte (1848-1852) - A. Thiers (1871-1873) - Mac Mahon (1873-1879) - J. Grévy (1879-1887) - S. Carnot (1887-1894)

J. Casimir Perier (1894-1895) - F. Faure (1895-1899) - E. Loubet (1899-1906) - A. Fallières (1906-1913) - R. Poincaré (1913-1920)

P. Deschanel (1920-1920) - A. Millerand (1920-1924) - G. Doumergue (1924-1931) - P. Doumer (1931-1932) - A. Lebrun (1932-1940)

V. Auriol (1947-1953) - R. Coty (1953-1959) C. de Gaulle (1959-1969) - G. Pompidou (1969-1974) - V. Giscard d'Estaing (1974-1981)

F. Mitterrand (1981-1995) - J. Chirac (1995- ....)

DER STAAT UND DAS POLITISCHE LEBEN

Aufbau der Verfassung von 1958

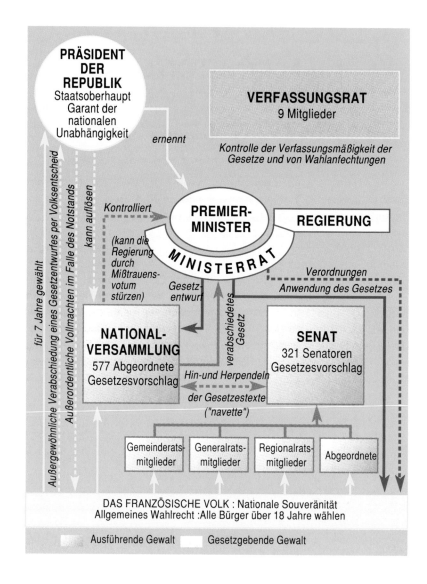

PRÄSIDENT DER REPUBLIK
Staatsoberhaupt
Garant der nationalen Unabhängigkeit

ernennt

VERFASSUNGSRAT
9 Mitglieder

Kontrolle der Verfassungsmäßigkeit der Gesetze und von Wahlanfechtungen

für 7 Jahre gewählt

Außergewöhnliche Verabschiedung eines Gesetzentwurfes per Volksentscheid

Außerordentliche Vollmachten im Falle des Notstands

kann auflösen

Kontrolliert

PREMIER-MINISTER

REGIERUNG

MINISTERRAT

(kann die Regierung durch Mißtrauens-votum stürzen)

Gesetz-entwurf

Verordnungen
Anwendung des Gesetzes

NATIONAL-VERSAMMLUNG
577 Abgeordnete
Gesetzesvorschlag

verabschiedetes Gesetz

Hin-und Herpendeln
der Gesetzestexte
("navette")

SENAT
321 Senatoren
Gesetzesvorschlag

Gemeinderats-mitglieder

Generalrats-mitglieder

Regionalrats-mitglieder

Abgeordnete

DAS FRANZÖSISCHE VOLK : Nationale Souveränität
Allgemeines Wahlrecht :Alle Bürger über 18 Jahre wählen

Ausführende Gewalt   Gesetzgebende Gewalt

5

Die Institutionen

Eine starke, doppelköpfige Exekutive

Die Fünfte Republik, die mit der Verabschiedung der Verfassung von 1958 begann, hat eine institutionelle Stabilität ermöglicht, wie es sie in den vorangegangenen 200 Jahren nicht gegeben hatte, auch wenn ihre Dauer noch nicht die der Dritten Republik erreicht hat. Ihr Hauptverdienst ist es, der Ineffizienz der vorherigen Institutionen ein Ende bereitet, aber gleichzeitig einen Konsens über die neuen Institutionen erreicht zu haben. Der Gaullismus, von dem die Verfassung inspiriert ist, ist allerdings keine Ideologie, sondern eine Vorgehensweise im Dienste klar definierter Ziele: der Würde der Nation, des Vorrangs der Interessen der Nation über Ideologien, der Rolle des Staates, der Souveränität des Volkes und der Bestimmung eines Staatsoberhaupts. Der letzte Punkt sollte General de Gaulle dazu veranlassen, eine wesentliche institutionelle Reform vorzuschlagen:

Michel Debré, Siegelbewahrer, setzt das Staatssiegel auf das Original der Verfassung der Fünften Republik, zu deren Hauptarchitekten er gehört die allgemeine, direkte Wahl des Staatspräsidenten, die mit der Verfassungsänderung von 1962 eingeführt wurde.

Die Vormachtstellung des Staatspräsidenten

Die Verfassung vom 4. Oktober 1958 hatte die allgemeine, indirekte Wahl des Staatspräsidenten durch ein Wahlkollegium vorgesehen, das aus den Mitgliedern des Parlaments und verschiedenen Vertretern der lokalen Mandatsträger bestand. 1958 war General de Gaulle von diesem Kollegium gewählt worden, 1965 wurde er in seinem Amt durch allgemeine, direkte Wahlen bestätigt. Dieser Wahlmodus brach mit einer mehr als hundert Jahre alten Tradition, nach der es im Namen der Vorherrschaft des Parlaments dem Staatsoberhaupt untersagt war, seine Macht direkt von der Volkssouveränität zu beziehen. Er trug dazu bei, eine Exekutive zu stärken, die schon 1958 zum Eckstein der neuen Institutionen gemacht worden war. Im übrigen sollte die von der Persönlichkeit General de Gaulles beherrschte Verfassungspraxis diese herausragende Stellung der Exekutive bestätigen.

Die Amtsbefugnisse des Staatspräsidenten sind in der Verfassung festgelegt.

Der Präsident wird für 7 Jahre gewählt - die längste Amtszeit in einem parlamentarischen System - und ist beliebig oft wiederwählbar.

Als "Oberbefehlshaber der Streitkräfte" (Art. 15) ist der Präsident auch "der Garant der nationalen Unabhängigkeit, der Integrität des Staatsgebietes und der Einhaltung der Verträge" (Art. 5). In dieser Eigenschaft spielt er eine wesentliche Rolle in der Außenpolitik, eine Domäne, die er mit dem Premierminister teilt.

Der Präsident "wacht über die Einhaltung der Verfassung und gewährleistet durch seinen Schiedsspruch die ordnungsgemäße Tätigkeit der öffentlichen Gewalt sowie die Kontinuität des Staates" (Art. 5). Er ernennt den Premierminister und führt den Vorsitz im Ministerrat.

Der Präsident verkündet die Gesetze (Art. 10) und unterschreibt die im Ministerrat beschlossenen gesetzesvertretenden Verordnungen und Dekrete (Art. 13).

Der Präsident nimmt die Ernennung zu den wichtigsten zivilen und militärischen Staatsämtern vor (Art. 13). Er übt das Begnadigungsrecht aus (Art. 17) und verfügt im Falle des Notstands über außerordentliche Vollmachten (Art. 16). Auf Vorschlag der Regierung oder der beiden Kammern kann er bestimmte Gesetzentwürfe zum Volksentscheid bringen. Nach Beratung mit der Regierung und den Präsidenten der beiden Kammern kann er die Nationalversammlung auflösen. Genau wie der Premierminister, die Präsidenten der beiden Kammern oder 60 Abgeordnete oder Senatoren kann er den Verfassungsrat anrufen, um ein Gesetz vor seiner Verkündung auf seine Verfassungsmäßigkeit hin prüfen zu lassen (s.u.).

Die Verfassung legt die Befugnisse fest, die der Staatspräsident persönlich ausübt, und diejenigen, die er sich mit dem Premierminister teilt. Dank dieses Gleichgewichts ermöglichte die Verfassung das Funktionieren der Institutionen in Zeiten der *cohabitation*, dem Nebeneinander eines Staatspräsidenten und eines Premierministers aus verschiedenen politischen Lagern.

Der Premierminister und die Regierung

"Die Regierung bestimmt und leitet die Politik der Nation". Sie "verfügt" zu diesem Zweck "über die Verwaltung und die Streitkräfte". Sie ist "gegenüber dem Parlament verantwortlich" (Art. 20).

Der vom Präsidenten ernannte Premierminister "leitet die Tätigkeit der Regierung". "Er ist für die Landesverteidigung verantwortlich und gewährleistet die Ausführung der Gesetze" (Art. 21). Im Rahmen der ihm von der Verfassung verliehenen Befugnisse "übt er das Verordnungsrecht aus" (Art. 21). Dieser Punkt ist von grundlegender Bedeutung: Während ein Gesetz vom Parlament verabschiedet wird, ergehen Verordnungen (Dekrete und Erlasse) von der Regierung, d.h. vom Premierminister und den Ministern. In dieser Hinsicht ist die Verfassung von 1958 eine Neuerung, da sie klar zwischen den Bereichen unterscheidet, die der Gesetzgebung unterliegen, wie nun

Das Hôtel de Matignon, seit 1935 Sitz der Ratspräsidenten, danach der Premierminister

erschöpfend in Artikel 34 definiert, und den Bereichen, die auf dem Verordnungsweg geregelt werden, das sind "alle Bereiche, die nicht der Gesetzgebung unterliegen" (Art. 37). Das Verordnungsrecht kann ausnahmsweise erweitert werden, wenn das Parlament der Regierung erlaubt, "während eines begrenzten Zeitraumes durch gesetzesvertretende Verordnungen Maßnahmen zu treffen, die normalerweise in den Bereich der Gesetzgebung fallen" (Art. 38).

Unabhängig von ihrem Verordnungsrecht hat die Regierung, wie in jedem parlamentarischen System, ebenso wie die Mitglieder des Parlaments das Recht, Gesetzesvorlagen einzubringen. Sie genießt jedoch eine Vorrangstellung, da sie die Tagesordnung bestimmt (Art. 48) und auf eine Abstimmung ohne Aussprache zurückgreifen kann. Ein letzter, aber wesentlicher Punkt ist die Möglichkeit des Premierministers, in der Nationalversammlung die Vertrauensfrage über das Regierungsprogramm, eine Erklärung zur allgemeinen Politik oder über die Abstimmung über eine Textvorlage zu stellen (Art. 49, Absatz 3). In diesem Fall gilt die Textvorlage als angenommen, wenn nicht ein in der Nationalversammlung eingebrachter Mißtrauensantrag die Mehrheit der Abgeordnetenstimmen erhält. Sollte dies geschehen, muß der Premierminister beim Präsidenten der Republik den Rücktritt seiner Regierung einreichen. Diese in Westeuropa einmalige Bestimmung zeigt den Willen der Verfassungsväter, der Regierung Stabilität zu verleihen und ihr allen Schutz gegen parlamentarische Verzögerungstaktik zu geben.

Erste Ministerratssitzung der Regierung Juppé am 20. Mai 1995

Somit ist der Premierminister, getreu dem Prinzip aller parlamentarischen Demokratien, dem Parlament gegenüber verantwortlich, und in der Praxis ist er vom Vertrauen des Staatspräsidenten abhängig. Die französische Verfassung zeigt also gleichzeitig Aspekte eines parlamentarischen wie auch eines präsidialen Systems, ohne voll dem einen oder dem anderen zu entsprechen.

Der Staatspräsident, der den Premierminister ernennt, entläßt ihn auch aus dem Amt, wenn dieser den Rücktritt seiner Regierung einreicht.

In seiner Eigenschaft als Regierungschef befindet sich der Premierminister in einer herausgehobenen Position gegenüber den anderen Regierungsmitgliedern, die auf seinen Vorschlag vom Präsidenten ernannt werden. Diese Rolle sowie die ihm in Artikel 21 (s. o.) zugestandenen Befugnisse, verleihen ihm einen echten Handlungsspielraum. Er verfügt außerdem über besondere Verwaltungsinstrumente wie das Generalsekretariat der Regierung.

Die Zahl der Minister und Staatssekretäre schwankt je nach gesetzten Prioritäten und angestrebtem politischem Gleichgewicht. Die Regierungsmitglieder beteiligen sich an der Gestaltung der Politik der Nation bei den Sitzungen der Regierungsgremien und zeichnen die ihr Ressort betreffenden Verfügungen der Regierung gegen. Darüber hinaus müssen sie die von ihrem Ministerium betriebene Politik vor dem Parlament rechtfertigen. Schließlich sind sie für die ordnungsgemäße Umsetzung der Regierungsmaßnahmen durch die ihnen unterstellten Verwaltungsbehörden zuständig.

Das Amt eines Regierungsmitglieds ist unvereinbar mit der Ausübung eines parlamentarischen Mandats, eines öffentlichen Amtes oder einer privaten beruflichen Tätigkeit. Dagegen können Regierungsmitglieder lokalpolitische Ämter innehaben. Diesbezüglich sieht das Gesetz von 1985 über die Ämterkumulierung eine Beschränkung auf zwei der folgenden Ämter oder Wahlmandate vor: Abgeordneter oder Senator, Europa-Abgeordneter, Mitglied des Regionalrats, Mitglied des Generalrats, Mitglied des Pariser Rates, Bürgermeister einer Gemeinde mit über 20.000 Einwohnern (Paris ausgenommen), stellvertretender Bürgermeister einer Gemeinde mit über 100.000 Einwohnern (Paris ausgenommen). Darüber hinaus ist der Vorsitz eines Regionalrats mit dem eines Generalrats unvereinbar. In allen Fällen handelt es sich um eine Unvereinbarkeit und nicht um eine Nichtwählbarkeit: Die Beschränkung der Kumulierung untersagt dem Gewählten nicht die Bewerbung um ein weiteres Mandat, zwingt ihn jedoch nach der Wahl, sich für eines zu entscheiden.

Eine französische Besonderheit ist die Zusammenstellung des Teams um den Minister, seines Kabinetts. Der amtierende Minister bestimmt die Mitglieder seines Kabinetts selbst. Die meisten von ihnen sind hohe Verwaltungsbeamte. Sie stützen sich bei ihrer Arbeit auf die Zentralverwaltung und auf staatliche Außenverwaltungen in den Departements, den Regionen und manchmal im Ausland.

Die Regierungsmitglieder sind dem Premierminister und dem Staatspräsidenten gegenüber einzeln verantwortlich. Ihr Rücktritt erfolgt entweder spontan (aus persönlichen Gründen), automatisch (Rücktritt der gesamten Regierung) oder aus besonderem Grund (Unstimmigkeiten mit dem Premierminister oder dem Staatspräsidenten).

Darüber hinaus sind die Regierungsmitglieder durch das Verfassungsgesetz vom 27. Juli 1993 (Titel X der Verfassung) "für die in Ausübung ihres Amtes vorgenommenen Handlungen strafrechtlich verantwortlich, wenn diese nach dem zum Zeitpunkt der Begehung geltenden Recht Verbrechen oder Vergehen waren. Sie werden vom Gerichtshof der Republik verurteilt".

Die gesetzgebende Gewalt:
Zuständigkeiten des Parlaments

Angesichts einer so starken Exekutive könnte das Parlament etwas machtlos erscheinen. Dies ist aber nicht der Fall, auch wenn es weniger stark ist als das britische Unterhaus, der deutsche Bundestag oder der amerikanische Kongreß. Die Nationalversammlung, mit Sitz im Palais-Bourbon, und der Senat, der im Palais du Luxembourg tagt, teilen sich die traditionelle Funktion eines jeden Parlaments.

Die Verfassung von 1958 verleiht dem Parlament eine herausragende Rolle, sowohl als Kontrollinstanz der Regierung als auch als gesetzgebendes Organ. Was durch Gesetz geregelt wird, legt Artikel 34 der Verfassung fest. Dazu gehören die Haushaltsgesetze sowie die Programmgesetze, welche die Ziele der wirtschaftlichen und sozialen Tätigkeit des Staates bestimmen. Vor der Debatte über die Programmgesetze hört die Regierung den Wirtschafts- und Sozialrat an, der durch seine Zusammensetzung die Meinung aller gesellschaftlichen und beruflichen Gruppen spiegelt. Dieser Rat wird übrigens oft von der Regierung mit Untersuchungen zu bestimmten Fragen beauftragt, um die Meinungen aller Bevölkerungsschichten einzuholen.

Was den Gesetzgebungsprozeß anbelangt, werden Gesetzentwürfe der Regierung nach Anhörung des Staatsrats (s. u.) vom Ministerrat geprüft, bevor sie an das Präsidium einer der beiden Kammern weitergeleitet werden. Zur endgültigen Verabschiedung müssen sowohl die Gesetzentwürfe der Regierung als auch die Gesetzesvorschläge aus den Reihen der Parlamentsmitglieder in beiden Kammern beraten und mit gleichem Wortlaut von beiden Kammern gebilligt werden. Dabei können sie mehrfach hin- und herüberwiesen werden ("navette"). Können die Kammern sich nicht auf einen Text gleichen Wortlauts einigen, besteht die Möglichkeit der Einberufung eines Vermittlungsausschusses. Bleibt auch dieser erfolglos, faßt die Nationalversammlung den endgültigen Beschluß (Art. 45).

Premierminister Edouard Balladur am 8. April 1993 am Rednerpult der Nationalversammlung. Hinter ihm der Präsident der Nationalversammlung, Philippe Séguin

Die Entwicklung der Verfassungspraxis nährt eine ständige Diskussion über die tatsächliche Rolle der Parlamentarier. Während der Legislaturperiode 1988-1993 wurden von den 455 verabschiedeten Gesetzen nur 60 vom Parlament vorgeschlagen. Die Zunahme der Zahl der Gesetzesvorschläge ist eine allen Demokratien gemeinsame Tendenz, da sie vor der Notwendigkeit stehen, der Komplexität einer Gesellschaft im ständigen Wandel gerecht zu werden.

Die Nationalversammlung

Die Nationalversammlung besteht aus 577 Abgeordneten, die in allgemeiner und direkter Wahl nach dem romanischen Mehrheitswahlrecht in zwei Wahlgängen in unterschiedlich großen Wahlkreisen (ein Abgeordneter für ca. 100.000 Einwohner) für fünf Jahre gewählt wurden. Diese Amtszeit kann jedoch gekürzt werden, wenn der Staatspräsident die Auflösung der Nationalversammlung beschließt. Nachdem es zuerst zwei ordentliche Sitzungsperioden pro Jahr gab, tritt das Parlament seit der letzten Verfassungsänderung vom August 1995 nur noch zu einer Sitzungsperiode pro Jahr zusammen, die am ersten Werktag im Oktober beginnt und am letzten Werktag im Juni endet. Darüber hinaus kann das Parlament zu außerordentlichen Sitzungsperioden zusammentreten, die durch Dekret des Staatspräsidenten eröffnet und geschlossen werden. Die meisten Sitzungen sind öffentlich. Die Presse berichtet über die Debatten, deren voller Wortlaut im Gesetzblatt (*Journal officiel*) veröffentlicht wird. Zwei Sitzungen pro Woche, am Dienstag und Mittwoch, sind den aktuellen Fragen der Parlamentsmitglieder an die Regierung vorbehalten. Diese Sitzungen werden im Fernsehen übertragen.

Die meisten Abgeordneten gehören einer der politischen Fraktionen der Nationalversammlung an und vertreten sie in den verschiedenen Fachausschüssen. Jeder Abgeordnete ist Mitglied eines der sechs ständigen Ausschüsse der Nationalversammlung: Kultur-, Familien- und Sozialfragen; auswärtige Angelegenheiten; Verteidigung und Streitkräfte; Finanzen, allgemeine Wirtschaft und Wirtschaftsplanung; Gesetzgebung; Handel und Produktion.

Anders als der Senat hat die Nationalversammlung Kontrollbefugnisse gegenüber der Regierung und kann diese durch die Annahme eines Mißtrauensantrags zum Rücktritt zwingen. Außerdem werden ihr die Entwürfe von Haushaltsgesetzen zuerst vorgelegt (Art. 39).

Der Senat

Der Senat besteht aus 321 Senatoren, die indirekt von einem Wahlmännergremium gewählt werden, das in jedem Departement aus den Abgeordneten, Mitgliedern der Regional- und General-

Der Sitzungssaal des
Senats im Palais du Lu-
xembourg

räte sowie Vertretern der Stadt- und Gemeinderäte zusammengestellt wird. Dem Senat, der im Dreijahresrhythmus jeweils zu einem Drittel erneuert wird, gehört ein hoher Prozentsatz lokaler Mandatsträger an.

Wie die Abgeordnetenkammer hat auch der Senat in erster Linie gesetzgeberische Kompetenzen. Seine Mitwirkung in diesem Bereich liegt vor allem in der Einbringung von Abänderungsanträgen. Gesetzentwürfe und Gesetzesvorschläge werden im Senat wie in der Nationalversammlung geprüft, d.h. zuerst durch sechs ständige Ausschüsse (kulturelle Fragen; wirtschaftliche Fragen; auswärtige Angelegenheiten; Verteidigung und Streitkräfte; soziale Fragen; Finanzen; Gesetzgebung), danach im Rahmen einer öffentlichen Sitzung. Während die Nationalversammlung über einige Vorrechte hinsichtlich der Gesetzgebung verfügt (s.o.), darf die Regierung den Senat bei Verfassungsänderungen nicht übergehen.

Von der Möglichkeit eines Mißtrauensantrags abgesehen, haben die Senatoren die gleichen Kontrollbefugnisse gegenüber der Regierung wie die Abgeordneten. Diese Kontrolle erfolgt durch schriftliche Anfragen an die Minister (5.000 bis 6.000 im Jahr), durch Debatten nach einer Regierungserklärung sowie durch Informationsmissionen und Untersuchungskommissionen.

Neben der Verabschiedung von Gesetzen und der Kontrolle der Regierung hat die Verfassung von 1958 den Senat mit der Vertretung der Gebietskörperschaften der Republik - Gemeinden, Departements und Regionen sowie überseeische Gebiete - beauftragt. Im Senat sind auch die im Ausland lebenden Franzosen vertreten.

Das Wahlverfahren und die Mandatsdauer der Senatoren führen zu einer politischen Stabilität, die durch die Unauflösbarkeit des Senats noch verstärkt wird. Diese Beständigkeit des Senats erklärt, warum die Verfassung vorsieht, daß der Senatspräsident vorübergehend das Amt des Staatspräsidenten ausübt, wenn das Amt vakant oder der Staatspräsident verhindert ist. Dieser Fall ist zweimal eingetreten: 1969 nach dem Rücktritt General de Gaulles und 1974 nach dem Tod von Präsident Pompidou. Der Senat ist also ein Pol der Stabilität innerhalb der Institutionen, da er die bleibende Funktionsfähigkeit der Staatsorgane und somit des Staates selbst sichert.

Der Verfassungsrat, Hüter der Verfassung

Der Verfassungsrat ist ein Rechtsprechungsorgan und besteht aus neun Mitgliedern, die für neun Jahre benannt werden. Sie können weder abberufen noch wiedergewählt werden. Alle drei Jahre wird je ein Drittel neu gewählt. Drei Mitglieder werden vom Präsidenten der Republik ernannt, drei vom Präsidenten der Nationalversammlung und drei vom Präsidenten des Senats. Dem Verfassungsrat gehören außerdem von Rechts wegen die ehemaligen Präsidenten der Republik an; allerdings hat noch nie ein ehemaliges Staatsoberhaupt der Fünften Republik diese Möglichkeit wahrgenommen. Der Präsident des Verfassungsrates, dessen Stimme bei Stimmengleichheit den Ausschlag gibt, wird vom Staatspräsidenten ernannt.

Die Eröffnungssitzung des Verfassungsrats unter dem Vorsitz von Roland Dumas (März 1995)

Die Befugnisse des Verfassungsrats werden in der Verfassung (Art. 58 bis 61) genauestens festgelegt, und gegen seine Entscheidungen gibt es kein Rechtsmittel (Art. 62). Seine zwei wichtigsten Aufgaben betreffen die Anfechtung von Wahlen und die Prüfung der Verfassungsmäßigkeit der Gesetze. Darüber hinaus stellt er gegebenenfalls die Verhinderung des Präsidenten der Republik fest. Schließlich muß er angehört werden, bevor der Staatspräsident Sondervollmachten erhält (Art. 16).

Was die Überprüfung der Wahlen und Volksabstimmungen betrifft, so ist der Verfassungsrat für die Präsidentschaftswahl, die Parlamentswahlen und die Referenden sowie für die Kontrolle der Inkompatibilität und Unwählbarkeit zuständig. Beim Referendum spielt der Verfassungsrat eine doppelte Rolle: im Vorfeld als Berater, a posteriori als Gerichtsbarkeit, da er eventuelle Anfechtungen zu prüfen hat.

Bei der Kontrolle der Verfassungsmäßigkeit ist zwischen der obligatorischen Prüfung (Vereinbarkeit der Geschäftsordnung der Kammern und der verfassungsergänzenden Gesetze mit der Verfassung) und der fakultativen Kontrolle (Verfassungsmäßigkeit der einfachen Gesetze und der internationalen Verträge oder Verpflichtungen) zu unterscheiden. Im letztgenannten Bereich kann der Verfassungsrat vom Staatspräsidenten, vom Premierminister, vom Präsidenten der Nationalversammlung, vom Präsidenten des Senats und, seit 1974, von 60 Abgeordneten oder 60 Senatoren angerufen werden. Durch diese letzte Bestimmung konnte die Opposition auf zahlreiche von der Parlamentsmehrheit verabschiedete Gesetze Einfluß nehmen.

Hinsichtlich der Kontrolle der Verfassungsmäßigkeit hat der Verfassungsrat 1971 eine wichtige Entscheidung getroffen. Seitdem prüft er nicht nur die Vereinbarkeit der Gesetze mit der Verfassung von 1958, sondern auch mit den Texten, auf die sie sich bezieht, die Präambel der Verfassung von 1946 und die Erklärung der Menschen- und Bürgerrechte von 1789, sowie mit den von den Gesetzen der Republik anerkannten Grundprinzipien. Mit dieser Entscheidung wurde der Verfassungsrat zum Beschützer der Grundfreiheiten und -rechte der Bürger. Dies belegt eine seither umfangreiche, genaue und strikte Rechtsprechung.

Die Rechtsprechung

Die Rechtsprechung in Frankreich ist durch die grundlegende Trennung zwischen den Verwaltungsgerichten und den ordentlichen Gerichten gekennzeichnet.

Die Verwaltungsgerichtsbarkeit

Im Gegensatz zur angelsächsischen Tradition wird das für die Bürger und Privatunternehmen geltende Recht nicht bei öffentlichen Verwaltungen und Gebietskörperschaften angewandt, wenn diese als juristische Personen öffentlichen Rechts handeln. Sie unterliegen dem Verwaltungsrecht mit seinen eigenen Bestimmungen und Gerichten. In die Zuständigkeit der Verwaltungsgerichte fallen die Personalordnung, der Städtebau, öffentliche Verträge sowie alle Streitfälle im öffentlichen Sektor. Das höchste Verwaltungsgericht ist der Staatsrat. Er hat eine beratende und eine rechtsprechende Funktion. Seine etwa 200 Mitglieder genießen eine Rechtsstellung, die sie unabhängig macht.

Als Gericht befindet der Staatsrat, der in der Sache und in Verfahrensfragen urteilt, einerseits direkt über die Rechtmäßigkeit der wichtigsten Verwaltungsakte, andererseits ist er Berufungsinstanz für die Urteile der Verwaltungsgerichte der ersten und zweiten Instanz. In dieser Eigenschaft urteilt er in letzter Instanz in Streitfällen, an denen der Staat und die öffentlichen Körperschaften beteiligt sind. Er kann auch zur Anfechtung von Verwaltungsakten angerufen werden, die der Staatspräsident oder der Premierminister unterschrieben haben. Diese Möglichkeit erlaubt den Bürgern, sich gegen jegliche Willkür des Staates zur Wehr zu setzen.

Als juristisches Beratungsorgan der Regierung prüft der Staatsrat ihre Gesetzentwürfe vor der Beratung im Ministerrat (Art. 39) wie auch einige Dekretentwürfe. Die Regierung kann ihn auch zu verschiedenen Rechtsfragen anhören.

Darüber hinaus wird die Verwaltung hinsichtlich des Haushalts vom Rechnungshof kontrolliert, welcher aus 250 Richtern besteht und von regionalen Rechnungshöfen unterstützt wird. Auch er ist für seine Unabhängigkeit bekannt und prüft und beurteilt alle mit öffentlichen Geldern operierenden Einrichtungen sowie die großen öffentlichen Unternehmen. Seine Ergebnisse veröffentlicht er in einem Jahresbericht.

Die ordentliche Gerichtsbarkeit

Wie in jedem demokratischen System gibt es auch in der ordentlichen Gerichtsbarkeit Frankreichs eine oberste Instanz, den Kassationsgerichtshof. Dieser prüft in Verfahrensfragen die Einsprüche gegen die Urteile der 27 Berufungsgerichte. Diese wiederum entscheiden in Verfahrensfragen und in der Sache über Urteile, die von Gerichten der ersten Instanz gefällt wurden. Bei diesen unterscheidet man zwischen Zivilgerichten und Strafgerichten.

Für Zivil- und Strafsachen sind entweder die tribunaux de grande instance (Landgerichte), bei bestimmten Arten von Streitsachen die tribunaux d'instance (Amtsgerichte), bei Vergehen die tribunaux correctionnels (in Strafsachen tätige Landgerichte) und bei Geldstrafen die tribunaux de police (in Strafsachen tätige Amtsgerichte) zuständig. In all diesen Gerichten sitzen Berufsrichter. Handelssachen kommen vor Handelsgerichte, deren Mitglieder Kaufleute sind, die von den zuständigen Berufsverbänden gewählt werden. Rechtsstreitigkeiten aus Arbeitsverhältnissen werden vor einem Arbeitsgericht ausgetragen, das aus einer gleichen Zahl von Vertretern der Arbeitgeber und der Arbeitnehmer besteht. Für die Aburteilung von Verbrechen sind die Schwurgerichte zuständig. Sie bestehen aus einem Vorsitzenden und zwei beisitzenden Richtern, die Berufsrichter sind, sowie neun Geschworenen, normalen Bürgern, die durch Auslosung aus den Wählerlisten bestimmt werden. Gegen das Urteil eines Schwurgerichts ist keine Berufung möglich. Zur Zeit bleibt nur der Revisionsantrag beim Kassationsgerichtshof, der ausschließlich zu Verfahrensfragen Stellung nimmt; aber zu diesem Punkt ist ein Gesetzentwurf in Vorbereitung.

Französisches Recht und europäisches Recht

Frankreichs Mitgliedschaft in der Europäischen Union und im Europarat wirkte sich in den letzten 20 Jahren beträchtlich auf das französische Recht und seine Anwendung aus. Artikel 55 der Verfassung von 1958 verleiht dem internationalen Recht nämlich eine "höhere Rechtskraft" als dem nationalen.

Das Gemeinschaftsrecht beruht auf den europäischen Verträgen (EWG, Montanunion, EURATOM, EU usw.) und dem daraus "abgeleiteten Recht" der europäischen Institutionen in Form von Verordnungen, Richtlinien und Entscheidungen. Die Rechtsgültigkeit der Gesamtheit dieser Normen wird vom Gerichtshof der Europäischen Gemeinschaften (EuGH) in Luxemburg garantiert. Dessen Rechtsprechung folgt zwei großen Prinzipien: *der direkten Wirkung und dem Vorrang des Gemeinschaftsrechts*. Das Prinzip der direkten Wirkung (Urteil von 1963) erlaubt jedem, sich vor den nationalen Gerichten weitgehend auf das europäische Recht zu berufen. Durch das Vorrangsprinzip (Urteil von 1964) geht das Gemeinschaftsrecht vor dem nationalen Recht. So wenden in Frankreich der Kassationsgerichtshof und der Staatsrat seit 1975 bzw. 1989 das Vorrangsprinzip an und messen jedes später erlassene nationale Gesetz an der Gemeinschaftsrechtsnorm.

Diese zwei Grundprinzipien erfordern vom einzelstaatlichen Richter eine tiefgehende Kenntnis des Gemeinschaftsrechts und beauftragen ihn mit der Durchsetzung desselben. Er arbeitet gemäß Artikel 177 des Vertrags zur Gründung der EWG, der das *Verfahren der Vorabentscheidung* festlegt, mit dem EuGH zusammen. Dieser Artikel legt fest, daß der Richter dem EuGH jede Frage bezüglich der Auslegung oder Anwendung des Gemeinschaftsrechts vorlegen kann oder bei einer letztinstanzlichen Entscheidung vorlegen muß, wenn die Ansicht des EuGH für die Urteilsfindung erforderlich erscheint. Zwischen dem Richter und dem EuGH gibt es jedoch keine hierarchische Verbindung, da Art. 177 eine formlose und direkte Zusammenarbeit vorsieht, wodurch immer häufiger auf die Möglichkeit der Vorabentscheidung zurückgegriffen wird.

Im übrigen hat Frankreich 1974 die Europäische Menschenrechtskonvention (EMRK) ratifiziert, welche die Kontrolle der Einhaltung der Menschenrechte durch zwei eigens dafür geschaffene Organe mit Sitz in Straßburg sichert: die Europäische Kommission für Menschenrechte und der Europäische Gerichtshof für Menschenrechte.

Die EMRK garantiert jedem Menschen mit ständigem Wohnsitz in einem der Mitgliedstaaten des Europarates (im Februar 1995 33 Mitglieder, 9 assoziierte Mitglieder und einen ständigen Beobachter) eine beachtliche Reihe an genau formulierten Rechten. Sie ist vom Richter nach dem Vorrangsprinzip anzuwenden und gewinnt seit 1981, als Frankreich den Artikel 25 über die Individualbeschwerde ratifizierte, immer mehr an Bedeutung. Jede natürliche oder juristische Person kann seither die Kommission anrufen, vorausgesetzt der innerstaatliche Rechtsweg ist erschöpft. Bis zum heutigen Tag hat der Europäische Gerichtshof für Menschenrechte 39 Urteile gefällt, die Frankreich betrafen, und stellte dabei in 22 Fällen eine Verletzung der Konvention fest. Da diese Verletzungen auf schleppend vorangehende Verfahren zurückzuführen waren, hat die Regierung 1994 beschlossen, den Haushalt des Justizministeriums beträchtlich zu erhöhen.

Schließlich unterzeichnete Frankreich am 11. Mai 1994 das Protokoll Nr. 11 zur EMRK, welches dieses Kontrollsystem durch die Schaffung eines einzigen und ständigen Gerichtshofs entscheidend veränderte. All diese rechtlichen Bindungen zwischen Frankreich und den Organen des Europarats belegen die große Bedeutung, die Frankreich den Gründungsprinzipien dieser Organisation und der ständig verbesserten Anwendung ihrer Verfahren beimißt.

Die Gebietsverwaltung

In den letzten 20 Jahren erlebte die französische Gebietsverwaltung einen deutlichen Wandel weg vom jahrhundertealten Erbe des Zentralismus. Auf den ersten Blick mag ihre Organisation kompliziert erscheinen. In der Tat ist Frankreich eines der wenigen Länder der Europäischen Union, die vier Verwaltungsebenen (Staat, Region, Departement, Gemeinde) kennen.

Mit dem Gesetz vom 2. März 1982 und weiteren ergänzenden Texten zeigten die Staatsorgane ihren Willen, die Beziehungen zwischen der Hauptstadt als Sitz der Macht und der Provinz zu verändern. Diese sogenannten "Dezentralisierungsgesetze" führten innerhalb der Organisation der Gebietsverwaltung zu einer gut durchdachten Aufteilung der Aufgaben und Verwaltungs- und Haushaltszuständigkeiten zwischen dem Staat und den Gebietskörperschaften, welche nunmehr über eine größere Entscheidungsfreiheit verfügen.

Die dezentrale Verwaltung: eine Organisation auf drei Ebenen

In Frankreich bilden drei Verwaltungsebenen die wesentliche Grundlage der Gebietsverwaltung. Es sind die Gemeinde, das Departement und die Region, die zugleich Verwaltungsbezirke des Staates und dezentralisierte Gebietskörperschaften sind. Juristisch gesehen handelt es sich bei einer dezentralisierten Gebietskörperschaft um eine juristische Person öffentlichen Rechts (mit einem Namen, einem Gebiet, einem Haushalt, Personal usw.), die über eigene Kompetenzen und eine gewisse Selbständigkeit gegenüber der Zentralgewalt verfügt.

Darüber hinaus gibt es die Gebietskörperschaften mit Sonderstatus (Paris, Marseille und Lyon sowie Korsika, Mayotte und Saint-Pierre-et-Miquelon).

Die Gemeinde

Die Gemeinden wurde schon 1789 eingeführt und bilden die Basis der französischen Verwaltungsorganisation. Es gibt fast 37.000 Gemeinden in Frankreich, mehr als in den anderen EU-Ländern. Grund dafür ist die Tatsache, daß der Begriff Gemeinde unbeachtet der Größe gilt (80 % haben weniger als 1.000 Einwohner). Dieser Zustand veranlaßte die Behörden, kommunale Zusammenschlüsse (Städte-Gemeinschaften, Gemeindezweckverbände) zu fördern. Zur Verstärkung dieses Trends bietet das Gesetz vom 6. Februar 1992 neue Zusammenarbeitsstrukturen an, mit denen sich die Verwaltung der Gemeinden je nach Einwohnerzahl, wirtschaftlicher oder kultureller Bedeutung, Interessensgleichheit usw. vereinfachen läßt.

Das Rathaus der elsässischen Gemeinde Riquewihr

Die Befugnisse und Zuständigkeiten der Gemeinden betreffen lokale Angelegenheiten. Auf wirtschaftlicher Ebene hat sich ihre Zuständigkeit erweitert. Früher war sie auf die Gewährung von Anreizen (besonders in steuerlicher Art) zur Schaffung von Arbeitsplätzen beschränkt, heute erstreckt sie sich auf die Erhaltung von Arbeitsplätzen durch direkte Hilfe (Darlehen, Kreditbürgschaften usw.) oder indirekte Maßnahmen.

Wie das Departement und die Region verfügt auch die Gemeinde über ein Exekutivorgan, den Bürgermeister, und ein beschließendes Organ, den Gemeinderat. Der Bürgermeister nimmt Aufgaben als Bevollmächtigter der Gemeinde sowie als Vertreter des Staates im Gemeindegebiet wahr. Er setzt die Beschlüsse des Gemeinderats um, vertritt die Gemeinde bei Rechtsangelegenheiten, legt den Haushaltsplan vor und führt ihn durch und verwaltet das Gemeindevermögen. Der Bürgermeister hat auch eigene Befugnisse; so ist er zuständig für die öffentliche Sicherheit und Sauberkeit. Dafür steht ihm die Gemeindeverwaltung zu Diensten, deren Leiter er ist.

Als Vertreter des Staates ist der Bürgermeister zuständig für Personenstandsangelegenheiten und für die kriminalpolizeiliche Arbeit unter Aufsicht der Staatsanwaltschaft. Schließlich übernimmt er auch bestimmte Verwaltungsaufgaben: Bekanntgabe der Gesetze und Verordnungen, Erstellung der Wählerlisten, Erfassung der Wehrpflichtigen u.a.

Die Akte des Bürgermeisters sind einseitige Verwaltungsakte, meistens Verfügungen, die der Gesetzmäßigkeitskontrolle unterworfen sind, wenn er als Exekutivorgan der Gemeinde handelt, und der hierarchischen Gewalt des Präfekten (s. u.), wenn er als Staatsvertreter handelt.

Das Beschlußorgan der Gemeinde ist der Gemeinderat, dessen Mitgliederzahl sich nach der Einwohnerzahl richtet. Die Gemeinderatsmitglieder werden für sechs Jahre in allgemeiner direkter Wahl gewählt. Sie verabschieden die großen Richtlinien der Gemeindepolitik, beschließen den Haushalt, verwalten das Gemeindevermögen und bestimmen die Arbeitsweise der Verwaltung.

Das Departement

Frankreich zählt 100 Departements, davon 96 im Mutterland und 4 in Übersee (Martinique, Guadeloupe, Réunion, Guayana).

Das ebenfalls 1789 geschaffene Departement entwickelte sich durch die Reform von 1982 von einer halb dezentralisierten zur einer vollwertigen Gebietskörperschaft. Seit der Einführung der Republik spielte es eine wesentliche Rolle bei der Organisation der Gebietsverwaltung. Auch heute noch genießt es bedeutende Vorrechte.

Die Zuständigkeiten des Departements betreffen in erster Linie den Gesundheits- und Sozialbereich, die ländliche Infrastruktur und die Departementstraßen sowie den Bau und Betrieb der "*collèges*", der einheitlichen Sekundarschulen für alle Schulpflichtigen.

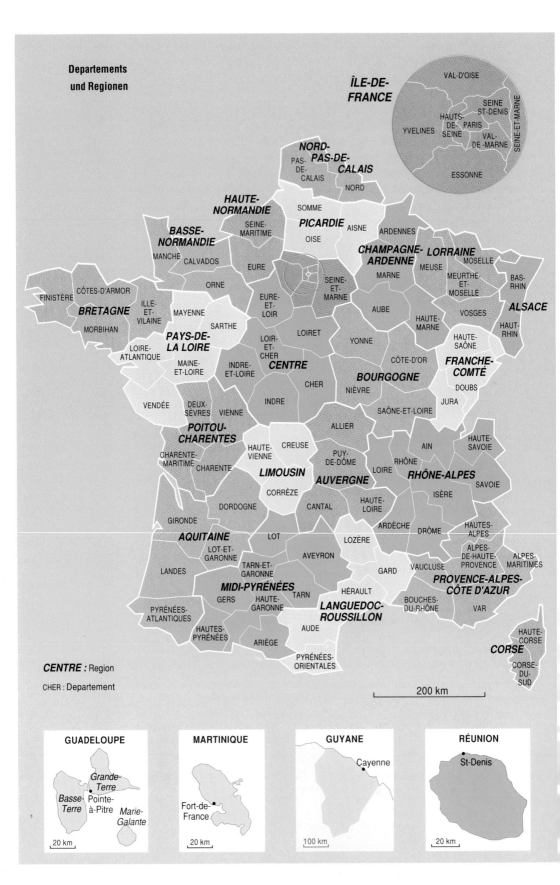

Departements
und Regionen

ÎLE-DE-FRANCE

VAL-D'OISE
YVELINES
HAUTS-DE-SEINE
PARIS
SEINE-ST-DENIS
SEINE-ET-MARNE
VAL-DE-MARNE
ESSONNE

NORD-PAS-DE-CALAIS

PAS-DE-CALAIS
NORD

HAUTE-NORMANDIE
SOMME
PICARDIE
AISNE
SEINE-MARITIME
OISE
ARDENNES

BASSE-NORMANDIE
MANCHE
CALVADOS
EURE
ORNE

CHAMPAGNE-ARDENNE
MARNE
LORRAINE
MOSELLE
MEUSE
MEURTHE-ET-MOSELLE
VOSGES
AUBE
HAUTE-MARNE

BRETAGNE
FINISTÈRE
CÔTES-D'ARMOR
ILLE-ET-VILAINE
MORBIHAN

MAYENNE
SARTHE
PAYS-DE-LA LOIRE
MAINE-ET-LOIRE
LOIRE-ATLANTIQUE

EURE-ET-LOIR
SEINE-ET-MARNE
LOIRET
LOIR-ET-CHER
CENTRE
INDRE-ET-LOIRE
YONNE
CHER

ALSACE
BAS-RHIN
HAUT-RHIN
HAUTE-SAÔNE

FRANCHE-COMTÉ
CÔTE-D'OR
BOURGOGNE
NIÈVRE
DOUBS
JURA
SAÔNE-ET-LOIRE

VENDÉE
DEUX-SÈVRES
VIENNE
INDRE

POITOU-CHARENTES
HAUTE-VIENNE
CREUSE
ALLIER

CHARENTE-MARITIME
CHARENTE
LIMOUSIN
CORRÈZE
AUVERGNE
PUY-DE-DÔME
LOIRE
RHÔNE

AIN
HAUTE-SAVOIE
RHÔNE-ALPES
SAVOIE
ISÈRE

DORDOGNE
CANTAL
HAUTE-LOIRE
ARDÈCHE
DRÔME
HAUTES-ALPES

GIRONDE
LOT
AQUITAINE
LOT-ET-GARONNE
AVEYRON
LOZÈRE
VAUCLUSE
ALPES-DE-HAUTE-PROVENCE
ALPES-MARITIMES

LANDES
TARN-ET-GARONNE
GARD
MIDI-PYRÉNÉES
GERS
HAUTE-GARONNE
TARN
HÉRAULT
PROVENCE-ALPES-CÔTE D'AZUR
BOUCHES-DU-RHÔNE
VAR

PYRÉNÉES-ATLANTIQUES
LANGUEDOC-ROUSSILLON
HAUTES-PYRÉNÉES
ARIÈGE
AUDE
PYRÉNÉES-ORIENTALES

CORSE
HAUTE-CORSE
CORSE-DU-SUD

CENTRE : Region

CHER : Departement

200 km

GUADELOUPE
Grande-Terre
Basse-Terre
Pointe-à-Pitre
Marie-Galante
20 km

MARTINIQUE
Fort-de-France
20 km

GUYANE
Cayenne
100 km

RÉUNION
St-Denis
20 km

Fast 200 Jahre lang war der Präfekt Exekutivorgan des Departements. Das Reformgesetz vom 2. März 1982 hat seine Aufgaben verändert. Er wird von der Regierung ernannt und ist noch immer der einzige Vertreter der Staatsgewalt im Departement. In dieser Eigenschaft vertritt er den Premierminister und alle anderen Regierungsmitglieder. Ihm sind die staatlichen Außenverwaltungen im Departement unterstellt, und schließlich übt er die Verwaltungskontrolle über die Gebietskörperschaften im Departement aus.

Aber mit dem Reformgesetz von 1982 ging die ausführende Gewalt auf den Präsidenten des Generalrates über. Er wird für sechs Jahre vom Generalrat aus seinen Reihen gewählt. Er bereitet die Beschlüsse, auch die Haushaltsbeschlüsse, des Generalrates vor und vollzieht sie, vertritt das Departement vor Gericht, leitet die Verwaltung des Departements und übt die Polizeigewalt auf Departementbesitz und Departementstraßen aus - dies unter Vorbehalt der den Bürgermeistern und dem Präfekten in diesen Bereichen übertragenen Befugnisse.

Beschlußorgan des Departements ist der Generalrat. Seine Mitglieder werden für sechs Jahre nach dem romanischen Mehrheitswahlrecht gewählt. Wahlkreis ist der Kanton, von denen es in Frankreich 3.500 gibt.

Die Region

Frankreich zählt 26 Regionen, davon 22 im Mutterland und 4 in Übersee. 1982 erhielten auch die Regionen den Status von Gebietskörperschaften. Ihre Zuständigkeiten betreffen in erster Linie die Wirtschaftsplanung, die Raumordnung, die Wirtschaftsförderung, die berufliche Bildung sowie die Ausstattung und den Betrieb der Gymnasien.

Das beschließende Organ der Region ist der Regionalrat, dessen Mitglieder für sechs Jahre gewählt und von einem Wirtschafts- und Sozialausschuß unterstützt werden. Dieser besteht aus Vertretern der Unternehmen, der Freiberufler, der Gewerkschafts- und Arbeitnehmerorganisationen, regionaler Verbände usw. Bei der Erstellung und Ausführung des nationalen Wirtschaftsplans, der Erstellung des regionalen Entwicklungsplans und der Festlegung der großen Richtlinien des Budgets der Region muß der Ausschuß gehört werden. Darüber hinaus kann er sich frei zu jeder die Region betreffenden Frage äußern oder vom Präsidenten des Regionalrates zu Plänen wirtschaftlicher, sozialer oder kultureller Art angehört werden.

Beständigkeit und Entwicklung der Gebietsorganisation

Artikel 72 der Verfassung sieht vor, daß sich die Gebietskörperschaften "durch gewählte Räte selbst verwalten". Daran hat das Reformgesetz von 1982 nichts geändert. Die Prinzipien der Selbstverwaltung der Körperschaften und der Wahl der beschließenden Organe bleiben die Grundlagen der französischen Gebietsverwaltung.

Sitzung des Regionalrats der Region Provence-Alpes-Côte d'Azur in Charbonnières-les-Bains

Es gibt also eine Beständigkeit der Strukturen und Grundlagen und klare Unterschiede hinsichtlich der Zuständigkeiten, dennoch haben die Dezentralisierungsgesetze eine neue Entwicklung eingeleitet, besonders bei der Kontrolle. Die Selbstverwaltung, das abgestimmte Handeln in einem Einheitsstaat, aber auch das Gleichheitsprinzip unter den Staatsbürgern sowie die Wahrung der allgemeinen Interessen der Nation verlangen in der Tat eine a posteriori-Kontrolle der Tätigkeit der Gebietskörperschaften.

Auch im Finanzbereich sieht das Gesetz vom März 1982 einige Neuerungen vor. Bei jedem Übergang von Zuständigkeiten vom Staat auf eine Gebietskörperschaft muß auch ein Mitteltransfer (im wesentlichen Steuergelder) erfolgen. Dadurch ist bei den lokalen Steuern eine steigende Tendenz zu erkennen. Die Reform verlieh außerdem den Rechnungsbeamten der Gemeinden, Departements und Regionen die gleiche Rechtsstellung wie den Hauptbuchhaltern des Schatzamtes. Schließlich übertrug sie einer neuen Gerichtsbarkeit, dem regionalen Rechnungshof, die *a posteriori*-Kontrolle der Haushaltsführung der Gebietskörperschaften.

Bereich	Gemeinde	Departement	Region	Staat
Bildung (seit 1986)	Einrichtung, Bau und Betrieb der Grundschulen und Grundschulklassen	Einrichtung, Bau und Betrieb der *collèges*	Einrichtung, Bau und Betrieb der Gymnasien und der Sonderschulein-richtungen	Ausarbeitung der Lehrpläne, Besoldung des Personals und Aufbau des Schulwesens. Hochschulplanung
Schulbusverkehr (seit 1984)	Finanzierung und Organisation im städtischen Bereich	Finanzierung und Organisation außerhalb des städtischen Bereichs		
Berufliche Weiterbildung und Lehrausbildung (seit 1983)			Durchführung von beruflichen Weiterbildungs- und Lehrausbildungs-maßnahmen	Entscheidung über allgemein geltende Maßnahmen
Sozial- und Gesundheitswesen (seit 1984)	Finanzielle Beteiligung an den Ausgaben des Departements. Befugnis, die Zugangserlaubnis zu bestimmten Formen der Notfallhilfe zu erteilen	Medizinischer Dienst. Jugendhilfe. Familienhilfe. Behindertenhilfe. Altenhilfe. Kampf gegen Tuberkulose und Krebs. Schutz von werdenden Müttern und Kindern. Aufsicht über Sozialeinrichtun-gen des Departements.		Leistungen der nationalen Solidarität. Leistungen der Sozialhilfe. Drogenbekämp-fung. Schutz der geistigen Gesundheit. Aufsicht und Kontrolle der dem Staat unterstehenden Gesundheitsein-richtungen
	Öffentliche Gesundheit			Kontrolle des Staates
Wirtschaftsplanung und -entwicklung (seit 1983)	Erarbeitung der Verträge zur Bildung von Gemeindever-bänden	Hilfsprogramm für die ländliche Entwicklung	Erarbeitung des Regionalplans	
Kanäle und Häfen (seit 1984)	Yachthäfen	Handels- und Fischereihäfen	Anlage von Binnenhäfen und Schiffahrtswegen	Häfen von nationalem Interesse und polizeiliche Befugnisse
Städtebau, Umwelt und Landeserbe (seit 1983-1984)	Erarbeitung der Bebauungspläne und Bodennutzungspläne			Kontrolle des Staates
	Ausstellung der Baugenehmigungen	Festlegung von Wanderwegen	Regionale Naturparks	Schutz des architektonischen Erbes. Nationalparks.

Der seit 1982 fortschreitende Dezentralisierungsprozeß hat die Funktionsweise der französischen Verwaltungsstrukturen in den Gebietskörperschaften spürbar verändert. Darüber hinaus hat er zu einer besseren Aufgabenverteilung und zu einer höheren Verantwortung der Gebietskörperschaften in allen Bereichen des öffentlichen Lebens geführt. Schließlich wird die Dezentralisierung immer wieder im Parlament diskutiert, ein Beweis für die Bedeutung, die ihr alle politischen Verantwortungsträger beimessen.

Für weitere Informationen:

Über die Institutionen der Fünften Republik
"Die französische Verfassung und ihre Rechtsgrundlagen". Zweisprachige Ausgabe. Originaltext und nicht-amtliche Übersetzung, herausgegeben von der Presseabteilung der französischen Botschaft, Bonn. Oktober 1995.
La Constitution du 4 octobre 1958, La Documentation française (Documents d'études n° 104), 1995
O. Duhamel, J.-L. Parodi et al., *La Constitution de la Ve République*, Presses de la FNSP (Références), 1988
M. Duverger, *Le système politique français*, PUF (Thémis), 1990.
"Institutions et vie politique", La Documentation française (Les Notices), 1991
Le Mong- N'guyen, *La Constitution de la Ve République, de Charles Gaulle à François Mitterrand*, Ed. Sciences et techniques humaines, 1989
D. Maus, *Les grands textes de la pratique institutionnelle de la Ve République*, La Documentation française (Retour aux textes), 1995
P. Pactet, *Les institutions françaises*, PUF (Que sais-je?), 1993
J.-L. Quermonne et D. Chagnollaud, *Le gouvernement de la France sous la Ve Republique*, Dalloz, 1991
B. Tricot, R. Hadas-Lebel, D. Kessler, L*es institutions politiques françaises*, Presses de la FNSP-Dalloz (Amphithéâtre), 1995
J.-L. Sauron, *L'application du droit de l'Union européenne en France*, La Documentation française (Réflexe Europe), 1995
"La justice", *Les Cahiers français* n° 251, La Documentation française, 1991

Über die Gebietsverwaltung:
J.-B. Auby, J.-F. Auby: *Droit des collectivités locales*, Themis, PUF, 1990
Les collectivités décentralisées de l'Union européenne, La Documentation française (Les études), 1995
Ministère de l'Intérieur: *Les collectivités locales en chiffres*, La Documentation française, 1994
B. Rémond, J. Blanc: *Les collectivités locales, structures et finances*, Presses de la FNSP-Dalloz, (Amphithéâtre), 1992
"Les collectivités territoriales", *Les Cahiers français* n° 239, La Documentation française, 1989

6

Das politische Leben

Die Franzosen zeigten stets ein gleichbleibendes Interesse an den Dingen des öffentlichen Lebens. Die Vielzahl der während der Revolution entstandenen Gazetten und Klubs ist Ausdruck des politischen Erwachens eines Teils der Bevölkerung. Vorher war nämlich die Politik ausschließlich dem engen Kreis um den Monarchen vorbehalten. Mit der Einführung des allgemeinen direkten Wahlrechts für Männer im Jahr 1848 war politische Meinungsäußerung durch Stimmabgabe bei der Wahl möglich geworden. Aber erst in der Dritten Republik (1875-1940) entwickelten die Franzosen ein richtiges politisches Bewußtsein, das zur Bildung von Parteien und Gewerkschaften führte und vor allem durch die wachsende Bedeutung der Presse gefördert wurde. Die Presse trug weitgehend dazu bei, vorherrschende Ideologien und neues Gedankengut zu verbreiten und in der Denkweise zu verankern, und sie gab den Bürgern die Möglichkeit, an der Debatte über die großen Themen der Zeit, wie die Trennung von Kirche und Staat oder die Dreyfus-Affäre, teilzunehmen. Institutionen, Parteien und Medien prägen jedoch nicht allein das politische Leben. Jeder Staatsbürger leistet seinen Beitrag, sobald er ein politisches Bewußtsein erworben hat.

Historische und verfassungsmäßige Grundlagen des politischen Lebens

Das politische Leben Frankreichs ist tief in der Vergangenheit verankert und bezieht sich immer wieder auf historische Zusammenhänge (s. Kap. 3 und 4).

Historische Grundlagen

Das 1848 unter der Dritten Republik eingeführte allgemeine Wahlrecht ist der Ausgangspunkt für ein reges politisches Leben. Die Möglichkeit, sein Souveränitätsrecht auszuüben, erlaubte es jedem Franzosen, sich voll als Staatsbürger, Mitglied der Gesellschaft und aktiver Teilnehmer am politischen Entscheidungsprozeß zu fühlen.

Weitere von der 1848 gewählten verfassunggebenden Versammlung eingeführte Maßnahmen kommen der Entfaltung des politischen Lebens zugute: die Abschaffung der Todesstrafe für politische Delikte, die Gewährleistung der Pressefreiheit und der öffentlichen Versammlungsfreiheit.

Die Dritte Republik spielte in der Folgezeit eine wesentliche Rolle: sie hat das republikanische Gedankengut allmählich fest in der französischen Mentalität verankert. Ihre Langlebigkeit hat sich dabei als positiver Faktor erwiesen. Der Dritten Republik ist es zu verdanken, daß die republikanische Staatsform in den Augen derjenigen Franzosen, die für konterrevolutionäre Ideen anfällig waren, nicht länger als Unruhefaktor und Gefahr für den bürgerlichen Frieden angesehen wurde.

Wie Thiers vorausgesehen hatte, setzte sich die auf demokratischer Legitimität und allgemeinem Wahlrecht beruhende parlamentarische Republik langsam, aber sicher als das populärste politische System durch. Die Dritte Republik hat Ideen hervorgebracht, die den Franzosen sehr am Herzen liegen: Schulwesen, Demokratie und Vaterland bilden seither den Kern des republikanischen Kredos.

Bis 1905 war jedoch die Dritte Republik im wahrsten Sinne eine Republik der Bürger. Sie entwickelte sich dann nach und nach in eine parlamentarische Republik. Das Fehlen einer soliden Regierungsmehrheit, das endlose Spiel der Bündnisse, Koalitionen und Regierungsumbildungen hielten den Bürger von der Ausübung der Macht fern: Parteien und politische Gruppierungen gewannen an Bedeutung.

Vor 1900 kannte Frankreich keine Parteien im eigentlichen Sinn. Sie formierten sich allmählich, nahmen sich jedoch bescheiden aus verglichen mit den übrigen westlichen Demokratien. Nach dem Ersten Welt-

Lebhafte Debatte in der Nationalversammlung im Jahr 1907: am Rednerpult Jean Jaurès, dessen Reden in die Parlamentsgeschichte eingegangen sind (Gemälde aus dem Musée de Versailles)

krieg nahm ihre Rolle zu. Neben Klubs, Lesezirkeln und Bildungskreisen, öffentlichen Versammlungen und republikanischen Banketts waren Cafés und Unternehmen die Hauptorte des politischen Lebens. Mit der Zeitungslektüre entstanden im Café Diskussion und Debatten über die in der Presse geäußerten politischen Ideen. Der Arbeitsplatz, insbesondere die Fabrik, spielten ebenfalls eine Rolle für das Erwachen des bürgerlichen Bewußtseins und die Entwicklung gesellschaftlicher Beziehungen, besonders durch die Gewerkschaften, die unter den Arbeitern politische und vor allem marxistische Ideen verbreiteten.

Nach dem Zweiten Weltkrieg begann mit der Vierten Republik (1945-1858) eine Periode großer Instabilität. Die Befreiung Frankreichs, die Einführung des Frauenwahlrechts und die Abneigung General de Gaulles gegen das Parteiensystems der Dritten Republik ließen große Hoffnungen aufkommen auf eine Erneuerung der Parteien, die unter Leitung vor allem ehemaliger Mitglieder der Widerstandsbewegung durch neue Ideen die öffentliche Moral wieder aufwerten sollten. Diese Hoffnungen zerschlugen sich jedoch. Es gab zu viele Parteien; sie waren entweder verbürokratisiert oder völlig strukturlos und durch interne Streitigkeiten über Personal- und Programmfragen geschwächt und daher nie der Situation gewachsen. Der Untergang der Vierten Republik bedeutet auch ihr Scheitern.

Institutionelle Grundlagen

Die Verfassung der Fünften Republik legte es darauf an, die während der Vierten Republik geschwächte Autorität des Staates durch eine Stärkung der Exekutive gegenüber der Legislative wiederherzustellen (s. Kap. 5). Der Präsident der Republik sollte als Staatschef Mittelpunkt des neuen Systems sein. Er sollte die Rolle eines Schiedsrichters einnehmen, der sich aus dem politischen Gerangel heraushält und das ordnungsgemäße Funktionieren der staatlichen Institutionen sichert. Seit 1962 findet die Wahl des Staatspräsidenten in allgemeinen direkten Mehrheitswahlen in zwei Wahlgängen statt. Da die Öffentlichkeit den politischen Parteien, die durch die Machtausübung in der Vierten Republik in Mißkredit geraten waren, gleichgültig oder gar mißtrauisch gegenüberstand, könnte man annehmen, daß sie sich von da an blind auf das Charisma einer einzigen Person verlassen hätte. Das wäre jedoch ein Irrtum.

Die Verfassung der Fünften Republik gesteht politischen Parteien denn auch zum ersten Mal eine Rolle zu, was sogar in Art. 4 festgesetzt ist: "Die politischen Parteien und Gruppierungen wirken bei Wahlentscheidungen mit. Die Bildung und die Ausübung ihrer Tätigkeit sind frei. Sie haben die Grundsätze der nationalen Souveränität und der Demokratie zu achten". Sie sind zwar juristisch gesehen nur Verbände (Gesetz von 1901), üben jedoch die Rolle eines Mittlers zwischen öffentlicher Meinung und Staat aus. Sie haben ein offenes Ohr für die Sorgen und

Probleme der Staatsbürger und schlagen Programme zu deren Lösung vor, zu denen sich die Bevölkerung bei den Wahlen äußern kann.

Die Verfassung der Fünften Republik hat somit die Rolle der Parteien institutionalisiert. Sie sind in beiden Parlamentskammern als Fraktionen vertreten, in denen Gesetze vorgeschlagen, Debatten geführt und Abstimmungen durchgeführt werden.

Referendum im Jahr 1962: Die Verfechter des "Neins" waren zwar aktiv, dennoch stimmten 61,7 % mit "Ja"

Dieses System sichert ein Gleichgewicht zwischen der mit einem Vielparteiensystem verbundenen Unbeständigkeit und der Stabilität der Regierung, was den Wechsel an der Spitze, ja sogar die sogenannte *cohabitation* möglich macht. Da der Präsident der Republik in allgemeinen direkten Wahlen, die eine absolute Mehrheit der abgegebenen Stimmen erfordern, gewählt wird, ist es einer Partei unmöglich, ihren Kandidaten einzig mit ihren eigenen Stimmen an die Spitze zu bringen. Um eine Wahl zu gewinnen, ist eine Koalition von Parteien mit ähnlichen Zielen und Programmen notwendig. Der so gewählte Präsident hat damit in der Tat die Rolle eines Schiedsrichters, der über den Parteien steht, einschließlich der Koalition, die seine Wahl ermöglichte. Der gaullistischen Tradition entsprechend ist der Präsident tatsächlich nur dem Volk gegenüber verantwortlich.

Die großen Ereignisse im politischen Leben: Wahlen und Volksabstimmungen

Wahlen sind ein wichtiges Ereignis im politischen Leben eines Landes. Abgesehen von den Senatswahlen gilt bei allen Wahlen das Prinzip des allgemeinen direkten Wahlrechts. Etwas über 40 Millionen Franzosen sind wahlberechtigt (bei einer Gesamtbevölkerung von 58 Millionen). Wer sein Wahlrecht ausüben will, muß volljährig (d.h. mindestens 18 Jahre alt) sein, die französische Staatsbürgerschaft besitzen (außer bei Kommunal- und Europaparlamentswahlen, s. u.), in die Wahlliste seiner Gemeinde eingeschrieben und im vollen

Ein Wahlbüro in einer
Pariser Schule: Erster
Wahlgang bei den
Parlamentswahlen im
März 1993

Besitz seiner Bürgerrechte sein; Strafen für bestimmte schwere Verbrechen oder Straftaten können nämlich den Entzug der Bürgerrechte
für eine gewisse Zeit nach sich ziehen. Die Wählbarkeitskriterien sind
die gleichen für alle Wahlen, das Mindestalter ist jedoch je nach dem
angestrebten Mandat unterschiedlich (18 Jahre für einen Gemeinde-
rats- und 21 Jahre für einen Regionalratssitz, 23 Jahre für ein
Abgeordnetenmandat und für das Amt des Staatspräsidenten, 35 für
ein Senatorenmandat).

Der französische Wähler wählt seine Vertreter für die Gemeinde, das
Departement, die Region oder die Nation. Auf Antrag der Regierung
oder des Parlaments kann der Staatspräsident einen Gesetzesvorschlag oder eine wichtige Entscheidung dem Volke direkt in Form eines
Referendums zur Abstimmung vorlegen. In den letzten zehn Jahren
wurden die Franzosen zweimal in einem Referendum befragt: am 6.
November 1988 zum Status von Neukaledonien und am 20. September
1992 zur Ratifizierung des Vertrags zur Europäischen Union. Die Verfassungsänderung vom August 1995 hat Referenden auch bei Geset-
zesentwürfen über wirtschafts- und sozialpolitische Reformen sowie die
dabei mitwirkenden staatlichen Einrichtungen ermöglicht.

Lokale Wahlen

Gemeinderäte werden in allgemeinen direkten Wahlen
für sechs Jahre von den französischen sowie den in der Gemeinde
ansässigen EU-Staatsbürgern gewählt. Die Gemeinderäte wählen
dann den Bürgermeister. Ihre Anzahl ist proportional zur Bevölkerungsdichte. Gemeindewahlen laufen je nach Bevölkerungsstärke
nach verschiedenen Wahlrechtssystemen ab:

- In Gemeinden mit weniger als 3.500 Einwohnern wird nach dem Mehr-heitswahlrecht mit Vorschlagslisten in zwei Wahlgängen gewählt. Dabei besteht die Möglichkeit des Panaschierens (d.h., Reihenfolge und Na-menslisten der Kandidaten können geändert werden).

- In Gemeinden mit über 3.500 Einwohnern wird nach dem reinen Li-stenwahlrecht in zwei Wahlgängen ohne die Möglichkeit des Pana-schierens gewählt; erreicht eine Liste im ersten Wahlgang die absolute Mehrheit, so erhält sie vorab die Hälfte aller Sitze, während die restli-chen Sitze nach der Regel des höchsten Durchschnitts auf alle Listen verteilt werden.

Die Kantonalwahlen finden auf Departementsebene statt. In diesen Wahlen werden für den Kanton, einen Verwaltungsbezirk des Departements, nach dem Mehrheitswahlrecht die Mitglieder des Generalrats für sechs Jahre gewählt. Der Generalrat wird alle drei Jahre zur Hälfte neu gewählt.

Die 1982 in Kraft getretenen Dezentralisierungsgesetze setzten die Re-gion als territoriale Körperschaft der Republik ein. Die Mitglieder der Regionalräte werden in allgemeiner Wahl für sechs Jahre nach dem Verhältnis- bzw. Listenwahlrecht nach der Regel des höchsten Durch-schnitts gewählt, ein System, das kleineren Parteien eine Vertretung im Regionalrat ermöglicht.

Nationale Wahlen

Die 577 Abgeordneten der Nationalversammlung wer-den für fünf Jahre in allgemeinen direkten Wahlen nach dem Mehrheitswahlrecht in zwei Wahlgängen gewählt. Jeder Abgeordnete wird in einem Wahlkreis gewählt, der etwa 100.000 Einwohner umfaßt. Das Mehrheitswahlrecht wurde von General de Gaulle eingeführt mit dem Ziel, die Destabilisierung der Regierung zu vermeiden, wie dies unter der Vierten Republik vor allem als Folge des Verhältniswahl-rechtes so oft der Fall war. Die sozialistische Regierung führte für die Wahlen 1986 das Verhältniswahlrecht wieder ein, denn sie erhoffte sich dadurch mehr Mandate für kleinere Gruppierungen, die Rechtskoalition ersetzte es jedoch 1988 wieder durch das Mehrheits-wahlrecht, das seitdem gültig ist.

Die 321 Mitglieder des Senats werden in indirekter Wahl auf Departe-mentsebene für neun Jahre gewählt. Das Wahlkollegium setzt sich zusam-men aus Abgeordneten des Departements, Mitgliedern des Generalrats und des Regionalrats sowie Vertretern der Gemeinderäte. Die Senatsmit-glieder werden alle drei Jahre zu einem Drittel neu gewählt.

Das Hauptereignis im politischen Leben Frankreichs ist selbstverständ-lich die Präsidentenwahl, in der das Volk eine Art moralischen Vertrag mit einem Politiker eingeht. Der Präsident wird für ein - erneuerbares -

Mandat von sieben Jahren in allgemeinen direkten Mehrheitswahlen in
zwei Wahlgängen gewählt. Um kandidieren zu können, muß der Präsi-
dentschaftsanwärter die Unterstützung von mindesten fünfhundert lokalen oder nationalen Mandatsträgern nachweisen.

Die 87 (von insgesamt 626) französischen Abgeordneten zum Europäischen Parlament werden für fünf Jahre in allgemeiner direkter Verhält-
niswahl nach nationalen Listen gewählt. Dem Vertrag über die Europäische Union zufolge können Staatsbürger aus einem EU-Land, die
in Frankreich ansässig sind, die Kandidaten wählen, die in Frankreich
antreten.

Während des Wahlkampfes läuft das politische Leben im allgemeinen
auf Hochtouren. Für die Kandidaten ist dies die beste Zeit, ihre Wähler
zu treffen und ihnen Programme und Vorhaben darzulegen. Dazu stehen den Kandidaten mehrere Mittel zur Verfügung. Sie können ihre
Wähler direkt in ihrer alltäglichen Umgebung treffen, auf Märkten, in
Einkaufszentren und auf der Straße, oder sie können sich der Medien
als Tribüne für den Wahlkampf bedienen. Um die Chancengleichheit
der Kandidaten zu garantieren, wacht der *Conseil supérieur de l'audiovisuel* als oberste Medienbehörde (s. Kap. 18) darüber, daß alle
Kandidaten oder politische Gruppierungen in allen Hörfunk- und Fernsehanstalten, die im übrigen keine politische Werbung ausstrahlen dürfen, gleich lang zu Wort kommen. Schließlich erhält jeder Wähler in
den Wochen vor dem Urnengang Unterlagen mit Informationen und
Wahlprogrammen der einzelnen Kandidaten. Um die Wählerschaft nicht
zu beeinflussen, ist es gesetzlich verboten, in der Woche vor der Wahl
Meinungsumfragen, die im
öffentlichen Leben Frank-
reichs an Bedeutung gewinnen, zu veröffentlichen.

Nach den Gesetzen vom 22.
Dezember 1990 und 19. Ja-
nuar 1995 über Partei- und
Wahlkampffinanzierung
müssen Parteien und Unter-
stützungskomitees für Kandidaten ihre Wahlkampfkon-
ten - die ausgeglichen sein
müssen - offenlegen und u.
a. Ausgaben für politische
Öffentlichkeitsarbeit auffüh-
ren. In dem Zeitraum von einem Jahr vor der Wahl dürfen sie ein bestimmtes
Budget nicht überschreiten
(90 Mio. Franc oder 16 Mio.

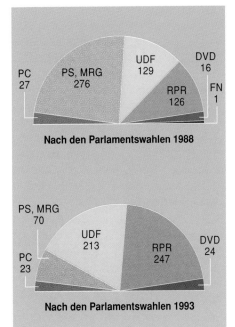

Nach den Parlamentswahlen 1988

PC 27 · PS, MRG 276 · UDF 129 · DVD 16 · RPR 126 · FN 1

Nach den Parlamentswahlen 1993

PS, MRG 70 · PC 23 · UDF 213 · RPR 247 · DVD 24

Die
Nationalversammlung
nach den
Parlamentswahlen
1988 und 1993:
Zwischen diesen
beiden Wahlen wird
der Stimmenrückgang
bei den linken Parteien
deutlich.
*PC = Parti communiste,
PS = Parti socialiste,
UDF = Union pour la
démocratie française
MRG = Mouvement des
radicaux de gauche,
RPR = Rassemblement
pour la République,
DVD = verschiedene
Rechte,
FN = Front national*

Dollar für den ersten, 120 Mio. Franc oder 21 Mio. Dollar für den zweiten Wahlgang bei Präsidentenwahlen). Vier Monate vor Beginn des offiziellen Wahlkampfes dürfen keine Wahlplakate mehr auf Werbeträgern für kommerzielle Werbung angebracht werden. Die Parteifinanzierung ist ebenfalls eingeschränkt worden, indem eine Höchstgrenze für finanzielle Mittel festgesetzt wurde, Beiträge von Unternehmen, Industriebetrieben und Privatpersonen angegeben werden müssen und schließlich die Finanzierung der Parteien durch Unternehmen gänzlich untersagt wurde. Die Erstattung eines Teils der Wahlkampfausgaben durch den Staat hängt von den Wahlergebnissen ab (1 Mio. Franc oder 0,18 Millionen Dollar für jeden Päsidentschaftskandidaten; hinzu kommen 8 % der Ausgabenhöchstgrenze. Für Kandidaten, die im ersten Wahlgang mehr als 5 % der Wählerstimmen erhielten, wird diese Summe auf 36 % der Ausgabenhöchstgrenze angehoben). Mit der Begrenzung der Ausgaben und folglich des verschwenderischen Umgangs mit Geldern sowie durch die Gewährleistung einer gewissen Gleichstellung der Kandidaten soll eine neue Ethik im politischen Leben gefördert werden.

Präsidentenwahlen in der Fünften Republik: Seit der Wahl von Georges Pompidou hält sich das Rechts-Links-Verhältnis fast die Waage

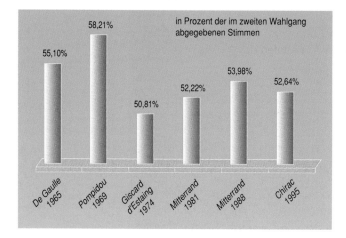

Die wichtigsten politischen Gruppierungen

Das französische Vielparteiensystem hat keineswegs dazu geführt, daß eine Unmenge kleiner Gruppierungen entstand, die das Regieren unmöglich machte. Auf der politischen Karte Frankreichs sind fünf Hauptströmungen zu erkennen, die bei jeder Wahl mit unterschiedlichen Ergebnissen vertreten sind: die Gaullisten, der liberale Block der Mitte, die Sozialisten, die Kommunisten und die Rechtsextremen. Tatsächlich können aber nur die drei größeren politischen Formationen als mögliche Regierungsparteien angesehen werden, denn sie erreichen im - allgemeinen wenigstens 20 % der abgegebenen Stimmen. Es handelt sich um die gaullistische RPR *(Rassemblement pour la République)*, die liberale Partei der Mitte UDF *(Union pour la démocratie française)* und die Sozialisten *(Parti Socialiste* - PS). Hinzu kommen die Kommunistische Partei Frankreichs *(Parti communiste français* - PCF), die von 1981 bis 1984 eine Regierungskoalition mit den Sozialisten eingegangen war, und die

rechtsextreme Front National sowie Gruppierungen, die bei Wahlen
eine marginale oder eine durch zeitbedingte Umstände gegebene
Bedeutung haben oder als Protestparteien anzusehen sind. Andere
politische Gruppierungen als die drei potentiellen Regierungsparteien
sind durch das - Wahlsieg verstärkende - Mehrheitswahlsystem
benachteiligt, können jedoch bei Verhältniswahlen (regionale und
europäische Wahlen) manchmal beachtliche Erfolge erzielen.

Rassemblement pour la République (RPR)

Die 1976 von Jacques Chirac gegründete RPR ist die
Nachfolgeorganisation der Union des démocrates pour la République
(UDR), wie die gaullistische Partei zuvor hieß. Die RPR beruft sich
ganz klar auf diese Abstammung und versteht sich als Nachfolgerin
des von General de Gaulle 1947 gegründeten Rassemblement du peu-
ple français (RPF).

Das Festhalten an humanistischen Grundsätzen und sozialer Gerechtigkeit als Voraussetzung für wirtschaftlichen Erfolg hat die RPR vom
Gaullismus übernommen. Sie stützt sich auch auf die Vorstellung, daß
ein Staat mit einer ehrgeizigen und willensstarken Politik die notwendige
Voraussetzung für den Zusammenhalt der Nation ist. Nach gaullisti-
scher Tradition ist der Staat jedoch nie stärker, als wenn er den Begriff
der nationalen Souveränität in seinen Mittelpunkt stellt. Aus diesem
Grunde legt die RPR besonderen Wert auf die nationale Unabhängigkeit und die Rolle Frankreichs auf der internationalen Bühne. Die Partei
ist der Ansicht, daß Frankreich sich die Mittel zur Durchsetzung seiner
ehrgeizigen Ziele geben muß und sieht daher vor allem das Bildungssystem als vorrangig an.

Wenn die RPR in den Parlamentswahlen im März 1993 zur stärksten
Partei Frankreichs aufgerückt ist (17,03 % der Wählerstimmen und
45 % der Mandate in der Nationalversammlung), so ist dies vor allem
der internen, stark strukturierten Parteiorganisation zuzuschreiben. Ebenso
wie die Fünfte Republik das Vielparteiensystem ohne Schaden übersteht,
wird die RPR mit verschiedenen Strömungen innerhalb der Partei fertig.
So trat keine Spaltung der Partei ein, als einige Gaullistenführer bei dem
Referendum zum Maastrichter Vertrag für die Ratifizierung des Vertrages
eintraten, während andere dagegen waren. Als sich bei den Präsidentenwahlen 1995 im ersten Wahlgang Jacques Chirac und Edouard
Balladur, beide aus den Reihen der RPR, als Kandidaten gegenüberstanden, führte dies ebensowenig zu einer Spaltung der RPR.

Bei der Präsidentenwahl 1995 wurde deutlich, daß sich die Wählerschaft Jacques Chiracs vom soziologischen Standpunkt gesehen im
Vergleich zu den Wahlen 1981 und 1988 verändert hatte. Der mit
52,64 % der abgegebenen Stimmen gewählte Kandidat erhielt 55 %

Versammlung im *Parc
omnisports* in Paris-
Bercy im April 1995:
Die Wahlentscheidung
der jungen Leute fiel
bei der Wahl von
Jacques Chirac
ins Gewicht

der Stimmen der 18- bis 24jährigen (62 % davon männlichen Ge-
schlechts), wobei der Prozentsatz der Jugendlichen, die weiter rechts
wählten als ihre Eltern, bei den Arbeitern, Angestellten und mittleren
Berufsgruppen stärker war.

Union pour la démocratie française (UDF)

Die Union pour la démocratie française (UDF) wurde
1978 auf Anregung von Valéry Giscard d'Estaing (der seit 1989 auch
Parteivorsitzender ist) gegründet und ist mehr ein Bündnis von Parteien und Gruppierungen, als eine vereinigte Partei wie die RPR oder
die Sozialistische Partei. So haben alle Bündnispartner der UDF ihre
Autonomie und ihre eigene Organisation beibehalten. Die UDF tritt
vor allem für wirtschaftlichen Liberalismus ein. Die europäische Einheit
ist eines ihrer Hauptanliegen. Ihre Wähler sind vor allem unter den
Mitgliedern der mittleren und oberen Gesellschaftsschicht sowie unter
freiberuflich Tätigen und Rentnern zu finden. Wenn die RPR an der
Regierung beteiligt war, hat sich die UDF jeweils mit ihr verbündet,
und die beiden Parteien stellen oft gemeinsame Kandidaten bei lokalen und europäischen Wahlen auf. Bei den Parlamentswahlen von
1993 erreichte die UDF 15,35 % der Stimmen und 37 % der Mandate.
Für die Präsidentenwahlen im Jahr 1995 stellte sie keinen eigenen
Kandidaten auf; ihre Vertreter unterstützten zum Teil Jacques Chirac
und zum Teil Edouard Balladur. Die Hauptbündnispartner der UDF
sind:

Parti républicain (PR)

Die Republikanische Partei ist die Nachfolgeorganisation der 1966 von Valéry Giscard d'Estaing gegründeten Fédération nationale des républicains indépendants und wurde 1977 von François Léotard ins Leben gerufen. Sie ist mit etwa 60 Abgeordneten, über 40 Senatoren und etwa 10 Regionalratsvorsitzenden der stärkste Verband in der UDF. Die PR unterstützte ursprünglich vor allem Valéry Giscard d'Estaing, hat sich aber allmählich von dem ehemaligen Staatspräsidenten unabhängig gemacht. Sie ist vor allem eine Honoratiorenpartei.

Force démocrate (FD)

Diese Bewegung wurde Ende 1995 von François Bayrou ins Leben gerufen, um das 1976 von Jean Lecanuet (der 1965 für das Amt des Präsidenten kandidiert hatte) gegründete Centre des Démocrates sociaux (CDS) zu ersetzen. Dieses war die Nachfolgeorganisation des nach dem Zweiten Weltkrieg von dem ehemaligen Widerstandskämpfer Georges Bidault ins Leben gerufenen Mouvement républicain populaire (MRP) und eine Art französische Variante der Christdemokraten. Es war entschlossen pro-europäisch, sozial und reformerisch ausgerichtet und situierte sich etwa zwischen christdemokratischen und sozialdemokratischen Ideen, kurz: eine Partei der Mitte. 1988 schlug die damals an die Regierung zurückgekommene Sozialistische Partei ihm ein Bündnis vor, das CDS zog es jedoch vor, im Verband der UDF zu bleiben.Die anderen Mitgliedsverbände der UDF - die übrigens auch Einzelmitglieder aufnimmt - haben bei Wahlen weniger Bedeutung:

Eine Sitzung des Nationalrats der UDF im April 1989: Unter dem Parteilogo Parteigründer V. Giscard d'Estaing und J. Lecanuet (CDS), rechts von ihnen J.-C. Gaudin und P. Méhaignerie

- Die 1901 gegründete *Parti radical*, die älteste der französischen Parteien, war eine der Hauptparteien unter der Dritten und Vierten Republik (mit Clemenceau, Gambetta, Herriot, Poincaré und später Edgar Faure und Mendès-France), bevor sie zu einer Honoratiorenpartei wurde und sich 1972 in Befürworter der Linksunion (Robert Fabre, Maurice Faure) und Reformatoren (Jean-Jacques Servan-Schreiber) spaltete.

- Die *Parti social-démocrate* entstand 1973 als eine Gruppe von Reformatoren, die die Einigung der Linksunion ablehnte. Sie ging Ende 1995 in der Force démocrate auf.

- Die Parti populaire pour la démocratie française wurde von Hervé de Charette gegründet und ersetzte im Oktober 1995 die Clubs Perspectives et Réalités, ein Netzwerk lokaler Persönlichkeiten um Valéry Giscard d'Estaing und eine politische Reflexionsgruppe.

Parti socialiste (PS)

Die Sozialistische Partei wurde 1971 auf dem Parteitag von Epinay-sur-Seine von François Mitterrand gegründet und ist die Nachfolgeorganisation der Section française de l'Internationale ouvrière (SFIO), die Anfang des Jahrhunderts von Jules Guesde und Jean Jaurès ins Leben gerufen worden war und nach Kriegsende von Guy Mollet geführt wurde. Kleinere, linksgerichtete Parteien, Klubs und Zusammenschlüsse von marginaler Bedeutung wurden in die Sozialistische Partei eingegliedert. Während der sozialistische Kandidat bei den Präsidentenwahlen 1969 (Gaston Deferre) nur knapp 5 % der Stimmen erreichte, gelang es François Mitterrand, die erneuerte Sozialistische Partei zu einer der Hauptparteien Frankreichs zu machen und das Amt des Staatspräsidenten zu übernehmen - was in der Fünften Republik bis dahin ohne Beispiel war. Der von François Mitterrand geprägte Sozialismus war humanistisch, liberal, sozial und pragmatisch, demokratisch und nichtrevolutionär. Auf dieser Basis konnte er sich von der Kommunistischen Partei, die nach wie vor revolutionär und marxistisch war, absetzen und seine Wählerbasis ausweiten. Unter dem Druck der Amtszwänge und vor allem der Wirtschaftskrise schlug die Sozialistische Partei einen sozialdemokratischen Kurs, gekoppelt mit wirtschaftlicher Disziplin, ein, der bei einigen ihrer traditionellen Mitglieder Enttäuschung auslöste.

Im April 1995 in Vincennes: der sozialistische Präsidentschaftskandidat Lionel Jospin, rechts von ihm Parteisekretär H. Emmanuelli und der ehemalige Premierminister L. Fabius

Die Sozialistische Partei zeichnet sich dadurch aus, daß sie innerhalb der Partei verschiedene Tendenzen und Strömungen toleriert, die zwar oft auf unterschiedlichen Ansichten beruhen, jedoch auch Ausdruck persönlicher Rivalitäten sind, die zur Schwächung der Partei beigetragen haben. Dies könnte einer der Gründe für das schlechte Abschneiden bei den Parlamentswahlen 1993 sein (18,22 % der Stimmen, 10 % der Mandate). Der Erfolg des sozialistischen Kandidaten Lionel Jospin bei den Präsidentenwahlen 1995 (23 % im ersten, 48,36 % im zweiten Wahlgang) ist deshalb umso beträchtlicher und deutet auf eine Konsolidierung der Sozialistischen Partei hin, die sich unter Berufung auf

das Wahlprogramm ihres Kandidaten wieder zur wichtigsten Opposi-
tionspartei profiliert hat.

Parti communiste français (PCF)

März 1995: Robert Hue,
Generalsekretär und
Präsidentschaftskandi-
dat der
Kommunistischen
Partei, im Wahlkampf
in dem bretonischen
Hafen Douarnenez

Wegen ihrer Rolle in der Widerstandsbewegung war die
Kommunistische Partei nach Kriegsende die stärkste Partei Frankreichs.
Sie war bis 1947 an der Regierungskoalition unter General de Gaulle beteiligt. In der Folge gelang es ihr, ihren Stimmenanteil bei Wahlen auf
einem Niveau von 20 % zu halten. In der Regierungskoalition mit den
Sozialisten im Jahr 1981 (bis
1984 gehörten vier kommu-
nistische Minister der Regierung an) verringerte sich ihr
Wählerstamm jedoch stetig.
Von der Einigung der
Linksblöcke hatte vor allem die
Sozialistische Partei profitiert,
und die Kommunistische Partei
wurde in eine marginale Rolle
abgedrängt. Da sie zudem
lange ein treuer Vasall der
sowjetischen kommunistischen
Partei gewesen war, verlor sie
nach der Entstalinisierung viel

an Ansehen und paßte sich trotz eines Modernisierungsversuches
(Verzicht auf die Diktatur des Proletariats und den demokratischen
Zentralismus) erst verspätet der neuen gesellschaftlichen Entwicklung
an. Der Zerfall des kommmunistischen Blocks hat diese Tendenz noch
verstärkt und viele Wähler und Parteimitglieder ihres traditionellen
Bezugssystems beraubt. Infolge der Wirtschaftskrise hat die PCF jedoch ihre Funktion als Protestpartei behalten. Bei den Parlamentswahlen im Jahre 1993 erhielt die Kommunistische Partei 6 % der Stimmen im ersten und nur 2,82 % im zweiten Wahlgang (die meisten
ihrer Kandidaten waren schon im ersten Wahlgang ausgeschieden)
und besitzt somit nur 4 % der Mandate. Im ersten Wahlgang der Präsidentenwahlen 1995 erhielt der kommunistische Kandidat Robert Hue
8,6 % der Stimmen.

Die rechtsextreme
Front national

Die Front national wurde 1972 von Jean-Marie Le Pen
gegründet. Sie beruft sich auf nationalistische und fremdenfeindliche
Traditionen und konzentriert sich auf den Kampf gegen Immigration,
Korruption und Unsicherheit. Bis Anfang der 80er Jahre war sie eine
Randerscheinung, danach faßte sie jedoch als Folge der Wirtschafts-

krise auf nationaler und lokaler Ebene Fuß. Im Durchschnitt erhalten ihre Kandidaten heute zwischen 10 % (Wahlen zum Europäischen Parlament 1994) und 15 % (Präsidentenwahl 1995) der Stimmen; in manchen Wahlkreisen liegen die Ergebnisse jedoch bei über 20 % (z.B. bei den Kommunalwahlen 1995), und die Front national kann so im zweiten Wahlgang ausschlaggebend für das Ergebnis sein. Bei den Präsidentenwahlen 1995 wurde offensichtlich, daß die Partei vor allem im von der Wirtschaftskrise betroffenen Südosten und Nordosten des Landes stark vertreten ist und daß ihre Wähler vor allem aus dem Arbeitermilieu (27 %) stammen, jedoch auch Jugendliche, Arbeitslose und Wähler mit geringer Schulbildung einschließen.

Die übrigen politischen Gruppierungen

April 1989: Die Umwelt-
schützer demonstrieren
wärend des europäi-
schen Kongresses der
Grünen in Paris

- Radical, früher Mouvement des radicaux de gauche (MRG), ist seit der ersten gemeinsamen Wahlplattform der Linken im Jahre 1973 mit den Sozialisten verbündet, nachdem sie sich von der Parti radical abgespaltet hatte, die es ihrerseits vorzog, in der Koalition der Rechtsparteien zu verbleiben (s. o.). Das schwache Abschneiden bei Wahlen hat Radical jedoch auf einen umstrittenen Kurs gebracht, verkörpert durch den Geschäftsmann Bernard Tapie. Bei den Wahlen zum Europäischen Parlament 1994 profitierte Tapie von der Schwächung der Sozialistischen Partei, und seine Liste konnte dank des Verhältniswahlsystems 12 % der Stimmen für sich verzeichnen.

Schlechte Ergebnisse bei Meinungsumfragen vor den Präsidentenwahlen 1995 bewogen den Radical-Kandidaten, Jean-François Hory, jedoch dazu, auf eine Kandidatur zu verzichten und den sozialistischen Kandidaten zu unterstützen.

- Mouvement des Citoyens, eine 1995 von Jean-Pierre Chevènement, einem ehemaligen sozialistischen Minister, gegründete Bewegung, die gegen den Maastricht-Vertrag und die liberale Wirtschaftspolitik ist.

- Mouvement pour la France wurde 1995 von dem Abgeordneten und ehemaligen Mitglied der Parti républicain, Philippe de Villiers, der ein Gegner des Maastrichter Vertrags ist und der Korruption den Kampf angesagt hat, ins Leben gerufen. Die Bewegung ist die Nachfolgeorganisation des vor den Wahlen zum Europäischen Parlament 1994 gegründeten Mouvement pour les valeurs. Nachdem sein Gründer bei den Europawahlen 1994 einen gewissen Erfolg - auf Kosten der Front national - verzeichnen konnte (12,3 % der Stimmen), scheiterte er im ersten Wahlgang der Präsidentenwahlen 1995 (4,7 %).

- Die Umweltschützer sind ebenfalls im politischen Spektrum Frankreichs vertreten. Von Mitte der 80er bis Anfang der 90er Jahre schienen sie - vor allem wegen der Schwächung der Sozialisten - einen neuen politischen Pol zu verkörpern, um den sich ein Teil der von der sozialistischen Regierung enttäuschten Wähler versammeln konnte. Es traten jedoch Meinungsverschiedenheiten auf, so daß sich heute die Umweltschützer in drei Gruppierungen gespalten haben: *Génération Ecologie* mit Brice Lalonde, *Mouvement pour une véritable écologie* mit Antoine Waechter und *Les Verts* mit Dominique Voynet. Bei den Präsidentenwahlen 1995 konnte nur Dominique Voynet die nötige Unterstützung für eine Kandidatur finden; sie erhielt jedoch nur 3,3 % der abgegebenen Stimmen.

Die derzeitige politische Landschaft Frankreichs

Nach den Präsidentenwahlen im April/Mai 1995, die Jacques Chirac gewonnen hat, und den Kommunalwahlen im Juni 1995 sind eine gewisse Kontinuität und zugleich spürbare Veränderungen der politischen Lage Frankreichs zu erkennen.

- Eine sinkende Wahlbeteiligung: Traditionell ist die Wahlbeteiligung in Frankreich eher höher als in den meisten demokratischen Ländern ohne Wahlpflicht. Die Stimmenthaltung beträgt bei Parlamentswahlen im allgemeinen zwischen 20 und 25 % und bei Präsidentenwahlen zwischen 13 und 15 %. Bei den Präsidentenwahlen 1995 hat sie im ersten Wahlgang den höchsten Stand seit Einführung des allgemeinen Wahlrechts für die Wahl des Präsidenten im Jahre 1965 erreicht, nämlich 20,8 %; im zweiten Wahlgang waren es 19,6 %, ein Prozentsatz, der nur einmal höher lag, und zwar 1969, als sich zum einzigen Male zwei Kandidaten von Rechtsparteien, G. Pompidou und A. Poher, gegenüberstanden. Zählt man die nicht eingeschriebenen Wähler, die ungültigen Stimmen und die nicht ausgefüllten Wahlzettel hinzu, kommt man auf 28 % (verglichen mit 21,4 % im Jahr 1981 und 22,5 % im Jahr 1988). Bei den Kommunalwahlen 1995 hat die Stimmenthaltung ihren höchsten Stand seit 1945 (33 %) erreicht. Einige Beobachter sprechen von einem Phänomen der "Entpolitisierung" oder von Politikverdrossenheit ganz allgemein.

- Wahrung der Links- und Rechtsblöcke: Die beiden Gegner im zweiten Wahlgang der Präsidentenwahlen, J. Chirac und L. Jospin, haben versucht, Wähler außerhalb ihres traditionellen Stammwählerkreises anzuziehen. Sie haben daher in ihre Programme Analysen und Werte einbezogen, die sonst eher mit dem gegnerischen Lager in Verbindung gebracht werden (eine soziale Dimension für den Kandidaten der Rechten, wirtschaftliche Disziplin für den der Linken). Der Wahlkampf war insgesamt wenig geprägt von ideologischen Streitereien, und man könnte ihn mit "entkrampft" bezeichnen. Dennoch entspricht die Stammwählerschaft der beiden Kandidaten vom soziologischen Gesichtspunkt aus dem üblichen Schema: J. Chirac hat die besten Ergebnisse bei Unternehmern, Kaufleuten und Handwerkern, gehobenen Führungskräften, Landwirten und Nichterwerbstätigen, L. Jospin bei den Arbeitern, Angestellten und Lehrkräften. Meinungsumfragen haben gezeigt, daß die Mehrheit der Wähler ihre Entscheidung aufgrund der Identifizierung mit einem Lager und der Ablehnung des Gegners und nicht durch starke Bindungen an eine Person oder ein Programm getroffen hat.

- Die Zersplitterung der Wählerschaft: Bei den ersten Präsidentenwahlen unter der Fünften Republik entfielen auf die beiden Spitzenkandidaten im ersten Wahlgang fast drei Viertel der abgegebenen Stimmen, 1995 waren es nur 44 %. Der erste Wahlgang kennzeichnete sich nämlich durch eine Aufsplitterung der Wählerstimmen auf vier Kandidaten der rechten und rechtsextremen Parteien und vier Kandidaten der linken, grünen und linksextremen Parteien. Dieses Phänomen ist wiederum Ausdruck des Mißtrauens der Wähler gegen die etablierten Parteien und der Flucht in die Protestwahl.

- Die entscheidende Rolle der etablierten Parteien: Obwohl die Wähler traditionelle politische Gruppierungen in gewissem Maße ablehnten, haben die Ergebnisse der beiden Spitzenkandidaten gezeigt, daß die aktive Unterstützung durch eine straff organisierte Partei mit einem Netz von Ortsverbänden und Helfern unbedingt notwendig ist. Die Kandidaten, die glaubten, ohne sie auskommen zu können (Raymond Barre 1988 und Edouard Balladur 1995), sind gescheitert. Ebenso ersetzen Medienkampagnen trotz ihrer Auswirkung auf die öffentliche Meinung nicht Wahlversammlungen mit den Kandidaten oder persönliche Kontakte mit den Wählern.

Für weitere Informationen:

P. Bréchon, *La France aux urnes, 50 ans d'histoire électorale*, Paris, La Documentation française (Les études), 1995
D. Chagnollaud (Hg.), *La vie politique en France*, Paris, 1993
J. Charlot, *La politique en France*, 1994
B. Compagnon, *Les Français et leurs partis 1944-1993*, Paris, 1993
O. Duhamel, *Le pouvoir politique en France*, Paris, 1991
P. Habert, P. Parrineau, C. Ysmal, *Le vote sanction: les élections législatives de 1993*, Paris, 1993
J.-N. Jeanneney, "L'avenir vient de loin", *Revue politique et parlementaire*, 1994
T. Mage, *La fête des maires*, Paris, 1994
J. Palaud, "Décentralisation et démocratie française", *Problèmes politiques et sociaux*, Nr. 708, Paris, La Documentation française, 1993
R. Ponceyri, *Les élections sous la V. République*, Toulouse, 1989
O. Wieviorka, *Nous entrerons dans la carrière: de la Résistance au pouvoir*, Paris, 1994
C. Ysmal, *Les partis sous la Ve République*, Paris, 1989

FRANKREICH
IN
DER WELT

7

Die französische Außenpolitik

Als alte europäische Nation, Urheber der in der Menschen- und Bürgerrechtserklärung niedergelegten Ideale und ehemalige Kolonialmacht hat Frankreich schon immer Einfluß auf die internationalen Angelegenheiten beansprucht und ausgeübt.

Der Wunsch, die jahrhundertelangen Rivalitäten auf dem alten Kontinent zu beenden, veranlaßte Frankreich nach dem Zweiten Weltkrieg gemeinsam mit seinen Nachbarn zur Gründung der Europäischen Gemeinschaft, die sich mittlerweile zur Europäischen Union entwickelt hat. In Übersee behielt es seine privilegierten Beziehungen zu Afrika, zum Mittleren Osten und zu Asien bei und setzt sich für die Entwicklung der Länder der Südhalbkugel ein. Auch mit den Ländern des amerikanischen Kontinents unterhält Frankreich enge Beziehungen, die sich ebenfalls aus der Geschichte entwickelt haben. Von der Revolution von 1789 hat sich Frankreich die großen republikanischen Grundsätze Freiheit, Gleichheit und Brüderlichkeit bewahrt, die für die ganze Menschheit gelten und für die es auf der internationalen Bühne durch sein Engagement für Demokratie und Frieden eintritt.

Grundsätze

Die französische Außenpolitik verfolgt gleichbleibende Ziele. Ihr Einfluß hat sich zwar seit dem Ende des Zweiten Weltkriegs verändert, sie stützt sich aber nach wie vor auf die Einhaltung bestimmter Grundsätze. Einen besonderen Wert mißt Frankreich seiner Unabhängigkeit bei. Auf diesem Grundsatz beruht die Außenpolitik, zu der General de Gaulle in den 60er Jahren den Anstoß gab. Sein Vorgehen stützte sich auf den Aufbau einer autonomen und glaubwürdigen Verteidigungsfähigkeit auf der Grundlage der nuklearen Abschreckung. In diesem Sinn wurden einige mutige diplomatische Initiativen ergriffen, vor allem in Nahost und in Asien, die zeigten, daß Frankreich seine außenpolitischen Analysen und Entscheidungen immer fest im Griff hatte. Diese Entschlußkraft nahm auch in den darauffolgenden Jahrzehnten nicht ab.

Das Bemühen um Unabhängigkeit schloß jedoch die Suche nach weitreichenden Solidaritäten nicht aus. Während des Kalten Krieges bekräftigte und bewies Frankreich stets seine Zugehörigkeit zur freien Welt und übernahm Verantwortlichkeiten, die sich aus seinem internationalen Status, als ständiges Mitglied im Sicherheitsrat der Vereinten Nationen bzw. als Mitglied seiner Bündnisse, ergaben. Und es verfolgte unablässig das ehrgeizige Ziel, überall in der Welt den Werten zum Sieg zu verhelfen, die von ihm ausgegangen und von den internationalen Institutionen bestätigt worden waren.

Auch nach dem Kalten Krieg haben diese Grundsätze und Ziele nichts an Aktualität verloren. Sie bilden die Leitlinien der französischen Außenpolitik, die darauf ausgerichtet ist, den Aufbau Europas so fortzusetzen, daß Stabilität und Wohlstand auf dem Kontinent gewährleistet sind und innerhalb der internationalen Gemeinschaft Frieden, Demokratie und Entwicklung zu fördern.

Frankreich und der europäische Aufbau

Seit 1945 steht der Aufbau Europas konstant im Mittelpunkt der französischen Außenpolitik. Drei Überlegungen haben dieses große Ziel zum Schwerpunkt gemacht: der Wille, die Konflikte zu beenden, die zweimal innerhalb von dreißig Jahren den europäischen Kontinent zerrissen und Frankreich geschwächt hatten, die Notwendigkeit, während des Kalten Krieges die Stabilität zu festigen und die Sicherheit der demokratischen Staaten westlich des "Eisernen Vorhangs" zu gewährleisten, und das Bemühen, einen homogenen Wirtschaftsraum zu schaffen, der den modernen Produktionsbedingungen angepaßt ist und den Wohlstand der europäischen Völker sichern kann.

Zwei Franzosen, die den Anstoß zum europäischen Aufbau gaben, Robert Schuman und Jean Monnet, teilten die Überzeugung, daß die Völker des Kontinents in einer Organisation zusammengeführt werden sollten. Sie wollten auf wirtschaftlicher Ebene Solidarität zwischen den Staaten herstellen, um deren politische Annäherung zu beschleunigen. In diesem Sinne wurde am 18. April 1951 die Europäische Gemeinschaft für Kohle und Stahl (EGKS) gegründet, deren Institutionen bei den späteren Etappen des europäischen Aufbaus Modell stehen sollten. Am 25. März 1957 unterzeichneten die sechs EGKS-Staaten (Belgien, Deutschland, Frankreich, Italien, Luxemburg, Niederlande) die Römischen Verträge zur Gründung der Europäischen Wirtschaftsgemeinschaft (EWG). Diese Länder verpflichteten sich, ihre wirtschaftlichen Geschicke miteinander zu verknüpfen, indem sie alle Zollschranken abbauten und eine gemeinsame Agrarpolitik einführten.

Als General de Gaulle 1958 Staatspräsident wurde, bekräftigte er seinen Willen, diesen Weg fortzusetzen. So hat Frankreich in den drei

Am 25. März 1957
unterzeichneten sechs
Länder (Belgien,
Deutschland,
Frankreich, Italien,
Luxemburg und die
Niederlande) die
Römischen Verträge
zur Gründung der
Europäischen
Wirtschaftsgemeinschaft
(EWG)

Jahrzehnten nach dem Abschluß der Römischen Verträge aktiv an den regelmäßigen Fortschritten beim europäischen Aufbau mitgewirkt. Auf die Einführung der Zollunion folgte während der Amtszeit Georges Pompidous eine erste Erweiterung der Gemeinschaft: Am 1. Januar 1973 kamen Großbritannien, Dänemark und Irland hinzu. Die 70er Jahre waren geprägt durch wichtige politische Reformen wie die Schaffung des Europäischen Rats (Treffen der Staats- und Regierungschefs), die direkte Wahl der Abgeordneten des Europäischen Parlaments und die Errichtung des Europäischen Währungssystems (EWS) auf Initiative von Staatspräsident Giscard d'Estaing und Bundeskanzler Helmut Schmidt. Die Absicht, die jungen Demokratien in Südeuropa zu unterstützen, führte bald zu neuen Erweiterungen: Griechenland trat 1981 bei, Spanien und Portugal 1986. Auf Anstoß von François Mitterrand, Helmut Kohl und Kommissionspräsident Jacques Delors wurde 1986 mit der Verabschiedung der Einheitlichen Akte eine neue Etappe eingeleitet. Es ging darum, auf dem Gebiet der Gemeinschaft einen echten europäischen Binnenmarkt mit freiem Verkehr von Personen, Waren, Kapital und Dienstleistungen zu schaffen. Er wurde im wesentlichen 1993 verwirklicht.

Die Europäische Union heute

Zusammen mit seinen Partnern nahm Frankreich ein neues Ziel in Angriff: die Umsetzung des Vertrags über die Europäische Union, der am 7. Februar 1992 im niederländischen Maastricht unterzeichnet worden war.

Der Maastrichter Vertrag erweitert die Kompetenzen der Gemeinschaft in mehreren wichtigen Bereichen (Umweltschutz, Verbraucherschutz, Bildung und Berufsbildung, Sozialpolitik). Er ändert auch einige institutionelle Mechanismen, damit das Europäische Parlament größere Bedeutung erhält und dem Subsidiaritätsprinzip Vorrang eingeräumt wird, demgemäß die Europäische Union nur die Fragen regelt, die auf nationaler Ebene nicht geregelt werden können. Außerdem gewährt er den Bürgern der Union das Recht, bei Kommunal- und Europawahlen unabhängig von ihrem Herkunftsland in ihrem Aufenthaltsland zu wählen.

Für den Aufbau Europas sieht der Vertrag zwei neue Pfeiler vor: die Gemeinsame Außen- und Sicherheitspolitik (GASP), deren Ziel die Schaffung einer gemeinsamen Verteidigung ist, und die Zusammenarbeit in den Bereichen Inneres und Justiz. Die Europäische Währungsunion (EWU) schließlich soll bis Ende des Jahrhunderts die Einführung einer einheitlichen Währung zur Folge haben. Die bisherige Wirtschafts- und Handelsmacht Europa soll so zu einer politischen und währungspolitischen Macht ausgebaut werden.

Staatspräsident François Mitterrand in Maastricht am 10. Dezember 1991

Die stärkere Integration der europäischen Staaten stößt manchmal auf nationale Widerstände. Frankreich hat für sich entschieden: Nach lebhaften Debatten wurde die Ratifizierung des Maastrichter Vertrags schließlich in dem Referendum vom 20. September 1992 befürwortet. Frankreichs europäisches Engagement ging gestärkt daraus hervor.

Auf dem Weg zu einem erweiterten Europa

Neue Termine stehen für die Europäische Union an. Der Grundsatz der Erweiterung ist allseits akzeptiert, und die ersten Beitritte sind mit einigen EFTA-Ländern bereits erfolgt: Schweden, Österreich und Finnland sind seit 1. Januar 1995 Mitglieder der Europäischen Union.

Nach der Lösung aus dem sowjetischen Einflußbereich steht auch den neuen Demokratien Mittel- und Osteuropas (Bulgarien, Polen, Rumänien, Slowakei, Tschechische Republik, Ungarn) sowie den baltischen Staaten (Estland, Lettland, Litauen) ein Beitritt zur Europäischen Union offen. Auch andere Staaten im Osten und im Süden des Kontinents sind interessiert. Frankreich unterhielt in der Vergangenheit freundschaftliche und solidarische Bindungen zu diesen Staaten. Jetzt möchte es ihre Integration in einen erweiterten europäischen Raum fördern. Die Europäische Union hat Maßnahmen getroffen, die diesen Ländern sowie den baltischen Staaten helfen sollen, die Reformen durchzuführen, die zur Festigung der Rechtsstaatlichkeit und zum Übergang zur Marktwirtschaft erforderlich sind.

Umfangreiche Hilfsprogramme und technische Kooperationsprojekte wurden in Gang gebracht, um zur Erneuerung der wichtigsten Infrastrukturen, zur Ausbildung der Menschen und zur Schaffung neuer Institutionen beizutragen. 1993 stellte die Europäische Union im Rahmen des Hilfsprogramms zur wirtschaftlichen Umgestaltung der osteuropäischen Länder (PHARE) über eine Milliarde Ecu (1,1 Milliarden Dollar) zur Verfügung; 20 % davon kamen aus Frankreich. Die mittel- und osteuropäischen Länder sowie die baltischen Staaten erhalten außerdem Kredite von der Europäischen Investitionsbank (EIB) und von der Europäischen Bank für Wiederaufbau und Entwicklung (EBRD), die ebenfalls zu diesem Zweck gegründet wurde. Der Anteil der Europäischen Union am Hilfsprogramm der Gruppe der 24 Industrieländer beträgt insgesamt mehr als 60 % aller zu diesem Zweck bereitgestellten Mittel.

Darüber hinaus wurden zwischen diesen Ländern und der Europäischen Union Assoziierungsverträge geschlossen, um die Ausweitung des Handels und den direkten Investitionsfluß zu erleichtern. Diese Abkommen sehen einen politischen Dialog, die Gewährung von Handelserleichterungen zur schrittweisen Verwirklichung einer Freihandelszone für Industrieprodukte und eine weitreichende Zusammenarbeit vor, so daß die Europäische Union heute der wichtigste Abnehmer, der wichtigste Lieferant und die wichtigste Investitionsquelle für die mittel- und osteuropäischen Länder ist.

Beim Europäischen Rat in Kopenhagen im Juni 1993 haben die zwölf Staats- und Regierungschefs der Europäischen Union bestätigt, daß die mittel- und osteuropäischen Länder sowie die baltischen Staaten der Union beitreten können. Im Hinblick darauf haben sie beschlossen, sie schon jetzt in die Gemeinsame Außen- und Sicherheitspolitik (GASP) einzubeziehen.

Die europäischen Institutionen, die zunächst für die Zusammenarbeit zwischen weniger Staaten ausgelegt waren, müssen natürlich entsprechend angepaßt werden. Dazu wird Ende 1996 eine Regierungskonferenz stattfinden, mit deren Vorbereitung Frankreich bereits beschäftigt ist. Gemeinsam mit seinen Partnern sucht es nach Konzepten, wie die vier grundlegenden Ziele - Wahrung der Effizienz der Europäischen Union, Stärkung der Repräsentativität ihrer Institutionen, genauere Definition des Begriffs der Subsidiarität, Annäherung an den Bürger - umgesetzt werden können.

Gewährleistung der Stabilität auf dem europäischen Kontinent

Nach dem Kalten Krieg wurde für die europäischen Staaten die Definition neuer Ziele im Bereich der Sicherheit notwendig. Denn in der neuen Situation wurden wieder alte Ansprüche sowie ethnische oder nationalistische Regungen laut, die ebenso wie das entstandene politische Durcheinander eine Gefahr für die Stabilität auf dem europäischen Kontinent darstellen. Der Krieg, der seit 1991 das ehemalige Jugoslawien verwüstet, zeigt, daß die Gefahren neuer Konflikte ernstlich bestehen und eine gemeinsame Reaktion erfordern.

Mehrere Institutionen sind angesprochen. Die älteste, der Europarat, wurde 1949 auf Initiative des französischen Ministers Georges Bidault geschaffen. Er hat seinen Sitz in Straßburg und vereint die Völker, deren Institutionen auf den Grundsätzen der Demokratie und des politischen Pluralismus ruhen. Die neuen Demokratien Mittel- und Osteuropas sowie die baltischen Staaten beteiligen sich nach und nach an seiner Arbeit. In der Organisation für Sicherheit und Zusammenarbeit in Europa - OSZE (bis Dezember 1994 Konferenz für Sicherheit und Zusammenarbeit in Europa - KSZE) - sind 52 Staaten zusammengeschlossen, darunter auch die Vereinigten Staaten und Kanada sowie die ehemaligen Sowjetrepubliken. Die Rolle dieser Organisation, die 1975 im Rahmen der Ost-West-"Entspannung" mit der Schlußakte von Helsinki entstanden war, hat sich mit dem Ende des Kalten Krieges beträchtlich erweitert. So wurde im November 1990 in Paris die "Charta für ein neues Europa" unterzeichnet, mit der ein weitreichendes Abkommen über konventionelle Abrüstung sowie der von 22 Mitgliedern der Atlantischen Allianz und des ehemaligen Warschauer Pakts unterzeichnete Vertrag über die konventionellen Streitkräfte in Europa bestätigt und die Schaffung eines neuen Sicherheitsforums sowie eines Konfliktverhütungszentrums ins Auge gefaßt wurden. Auch die militärischen Organisationen, die Organisation des Nordatlantikpakts (NATO) und die Westeuropäische Union (WEU), müssen sich entwickeln: Der WEU fallen im Rahmen des Maastrichter Vertrags neue Ziele zu; der Nordatlantische Kooperationsrat wurde gebildet, um einen Dialog zwischen den mittel- und osteuropäischen Ländern, den baltischen Staaten und den NATO-Mitgliedern herzustellen, welcher am 11. Januar 1994 zur "Partnerschaft für den Frieden" geführt hat.

Seit 1990 hat Frankreich zahlreiche Initiativen unternommen, um diese Institutionen in die Lage zu versetzen, Sicherheit und Stabilität auf dem Kontinent besser gewährleisten zu können. Als Verfechter der präventiven Diplomatie regte Frankreich die Einrichtung eines Schiedsgerichts innerhalb der KSZE an. In dem Bemühen um die Achtung des Völkerrechts unterstützte es die Anstrengungen von UNO-Generalsekretär

Boutros Boutros-Ghali zur Schaffung eines internationalen Strafgerichtshofs im November 1993 in Den Haag, um die für Kriegsverbrechen im ehemaligen Jugoslawien Verantwortlichen zu verurteilen. Ebenfalls 1993 schlug es auf Initiative von Premierminister Balladur seinen Partnern in der Europäischen Union einen Stabilitätspakt für Europa vor, um potentielle Konflikte zu verhüten, die sich aus dem Erbe der europäischen Geschichte ergeben könnten. Diese Initiative hat den beitrittswilligen mittel- und osteuropäischen sowie baltischen Ländern gestattet, Abkommen über gutnachbarliche Beziehungen auszuhandeln, die die Anerkennung der Grenzen und die Achtung der nationalen Minderheiten garantieren. Die Europäische Union nahm diesen Vorschlag an, die Eröffnungskonferenz fand im Mai 1994 in Paris statt, und im März 1995 wurde der Stabilitätspakt in Paris verabschiedet. Die wirtschaftlichen und politischen Institutionen der Europäische Union stellen sich in den Dienst dieses Vorhabens, dessen Fortführung der OSZE übertragen wurde.

Die Unterzeichnung des Partnerschafts- und Kooperationsabkommens mit Rußland beim Europäischen Rat in Korfu (Juni 1994) ist ein weiterer Beweis für die Anstrengungen der Europäer, die Stabilität und den Wohlstand auf dem ganzen Kontinent zu stärken.

Feierlichkeiten zur Eröffnung der Konferenz über die Stabilität in Europa, die auf Anregung von Premierminister Balladur im Mai 1994 in Paris stattfand

Das deutsch-französische Paar

Bei jeder neuen Etappe des europäischen Aufbaus haben Frankreich und Deutschland die wichtigste Rolle gespielt. Ohne die Versöhnung zwischen Franzosen und Deutschen hätte dieses europäische Gebäude, wie es sich schon General de Gaulle und Bundeskanzler Adenauer vorstellten, nicht entstehen können. Schon 1958 empfing der ehemalige Chef des Freien Frankreich den westdeutschen Bundeskanzler und Gründer der Bundesrepublik, und bald danach reiste er selbst nach Deutschland. Aus ihren gemeinsamen Anstrengungen entwickelte sich die deutsch-französische Annäherung, die mit der Unterzeichnung des Elysée-Vertrags am 23. Januar 1963 konkretisiert wurde. Der Vertrag sieht zweimal jährlich deutsch-französische Konsultationen, ein vierteljährliches Treffen der Außenminister und regelmäßige Begegnungen zwischen den Verteidigungs-, Bildungs- und Jugendministern vor. Das Deutsch-Französische Jugendwerk (DFJW) entstand einige Monate später und hat seither Zehntausenden von jungen Menschen beider Länder Gelegenheiten zu Begegnungen, zum gemeinsamen Arbeiten oder zum gemeinsamen Studium gegeben.

Junge Deutsche aus Radolfzell unterwegs in ihrer Partnerstadt Istres

De Gaulle sprach von "Schicksalsgemeinschaft", wenn er die Notwendigkeit des Bündnisses herausstellen wollte, das damals zwischen den beiden Staaten entstand und heute noch gültig ist. Dieses Beispiel der Zusammenarbeit wurde von Valéry Giscard d'Estaing und Helmut Schmidt wie von François Mitterrand und Helmut Kohl aufgegriffen, die ebenso freundschaftliche Beziehungen unterhielten wie de Gaulle und Adenauer. Aber dreißig Jahre bevorzugte Beziehungen haben mehr ermöglicht als enge Bindungen zwischen den Politikern beider Länder. Die deutsch-französischen Konsultationen und die Treffen zur Harmonisierung und gemeinsamen Vorbereitung anstehender Themen sind zur guten Gewohnheit geworden, haben zu vielfältigen Kontakten auf allen Verwaltungsebenen geführt und die bilateralen Beziehungen auf ein Konvergenzniveau gebracht, das in der Welt nicht seinesgleichen hat.

Es gibt bilaterale Ausschüsse für praktisch alle Bereiche des öffentlichen Lebens. So sind im Währungsausschuß der Bundesbankpräsident, der Gouverneur der Banque de France und die Finanzminister der beiden Regierungen vertreten. Der Verteidigungsausschuß erlangte 1987 mehr Bedeutung durch die Einsetzung der deutsch-französischen Brigade als Keimzelle einer europäischen Streitkraft - dem Europäi-

Deutsch-französische
Annäherung: seit
dreißig Jahren
verbinden bevorzugte
Beziehungen die
Politiker beider Länder

General de Gaulle und
Konrad Adenauer in
Bonn (5. September
1972 - ANNEE!!!)

Georges Pompidou und
Willy Brandt im
Elysée-Palast (10.
Februar 1972)

Valéry Giscard
d'Estaing und Helmut
Schmidt am Flughafen
Köln-Bonn (14.
September 1978)

François Mitterrand
und Helmut Kohl ehren
die französischen und
deutschen Gefallenen
in Verdun (22.
September 1984)

Jacques Chirac und
Helmut Kohl in
Straßburg (18. Mai
1995)

schen Korps, das 1993 geschaffen wurde und dem sich bereits Belgien, Luxemburg und Spanien angeschlossen haben. Und seit 1992 sendet der deutsch-französische Kulturkanal *Arte* mit Sitz in Straßburg die gemeinsam entwickelten Programme für deutsche und französische, aber auch belgische, schweizerische und österreichische Zuschauer. Auch er soll später anderen interessierten europäischen Staaten offenstehen. (s. Kap. 18)

Frankreichs Beteiligung an UNO-Missionen

Seit Gründung der Organisation der Vereinten Nationen (UNO) am 26. Juni 1945 gehört Frankreich ihrer höchsten Instanz, dem Sicherheitsrat, neben den Vereinigten Staaten, Großbritannien, Rußland und China als ständiges Mitglied mit Vetorecht an. Es hat sich für eine Erweiterung des Sicherheitsrats insbesondere durch Japan und Deutschland ausgesprochen und gleichzeitig betont, daß die Vertreter der Entwicklungsländer im Rahmen dieses Vorschlags einer künftigen Reform keinesfalls an den Rand gedrängt werden dürfen. Französisch ist eine der sechs offiziellen Amtssprachen der UNO und eine der beiden Arbeitssprachen. Die Organisation der Vereinten Nationen für Erziehung, Wissenschaft und Kultur, die UNESCO, hat ihren Sitz in Paris.

Schließlich ist Frankreich der viertgrößte Beitragszahler der Organisation. Sein Anteil am UNO-Haushalt beträgt 6,32 %. 1994 hat es 557,7 Mio. Franc (101,4 Mio. Dollar) Pflichtbeiträge und 547,3 Mio. Franc

Die französischen Beiträge zum Haushalt der wichtigsten UNO-Organisationen (1994)

Empfänger	Beitrag in Mio. Franc	Beitrag in Mio. Dollar	Frankreichs Rang
Entwicklungshilfeprogramm (UNDP)	272	49,95	8e
Organisation für Ernährung und Landwirtschaft (FAO)	129,5	23,54	4e
Umweltprogramm (UNEP)	14,1	2,56	8e
Organisation für industrielle Entwicklung (UNIDO)	50,35	9,15	4e
Hohes Kommissariat für Flüchtlingsfragen (HCR)	50,5	9,18	7e
Kinderhilfswerk (UNICEF)	55,42	10,07	
Internationales Komitee vom Roten Kreuz (ICRC)	25,25	4,59	
Welternährungsprogramm	22,45	4,08	
Weltgesundheitsorganisation (WHO)	148,7	27,04	5e

(99,5 Mio. Dollar) freiwillige Beiträge an UNO-Institutionen geleistet. Hinzu kommen fast 1 Milliarde Franc (182 Mio. Dollar) für friedenserhaltende Maßnahmen (7,6 % des Haushalts).

Dieser herausragende Platz überträgt Frankreich besondere Verantwortlichkeiten, die es in Form einer konkreten Beteiligung an der Erneuerung der Vereinten Nationen übernimmt, der seit dem Ende des Kalten Krieges neue Aufgaben zufallen. Es geht darum, regionale Konflikte zu beenden, die ein Erbe dieser Zeit sind, und der Achtung der Menschenrechte auf der internationalen Bühne Geltung zu verschaffen.

Die erste große internationale Krise der 90er Jahre, die Invasion Kuwaits durch den Irak, brachte den Beweis für diesen Wandel. Der Sicherheitsrat war nicht mehr durch die Rivalität zwischen den Vereinigten Staaten und der Sowjetunion gelähmt und verabschiedete problemlos die Resolutionen, die die Invasion des Emirats durch die Truppen Saddam Husseins verurteilten, ihren Rückzug forderten und dann die Intervention der internationalen Koalition genehmigten. Ein französisches Kontingent von 12.000 Mann beteiligte sich an den Operationen, die zur Befreiung Kuwaits führten.

Im Mittleren Osten, in Afrika und in Asien belasten regionale Konflikte aus der Zeit des Kalten Kriegs Länder, mit denen Frankreich seit langem freundschaftliche Beziehungen unterhält. Es beteiligt sich daher aktiv an den Anstrengungen der internationalen Gemeinschaft, ausgewogene Lösungen zu finden.

Besonders im Nahen Osten bemüht sich Frankreich seit jeher um eine Beilegung der Krisen, die diese Region zerreißen. Unmittelbar nach dem Sechs-Tage-Krieg 1967 unterstützte es die Resolution 242 des Sicherheitsrats, in der der sofortige Rückzug aus den von Israel besetzten Gebieten gefordert wurde. Frankreich hat seine Haltung seither immer wieder bekräftigt: Es erkennt das Recht Israels auf sichere und anerkannte Grenzen ebenso an wie das Recht der Palästinenser auf einen Staat; es hat sich bemüht, den direkten Dialog zwischen dem hebräischen Staat und der Palästinensischen Befreiungsorganisation (PLO) zu fördern, die seit 1975 ein Büro in Paris unterhält. Es hat daher den Abschluß der Vereinbarungen von Oslo im Jahr 1993 begrüßt und gemeinsam mit seinen Partnern der Europäischen Union beschlossen, den Friedensprozeß unverzüglich zu unterstützen und 500 Millionen ECU (560 Millionen Dollar) für den Wiederaufbau der besetzten Gebiete zur Verfügung zu stellen. Über das israelisch-palästinensische Abkommen hinaus fördert die französische Diplomatie aktiv die Suche nach einer umfassenden Friedensregelung für den Nahen Osten. Vor allem die Unterzeichnung des israelisch-jordanischen Vertrags am 26. Oktober 1994 hat die Hoffnungen auf Frieden in der Region gestärkt.

Frankreich unterhält privilegierte Beziehungen zu vielen afrikanischen Staaten. Beim Gipfeltreffen der afrikanischen und des französischen

Staatschefs findet dieser grundlegende Dialog jedes Jahr konkreten Ausdruck. Frankreich spart nicht an diplomatischen Anstrengungen, um zu einer Lösung der politischen Konflikte und Krisen in diesen Ländern beizutragen, sei es im Rahmen der UNO oder in Verbindung mit Partnern aus der Region. So hat es die Bemühungen der internationalen Gemeinschaft unterstützt, die Südafrikanische Republik zur Abschaffung der Apartheid und zur Erarbeitung einer demokratischen Verfassung zu bewegen. Es hat sich an den Operationen der Vereinten Nationen zur Wiederherstellung des Friedens und zur Sicherung der Nahrungsmittelversorgung in Somalia beteiligt. Im Sommer 1994 kam Frankreich der vom Völkermord bedrohten ruandischen Bevölkerung mit der Entsendung von Truppen zur Einrichtung einer sicheren humanitären Zone zu Hilfe: Die "Operation Türkis", die durch die Resolution 929 des UNO-Sicherheitsrats genehmigt worden war, hat so über drei Millionen Ruander vor den Kämpfen geschützt und zugleich eine internationale Hilfsaktion ausgelöst.

Auch mit den Ländern der indochinesischen Halbinsel unterhält Frankreich enge Bindungen. Es förderte 1991 die Unterzeichnung der Pariser Abkommen über einen nationalen Versöhnungsprozeß in Kambodscha, den es gemeinsam mit Indonesien überwacht, und spielte während der gesamten Übergangsphase eine maßgebliche Rolle vor Ort. Die 1.500 französischen Blauhelme bildeten das größte Kontingent, das den UNO-Truppen in Kambodscha (UNTAC) zur Verfügung gestellt wurde, um die Konfliktparteien zu entwaffnen, die Waffenruhe zu überwachen und die Wiederherstellung der Demokratie vorzubereiten. Staatspräsident Mitterrands Besuch in Phnom Penh im Februar 1993 ist ein Symbol für Frankreichs Mitwirkung an dem Prozeß, der schließlich zu freien Wahlen und später zur Rückkehr Prinz Sihanouks auf den kambodschanischen Thron geführt hat.

Das französische Rote Kreuz interveniert im Rahmen der "Operation Türkis" in Ruanda (1994)

Frankreich stellte 1995 das größte Kontingent für friedenserhaltende Maßnahmen unter der Ägide der Vereinten Nationen: Seine Blauhelme befinden sich noch immer im Libanon, in der Westsahara, in El Salvador, an der irakisch-kuwaitischen Grenze und in Jerusalem. Im ehemaligen Jugoslawien waren 6.000 Mann im Rahmen der UNPROFOR stationiert, auch in den am stärksten umkämpften Gebieten, wo sie den Schutz der Zivilbevölkerung sowie der Lebensmittel- und Medikamententransporte sicherten. Frankreich hat viele Initiativen ergriffen und die meisten Resolutionen im Sicherheitsrat eingebracht, die in der Achtung des Rechts

schnellstmöglich eine Beilegung der Jugoslawienkrise herbeiführen sollten. Mit den Vereinigten Staaten, Rußland, Großbritannien und Deutschland gehört es der Kontaktgruppe an, die die kriegführenden Parteien im Namen der Völkergemeinschaft zur Annahme eines umfassenden Friedensplans bewegen sollte. Frankreich hat sich auch an den militärischen Aktionen der NATO im ehemaligen Jugoslawien beteiligt, welche im Auftrag der UNO erfolgten, und hat dort eine Schnelle Eingreiftruppe zum Schutz der "Blauhelme" stationiert. Diese Anstrengungen führten zur Unterzeichnung des am 14. Dezember 1995 in Dayton (USA) ausgehandelten Friedensvertrages. Seitdem sind 7.500 französische Soldaten (davon 4.500 ehemalige "Blauhelme") Teil der internationalen Friedenstruppe IFOR.

Humanitäre Aktionen

Frankreich ist nicht nur im Rahmen der friedenserhaltenden Maßnahmen durch seine Blauhelme stark vertreten, sondern spielt auch eine bedeutende Rolle bei der Durchführung humanitärer Aktionen.

In den 70er und 80er Jahren haben sich zunächst regierungsunabhängige Organisationen bemüht, von Naturkatastrophen oder politischen Krisen betroffenen Menschen Hilfe zu leisten. Die *French doctors*, die in allen Hunger-, Krankheits- und Kriegsgebieten präsent waren, haben die Allgemeinheit überzeugt, daß allen Opfern geholfen werden muß.

Das Ende des Kalten Krieges und die Erneuerung der Vereinten Nationen haben ermöglicht, daß dieser moralische Anspruch auch in die politische Praxis umgesetzt wurde. So entwickelte sich Frankreich, als Wiege der Menschenrechte, erfolgreich zum Verfechter eines humanitären Rechts, das alle Staaten verpflichtet. Nach dem Golfkrieg bestätigte der Sicherheitsrat diesen Ansatz mit der Verabschiedung der Resolution 688 vom 5. April 1991, die vom Irak verlangt, daß er auf seinem Staatsgebiet "internationalen humanitären Organisationen Zugang zu all denen gewährt, die Hilfe brauchen". Die Hilfsbedürftigkeit der kurdischen Bevölkerung, die sich nach den Angriffen der irakischen Armee in die Berge geflüchtet hatte, war die erste Gelegenheit, ein neues, von der französischen Diplomatie gefördertes Konzept, das "Recht auf humanitäre Intervention", umzusetzten. Dieser Grundsatz wurde in der Folge auch bei anderen, ähnlich dramatischen Situationen in Somalia und im ehemaligen Jugoslawien angewandt.

Entwicklungshilfe

Frankreich hat sich immer für die Achtung der Demokratie und der Menschenrechte eingesetzt und sieht dieses Ziel in untrennbarem Zusammenhang mit einer engagierten Entwicklungshilfe. Die langjährigen Beziehungen zu vielen Entwicklungsländern und

"Ärzte ohne Grenzen"
in Somalia (1982)

das daraus entstandene Gefühl der Solidarität haben es zu einem ehrgeizigen Entwicklungshilfekonzept veranlaßt.Seit 1958 haben alle Staatspräsidenten das französische Engagement in diesem Bereich bekräftigt. General de Gaulle ging es um "den Menschen, den es zu retten gilt, dessen Lebensgrundlagen und dessen Entwicklung gesichert werden müssen". Georges Pompidou wollte nicht hinnehmen, "daß Hunderte von Millionen von Menschen Hunger leiden, während Amerika und Europa ihre Agrarüberschüsse vernichten". Sein Nachfolger Valéry Giscard d'Estaing rief die Völkergemeinschaft auf, "die Probleme der Ungerechtigkeit und der Ungleichheit auf der Ebene der ganzen Menschheit zu behandeln". Und François Mitterrand wandte sich 1981 in Cancún "an die Bauern ohne Land, die Arbeiter ohne Rechte, die Widerständler ohne Waffen, an alle, die leben und frei leben wollen".

Frankreichs Entwicklungspolitik entspricht dieser Überzeugung. Es bringt bereits 0,63 % seines BSP für öffentliche Entwicklungshilfe auf und steht damit unter den sieben großen Industrieländern (G7) an erster und unter den Mitgliedstaaten des Ausschusses für Entwicklungshilfe der OECD an sechster Stelle. Frankreich hat sich verpflichtet, diesen Satz bis Ende des Jahrzehnts auf 0,7 % anzuheben. In den internationalen Gremien setzt es sich unablässig dafür ein, den Entwicklungsländern die Schuldenlast zu erleichtern, und es hat den am wenigsten entwickelten Ländern 1992 seine eigenen Forderungen erlassen. Es hat außerdem zahlreiche Initiativen unternommen, um die Rohstoffkurse zu stabilisieren, von denen die Exporteinnahmen der Entwicklungsländer abhängen. Für das frankophone Afrika traf Frankreich 1994 besondere Hilfsmaßnahmen, um die Auswirkungen durch die Abwertung des von der Banque de France gestützten CFA-Franc auf die Bevölkerung einzugrenzen, wodurch die betroffenen Länder ihre währungspolitischen Kriterien mit den internationalen Währungsinstitutionen in Einklang bringen konnten. Ein Jahr später erholten sich ihre Volkswirtschaften, und die Unternehmen wurden wieder wettbewerbsfähig.

Neben der nationalen Entwicklungshilfe beteiligt sich Frankreich an den Maßnahmen der Europäischen Union. Schon 1963 wurde die Jaunde-Vereinbarung zwischen der EG und 18 afrikanischen Staaten geschlossen, denen bevorzugte Handelsbedingungen zugestanden wurden. Diese Vereinbarung, die mittlerweile fünfmal erneuert wurde und heute als Lomé-Abkommen bekannt ist, beinhaltet eine ehrgeizige Entwicklungspolitik und schließt inzwischen 70 Staaten Afrikas, der Karibik und des Pazifik (AKP) ein. Die afrikanischen Länder südlich der Sahara erhalten jedoch nach wie vor die meiste Unterstützung der Gemeinschaft (mehr als 60 % der in diesem Rahmen gewährten Entwicklungshilfe).

Aufgrund jahrelanger Erfahrung konnte diese Hilfe effizienter gestaltet werden. Wie seine Partner in der Europäischen Union trägt Frankreich dazu bei, regionale Integrationsbemühungen sowie die unter der Ägide der internationalen Gremien durchgeführten makro-ökonomischen Anpassungen zu fördern. Beim französisch-afrikanischen Gipfeltreffen in La Baule kündigte Frankreich 1990 an, daß es das Niveau der bilateralen Zusammenarbeit künftig an die Fortschritte des jeweiligen Landes im Hinblick auf Demokratie und Wahrung der Menschenrechte knüpfen wolle.

Die Frankophonie: Austausch und Solidarität

Das französische
Kulturzentrum in Gaza
wurde im Februar 1994
von Alain Juppé
eingeweiht

Über hundert Millionen Menschen auf allen fünf Kontinenten sprechen heute Französisch. Frankreich ist nicht nur um die Verbreitung seiner Sprache in der Welt bemüht. Es möchte aus der französischsprachigen Gemeinschaft einen echten Kreis sprachlicher und kultureller aber auch wirtschaftlicher und politischer Kooperation machen. Entsprechend ist die "frankophone Familie" in verschiedenen Institutionen zu-

sammengefaßt. Die *Agence de coopération culturelle et technique* (ACCT) mit Sitz in Paris führt Programme auf so unterschiedlichen Gebieten wie Bildung und Berufsbildung, Umweltschutz und nachhaltige Entwicklung, Kultur und Kommunikation oder Zusammenarbeit im Rechts- und Gerichtswesen durch. Die Bemühungen der *Association des universités partiellement ou entièrement de langue française* (AUPELF) haben 1987 zur Schaffung der *Université des réseaux d'expression française* (UREF) geführt. Beide haben sich zur *Agence francophone pour l'enseignement supérieur et la recherche* zusammengeschlossen. Der französischsprachige Fernsehsender TV5 entstand 1984 in Europa und dehnte sich nach und nach auf Amerika (TV5 Québec-Canada, 1988), Afrika und Lateinamerika (1992) aus. Bis-

her haben fünf Gipfeltreffen der Frankophonie in Versailles (1986), Qué-
bec (1987) Dakar (1989), Paris (1991) und Port-Louis (1993) stattgefunden. Am letzten Treffen nahmen 47 Staaten teil. Der letzte Gipfel
fand Ende 1995 in Cotonou (Benin) statt.

Parallel dazu wird weltweit eine rege Politik des kulturellen, wissenschaftlichen und technischen Austauschs gefördert. 1994 waren daran
150 Länder und 12.000 Menschen beteiligt. In rund 300 französischen
Schulen werden 150.000 Schüler unterrichtet; 15.000 von ihnen erhalten ein Stipendium von der französischen Regierung. Zwei Drittel der
Schüler dieser Einrichtungen sind keine Franzosen. Die französische
Präsenz im kulturellen Bereich stützt sich außerdem auf 133 Kulturin-
stitute oder -zentren in 50 Ländern, die Französisch-Unterricht für
140.000 Jugendliche und Erwachsene erteilen und darüber hinaus eine
große Zahl an Ausstellungen, Vorführungen und Vorträgen anbieten.
Die *Alliance française* unterhält ein Netz von 1.060 Zentren in 140 Ländern, an denen 318.000 Menschen Französisch lernen.

Insgesamt sind rund 1.500 verschiedene französische Einrichtungen
im Ausland vertreten. Hinzu kommen 24 Forschungsinstitute im Bereich
Sozial- oder Humanwissenschaften in 20 Ländern sowie 160 archäologische Ausgrabungsprojekte. 1994 studierten in Frankreich 140.000
ausländische Studenten, von denen 12.000 ein Stipendium von der
französischen Regierung erhielten. Diese Einrichtungen, die weitgehend vom Außenministerium und vom Ministerium für wirtschaftliche
Zusammenarbeit unterstützt werden, machen deutlich, welche Bedeutung Frankreich der gegenseitigen Förderung der Kulturen im Rahmen
seiner Außenpolitik beimißt.

Für weitere Informationen:

Dalloz, J., *La France et le monde depuis 1945*, Paris, 1993
Doise, J. und Vaisse, M., *Diplomatie et outil militaire - Politique étrangère
de la France, 1871-1991*, Paris, 1992
Grosser, A., *Affaires extérieures: la politique étrangère de la France,
1944-1989*, Paris, 1989
La Gorce, P.-M. de und Schor, A.-D., *La politique étrangère de la Vème
République*, Paris, 1992
Moreau-Defarges, P., *La France dans le monde du XXème siècle*, Paris,
1994
Politique étrangère de la France (zweimonatlicher Bericht der offiziellen
Erklärungen der Außenpolitik, herausgegeben von der *Direction de la
Presse, de l'Information et de la Communication du ministère des Affaires
étrangères*. Verlegt und vertrieben von der *Documentation française*)

8

Die Verteidi-gungs- und Abrüstungspolitik

Frankreichs Geschichte, seine geographische Lage, sein wirtschaftliches Potential und seine internationale Verantwortung bringen es mit sich, daß der Verteidigungspolitik eine besondere Bedeutung zukommt. Frankreich mißt seiner Unabhängigkeit, der Sicherung seiner weltweiten Interessen und der Wahrung demokratischer Traditionen größte Bedeutung bei und paßt seine Verteidigungs- und Abrüstungspolitik ständig an die internationale Lage an. Das 1994 von der Regierung veröffentlichte Weißbuch über die Verteidigung sowie die Verabschiedung eines Militärplanungsgesetzes für die Zeit von 1995 bis 2000 haben eine Aktualisierung der Ziele und Mittel dieser Politik unter Einbeziehung der Umwälzungen ermöglicht, die in den letzten Jahren auf dem Gebiet der internationalen Beziehungen und folglich auch auf strategischer Ebene stattgefunden haben.

Das französische Konzept

Das französische Verteidigungskonzept, so wie es in der Verfügung vom 7. Januar 1959 definiert wurde, ist global. Es gibt der Verteidigungspolitik Frankreichs drei Ziele vor:

- Verteidigung der lebenswichtigen Interessen Frankreichs, d.h. der Bevölkerung, der territorialen Integrität, der wirtschaftlichen Einrichtungen, der Kommunikationsmittel sowie der französischen Staatsbürger im Ausland. Diesbezüglich setzt die Verfassung von 1958 den Präsidenten der Republik als Garanten der territorialen Integrität (Artikel 5) sowie als obersten Befehlshaber der Streitkräfte (Artikel 15) ein. Darüberhinaus muß Frankreich seine strategischen Interessen auf internationaler Ebene sichern und gleichzeitig seinen Beitrag zur Konfliktvorbeugung, zur Erhaltung oder Wiederherstellung des Friedens sowie zur Achtung des Völkerrechts und der demokratischen Werte in der Welt leisten. Sein Status als ständiges Mitglied des UNO-Sicherheitsrats bringt für Frankreich in diesem Zusammenhang Vorrechte sowie Verantwortungen mit sich.

Erstes Defilee des Euro-
päischen Korps bei der
traditionellen Parade
zum Nationalfeiertag
am 14. Juli 1994 auf
den Champs-Elysées

- Beitrag zum Aufbau Europas und zur Stabilität des Kontinents. Frankreich hat diese Entscheidung gleich nach dem Ende des Zweiten Weltkrieges getroffen und seither aktiv mitgewirkt in der NATO, der West-
europäischen Union (WEU) und seit 1975 in der Konferenz für
Sicherheit und Zusammenarbeit in Europa (KSZE) (im Dezember 1994
in Organisation für Sicherheit und Zusammenarbeit in Europa (OSZE)
umbenannt).

- Entwicklung eines globalen, nicht ausschließlich militärischen Vertei-
digungskonzepts. Die Sicherheit und Stabilität eines Staates hängen
nämlich nicht nur von den Streitkräften und der Polizei ab, sondern
auch von der Gesellschaftsordnung, dem Bildungswesen und dem So-
lidaritätsgefühl. Das Verteidigungskonzept ist somit untrennbar von
dem der Nation. So gewährleistet die zivile Sicherheit den Schutz der
Bevölkerung, die Wahrung der öffentlichen Ordnung und somit den
Fortbestand des Staates. Sie umfaßt Vorbeugungs- und Schutzmaßnahmen gegen außergewöhnliche natürliche und technologische Risiken sowie Sicherheitsvorkehrungen für sensible Anlagen. Schließlich und endlich
sichert sie die gerechte Verteilung der Ressourcen in Krisenzeiten.

Strategie für einen internatio-
nalen Kontext im Umbruch

Frankreichs Strategie ist grundsätzlich defensiv. Sie ba-
siert auf der Abschreckung, also der Verhinderung eines Krieges. Diese Doktrin, von General de Gaulle zur Zeit des Kalten Krieges entwickelt (die Abschreckung "des Schwächeren gegenüber dem
Stärkeren"), mußte sich einem neuen strategischen Kontext anpassen,
der durch das Ende der sowjetischen Bedrohung Europas gekennzeichnet ist.

Ein neuer strategischer Kontext

Nach dem Fall der Berliner Mauer, der Auflösung des Warschauer Pakts und der Sowjetunion sowie einem konkreten Ansatz zur konventionellen und nuklearen Abrüstung der größten Militärmacht auf dem europäischen Kontinent hat Frankreich heute keine direkte militärische Bedrohung mehr an seinen Landesgrenzen zu befürchten. So hat der 1987 zwischen den USA und der Sowjetunion abgeschlossene Vertrag über nukleare Mittelstreckensysteme (INF) in Europa zu einer Abschaffung aller atomaren bodengestützten Mittelstreckenraketen dieser beiden Länder geführt.

Die 1991 und 1993 abgeschlossenen START-Verträge (Strategic Arms Reduction Talks) führen zu einer Verringerung der amerikanischen und russischen strategischen Arsenale auf 3.000 bzw. 3.500 Sprengköpfe (verglichen mit mehr als 12.000 bzw. 11.000 im Jahre 1990). Der im Rahmen der KSZE am 19. November 1990 in Paris von 22 Mitgliedsstaaten der NATO und des ehemaligen Warschauer Pakts unterzeichnete Vertrag über die konventionellen Streitkräfte in Europa (KSE-Vertrag) verpflichtet die Streitkräfte der Ex-Sowjetunion zur Vernichtung von 19.000 schweren Waffen und zur Verringerung der Anzahl an Panzern von 42.000 auf 13.150.

Neben diesen positiven Faktoren, welche der Ost-West-Konfrontation ein Ende bereitet haben, sind zugleich mit dem Auseinanderbrechen des Ostblocks neue Spannungen infolge von Konflikten über Landesgrenzen oder ethnische Minderheiten entstanden. Derartige Spannungsherde stellen eine ernsthafte Bedrohung des Kontinents dar, der zum ersten Mal seit 1945 wieder bewaffnete Konflikte erlebt. Dieser

Mangel an Stabilität wird noch verschärft durch die Schwierigkeiten einiger Länder Mittel- und Osteuropas, des Balkans oder der Ex-Sowjetunion, sich durch Reformen ihrer politischen, wirtschaftlichen und sozialen Strukturen der internationalen Gemeinschaft anzuschließen. Die Situation ist umso gefährlicher, als einige dieser Länder ein Kernwaffen-Arsenal übernommen und die Faktoren der Verbreitung von (nu-

Die Abrüstungspolitik: Im Elysée-Palast wurde der KSE-Vertrag zwischen 16 NATO- und 6 Warschauer Pakt-Ländern unterzeichnet

klearen, bakteriologischen und chemischen) Massenvernichtungswaffen nicht genügend unter Kontrolle haben. Sie verfügen auch über bedeutende konventionelle Waffenkapazitäten.

Diese Proliferation nicht-konventioneller Waffen und ihrer Träger (balli-stische Raketen) ist für die Völkergemeinschaft äußerst besorgniserre-gend.

Darüber hinaus gefährden Terroranschläge weiterhin nicht nur die zivile Bevölkerung, sondern auch Kommunikationsmittel und industrielle An-lagen. Schließlich stellt der organisierte Drogenhandel nicht nur für die öffentliche Gesundheit eine Bedrohung dar, sondern auch für die in-ternationale Sicherheit, denn er dient oft als finanzielle Grundlage für Guerillakriege.

Eine neue, der internationalen Lage angepaßte Strategie

Angesichts dieser beiden Entwicklungen hat Frankreich seine Strategie der neuen internationalen Lage angepaßt.

Auf politischer und diplomatischer Ebene hat es versucht, Stabilität und Frieden auf dem europäischen Kontinent zu fördern, und zwar vor allem durch einen Stabilitätspakt zwischen den Staaten der Europäischen Union und den Ländern Mittel- und Osteuropas und des Baltikums so-wie durch Assoziierungsabkommen zwischen diesen Ländern und der WEU. Im Januar 1994 schlug die NATO den ehemaligen Ostblocklän-dern die "Partnerschaft für den Frieden" vor (s. Kapitel 7).

Auf militärischer Ebene hat Frankreich erneut bekräftigt, daß seine Si-cherheit auf der Abschreckung beruht, was die Aufrechterhaltung sei-ner Streitkräfte auf einem glaubwürdigen Niveau bedeutet. Es muß je-doch eine neue Aufgliederung zwischen konventionellen und nuklearen Streitkräften durchführen. Die konventionellen Streitkräfte haben heute ihre eigene strategische Rolle und werden nicht mehr nur als eine Un-terstützung der atomaren Abschreckung angesehen.

Dem Weißbuch über die Verteidigungspolitik zufolge muß Frankreich künftig begrenzten Krisenherden gewachsen sein sowie Konflikte be-wältigen und verhüten können, die länger andauern, von unterschied-licher Intensität sind und unter Umständen weit entfernt vom eigenen Staatsgebiet liegen. Manche dieser Konflikte bedrohen nicht direkt die lebenswichtigen Interessen Frankreichs, verstoßen jedoch gegen be-stimmte Prinzipien, für deren Verteidigung Frankreich als ständiges Mit-glied des UNO-Sicherheitsrates einstehen muß, wie die Achtung des Völkerrechts oder die Souveränität der Staaten.

Frankreichs Beitrag zur Konfliktverhütung und seine Teilnahme an Ein-sätzen zur Sicherung des Friedens sind somit in einem multilateralen Kontext verankert und werden in Zusammenarbeit mit seinen Partnern und Alliierten ausgeführt.

Angesichts des neuen Umfeldes hat Frankreich es sich zum Ziel gesetzt, durch eine verbesserte Aufklärung ein besseres Verständnis der internationalen Lage zu erreichen, um vielschichtige Konflikte, die sowohl politische als auch militärische Komponenten haben und sich auf regionalen Kriegsschauplätzen abspielen, besser analysieren zu können. Dies erfordert eine größere strategische Mobilität der Streitkräfte.

Französische "Blauhelme" im Juli 1993 in Sarajewo: eine Friedenstruppe im Bürgerkrieg, die im Auftrag der UNO eine gefährliche Aufgabe erfüllt, aber von einer "Schnellen Eingreiftruppe" unterstützt wird

Die notwendig gewordene Neugliederung der atomaren und konventionellen Streitkräfte muß jedoch der Grundlage der französischen Strategie Rechnung tragen, welche nach wie vor die nukleare Abschreckung ist. Diese Doktrin beruht darauf, daß jeder potentielle Gegner die für ihn untragbaren, in keinem Verhältnis zur Bedeutung des Konflikts stehenden Risiken erkennt, die ein Angriff auf Frankreich oder seine lebenswichtigen Interessen mit sich brächte. Frankreich weist nach wie vor jegliche Verwechslung von Abschreckung und Einsatz von Atomwaffen zurück.

Die konventionellen Mittel kennzeichnen sich durch ihre Fähigkeit aus, zur Vorbeugung, Begrenzung oder militärischen Beilegung regionaler Krisen und Konflikte beizutragen. Zur Erfüllung dieser Aufgabe kann Frankreich auf eine gut funktionierende Aufklärung zurückgreifen und mit Hilfe der von ihr gelieferten Informationen (insbesondere über Satelliten) in jedem Krisenstadium, auch schon vorbeugend, eingreifen. Frankreich hat ebenfalls Streitkräfte außerhalb seiner Staatsgrenzen stationiert, die im Bedarfsfall aktiviert werden können.

Verhinderung der Proliferation und Abrüstung als Sicherheitsfaktoren

Im Hinblick auf die Weltsicherheit setzt sich Frankreich im Rahmen seiner Verteidigungspolitik ebenfalls für eine kontrollierte Abrüstung sowie für den Kampf gegen die Weiterverbreitung von Massenvernichtungswaffen ein.

Frankreich strebt seit langem eine Reduzierung der nuklearen Überbewaffnung der beiden Militärgroßmächte an, während es sich für seine eigenen Mittel schon immer an dem strikten Hinlänglichkeitsprinzip orientierte. Im Jahre 1983 unterbreitete der Präsident der Republik der UNO einen Vorschlag über die Bedingungen Frankreichs für Verhandlungen über die Reduzierung seiner Streitkräfte (vergleichbare Niveaus, Beendigung des die Glaubwürdigkeit der Abschreckung beeinträchtigenden Wettlaufs bei den Raketenabwehrwaffen, Abschaffung des Mißverhältnisses der konventionellen Waffen in Europa sowie der Bedrohung durch chemische und bakteriologische Waffen). Frankreich hat gleichwohl in der Zwischenzeit unilateral eine gewisse Reduzierung seiner Streitkräfte vorgenommen, die aufgrund der strategischen Entwicklung möglich geworden war.

Was die Atomversuche betrifft, so hatte Frankreich am 2. April 1992 unilateral seine unterirdischen Versuche in Französisch-Polynesien eingestellt. 1993 hat es sich in Übereinstimmung mit der Völkergemeinschaft für Verhandlungen im Rahmen der Genfer Abrüstungskonferenz ausgesprochen mit dem Ziel eines totalen Atomversuchsverbotes, soweit dieses umfassend und international überprüfbar sei. Gleichzeitig hat Frankreich jedoch betont, daß sein Abschreckungspotential erhalten werden muß, auch angesichts eventueller technologischer Fortschritte, was es zu einer letzten und begrenzten Versuchsserie veranlaßt hat, um danach zur Simulation übergehen und 1996 einem totalen Atomwaffenversuchsverbot beitreten zu können.

Was den Atomwaffensperrvertrag (NPT) angeht, den Frankreich 1968 nicht unterschrieben, jedoch eingehalten hat, so trat es - und mit ihm auch China - 1992 offiziell dem Vertrag und somit der Gemeinschaft der übrigen Atommächte bei. Atomtechnologien und nukleares Material für zivile Zwecke werden jetzt nur noch in Länder exportiert, die ihre gesamten nuklearen Anlagen unter die Kontrolle der Internationalen Atomenergiebehörde (IAEA) gestellt haben. Wie die Mehrheit der 178 Mitgliedsstaaten des Atomsperrvertrags (NPT) hat Frankreich 1995 für eine weltweite, bedingungslose Verlängerung des Vertrages auf unbestimmte Zeit plädiert.

Auf dem Gebiet der chemischen Waffen hatte Frankreich schon das Genfer Protokoll von 1925 unterschrieben, welches den Einsatz von C-Waffen zu Angriffszwecken, jedoch nicht deren Herstellung verbot. Frankreich hat, insbesondere nach dem Krieg zwischen Irak und Iran, der Völkergemeinschaft den Anstoß dafür gegeben, im Januar 1989 im Rahmen der Genfer Abrüstungskonferenz Verhandlungen aufzunehmen im Hinblick auf einen Vertrag zum Verbot nicht nur der Anwendung, sondern auch der Entwicklung, Herstellung und Lagerung von C-Waffen. Dieser Vertrag wurde im Januar 1993 in Paris von mehr als 130 Ländern unterschrieben und zählte Ende 1994 158 Unterzeichner; er wird in Kraft treten, sobald 65 dieser Länder ihn ratifiziert haben, ein Prozeß, der zur Zeit im Gange ist. Dem Wunsch Frankreichs zufolge

Das Personal der französischen Streitkräfte im Jahre 1995 beläuft sich auf insgesamt 606 000 Frauen und Männer, die sich folgendermaßen aufteilen:
- 271.500 im Heer;
- 94.000 in der Luftwaffe;
- 70.500 in der Marine;
- 93.500 in der Gendarmerie;
- 76.500 im allgemeinen Dienst (Sanitätswesen, Kraftstoffversorgung, Sozialarbeit der Armee, Generaldelegation für Rüstungsfragen usw.), der zu 80% aus Zivilpersonal besteht.

Die nuklearen Streitkräfte:
Die strategischen Atomstreitkräfte bestehen aus:
- 5 atomgetriebenen Lenkflugkörper-U-Booten, die je 16 Raketen tragen können;
- einer von der Luftwaffe eingesetzten landgestützten Komponente aus 18 ballistischen Lenkflugkörpern, welche auf dem Plateau d'Albion (im Departement Vaucluse) stationiert sind;
-einer ausschließlich luftgestützten Komponente aus 15 Mirage IV P, die mit Luft-Boden-Mittelstreckenraketen ausgerüstet sind.

Die Streitkräfte der allerletzten Warnung bestehen aus:
- 45 mit Luft-Boden-Mittelstreckenraketen ausgerüsteten, von der Luftwaffe eingesetzten Mirage 2000 N sowie mit den gleichen Raketen ausgerüsteten Super-Etendard-Flugzeugen, die zur Marine gehören und auf Flugzeugträgern stationiert sind;
- Hadès-Flugkörpern (Heer), die sich zur Zeit im "technologischen Wartezustand" befinden, jedoch jederzeit wieder reaktiviert werden können, falls die internationale Lage es erfordern sollte.

Die konventionellen Streitkräfte umfassen:
- das mit schweren Waffen ausgestattete mechanisierte Panzerkorps (CBM) mit etwa 1.300 Kampfpanzern und 500 Hubschraubern;
- die Schnelle Eingreiftruppe (FAR) und ihre 5 Divisionen mit insgesamt 48.000 Mann;
- die Einsatzkräfte der Luftwaffe (FAC) aus 400 Flugzeugen (Mirage 2000, Jaguar, Mirage F1 usw.);
- die Verlegungskräfte der Luftwaffe (FAP) mit 180 taktischen und logistischen Transport-flugzeugen und -hubschraubern;
- die Seestreitkräfte mit 112 Schiffen verschiedener Typen und 140 Luftfahrzeugen;
- und schließlich die Gendarmerie, deren Beitrag zu Sicherheitsoperationen ausschlagge-bend ist und die etwa 180 Panzer- und circa 50 Luftfahrzeuge zu ihrer Verfügung hat. Dazu kommen noch die französischen Überseestreitkräfte, die sich aus land-, see- und luftge-stützten Einheiten zusammensetzen und auf mehreren Stützpunkten um die Welt stationiert sind. Diese etwa 20.000 Mann umfassenden Streitkräfte und ihre Ausrüstung sind ständig in den Überseedepartements und -gebieten stationiert. Hinzu kommen fast 9.000 Soldaten in mehreren afrikanischen Ländern, die durch Verteidigungsabkommen mit Frankreich verbunden sind.

Schließlich stellt Frankreich ständig beträchtliche Blauhelmkontingente für humanitäre oder friedenschaffende Aktionen unter Aufsicht der UNO bereit. 1995 stellte Frankreich von allen Staaten die meisten Soldaten für weltweite UNO-Aktionen zur Verfügung (mehr als 5.000, davon 4.500 in Ex-Jugoslawien); zeitweise hatte es bis zu 11.000 Blauhelme mobilisiert.

wird die Anwendung des Vertrags strengstens von internationalen In-
spektoren überwacht.

Darüber hinaus hat Frankreich 1987 die Konvention über das Verbot
bakteriologischer Waffen von 1972 unterschrieben und versucht, diesem internationalen Abkommen einen bisher fehlenden Überwachungs-
mechanismus zu geben. Auf Anregung Frankreichs wurde 1993 eine
Expertenstudie begonnen, die sich mit der Ausarbeitung internationaler
Überwachungsmechanismen befassen soll.

Was die konventionellen Waffen anbetrifft, so folgt Frankreich strengstens den Vorschriften des KSE-Vertrages unter Berücksichtigung der
neuen, nach dem Ende des Warschauer Pakts eingetretenen Kräfte-
verteilung. Es beteiligt sich aktiv an den wiederaufgenommenen Verhandlungen im Rahmen des 1992 von der KSZE auf dem Helsinki-Gip-
feltreffen gegründeten Sicherheitsforums in Wien. Neben den von der
KSZE ausgearbeiteten Vertrauens- und Sicherheitsmaßnahmen (Bekanntgabe von Manövern, Einladung von Beobachtern usw.) bemüht
sich Frankreich schließlich um mehr Transparenz im Militärwesen; dies
wird in Kürze mit dem Inkrafttreten des 1992 unterzeichneten Vertrages
"Offener Himmel" möglich sein, und zwar in Form von Inspektionen aus
der Luft.

Die Vereinten Nationen haben auf Anregung Frankreichs ein Register
der Waffenexporte und -importe begonnen, das sich als abschreckend
erweisen dürfte für Waffenlieferungen, die ein regionales Ungleichgewicht verstärken oder verursachen könnten. Schließlich setzt sich
Frankreich für eine Stärkung der Konvention von 1980 über den Einsatz
bestimmter klassischer Waffen ein, um vor allem den Gebrauch von
Personenminen einzuschränken, die in einigen Ländern verheerende
Schäden unter der Zivilbevölkerung anrichten.

Im UNESCO-Palast un-
terzeichneten 130 Län-
der die Konvention
über ein Chemiewaffen-
verbot

Frankreichs Verteidigungsmittel

In einem derartigen Kontext muß die Verteidigungspolitik Frankreichs über angemessene Mittel verfügen.

Die Organisation der Landesverteidigung

Frankreich hatte sich für eine gemischte Armee entschieden. Dieses Prinzip bedeutete, daß die französischen Streitkräfte
zum einen aus jungen Wehrpflichtigen und zum anderen aus Berufs-
soldaten bestanden. Außerdem gab es noch Zeitsoldaten, die sich
freiwillig für eine längere Zeit verpflichtet hatten. Um jedoch das Konzept der erweiterten Verteidigung sowie den Sonderfall der Wehr-
dienstverweigerer einzubeziehen, waren die Modalitäten der Durchführung des "nationalen Dienstes" umfassend geändert und zivile
Formen der Wehrpflicht eingeführt worden. Die Wehrpflichtigen konnten ihren Dienst seither auch im Dienste der Gemeinschaft (zivile
Sicherheit, Umweltschutz, soziale Arbeit usw.), in der Entwicklungshilfe
(kulturelle, wissenschaftliche und technische Zusammenarbeit) sowie
der humanitären Hilfe ableisten. 1995 taten dies rund 10 % der Wehrpflichtigen, d.h. 27.000 junge Männer.

Im Februar 1996 kündigte der Staatspräsident an, im Rahmen einer
umfangreichen Reform der Streitkräfte bis zum Jahr 2002 eine Berufs-
armee von 350.000 Mann zu schaffen und eine nationale Debatte
über die Zukunft des "nationalen Dienstes" in Gang zu bringen. Die
Franzosen werden zwischen einer verkürzten Wehrpflicht und einem
freiwilligen Dienst für junge Männer und junge Frauen zu wählen
haben.

Das Militärplanungsgesetz für den Zeitraum 1997-2002

Das Militärplanungsgesetz 1995-2000, das zum ersten
Mal nicht nur die Ausrüstungsgüter, sondern auch das Personal
berücksichtigte, wird im Rahmen der Reform der Streitkräfte durch
das Militärplanungsgesetz 1997-2002 geändert.

Die Mittel für Ausrüstungsgüter für diesen Zeitraum belaufen sich auf
86 Milliarden Franc (17,2 Milliarden Dollar), d.h. 18 % weniger als im
vorigen Militärplanungsgesetz, und die Mittel für Betriebskosten auf 99
Milliarden Franc (19,8 Milliarden Dollar).

Der jährliche Verteidigungshaushalt für diesen Zeitraum wird 185 Milliarden Franc (real nach dem Stand von 1995), d. h. 37 Milliarden Dollar, betragen, was 3,1 % des Bruttoinlandsprodukts von 1995 entspricht.

Das neue Militärplanungsgesetz wird drei Prioritäten enthalten:

- *Die Reduzierung der Personalstärke.* Die Streitkräfte von morgen werden einen Personalbestand von 434.000 Beschäftigten haben, davon 350.000 Militärs. Dies entspricht einer Reduzierung um 30 % gegenüber dem derzeitigen Stand. Das Heer wird von 271.500 auf 170.000 Mann in vier Verbänden mit rund 85 Regimentern (anstelle von bisher 129) verringert. Die Marine wird von 70.500 auf 56.500 Mann schrumpfen, und ihr Kern werden die Strategischen Seestreitkräfte, ein verlegbarer Trägerverband sowie U-Boot-Einheiten sein. Die Luftwaffe wird von 94.000 auf 74.000 Mann reduziert. Nur der Personalbestand der Gendarmerie wird von 93.500 auf 97.500 angehoben. Von diesem Gestamtbestand wird Frankreich im Bedarfsfall 50.000 bis 60.000 Mann im Rahmen kohärenter und effizienter Einheiten ins Ausland verlegen können. Die französische Beteiligung am Euro-Korps wird beibehalten.

- *Die Anpassung der nuklearen Abschreckung.* Aufgrund des veränderten strategischen Kontextes wird die nukleare Abschreckung nur noch auf zwei Komponenten beruhen: einer U-Boot-Komponente aus atomgetriebenen Lenkwaffen-U-Booten der neuen Generation und einer Luftlandekomponente, die auf einem von Rafale-Kampfflugzeugen abgefeuerten, verbesserten ASMP-Lenkflugkörper (Luft-Boden-Rakete mittlerer Reichweite)

Das Kampfflugzeug Rafale

beruht. Die Bodenkomponente (die Boden-Luft-Raketen auf dem Plateau d'Albion) wird aufgegeben, und die Anlagen in Pierrelatte und Marcoule, in denen das Spaltmaterial hergestellt wurde, sowie das Nuklearversuchszentrum im Pazifik werden geschlossen. Im übrigen hat Frankreich seinen Partnern der Europäischen Union vorgeschlagen, über das Konzept der konzertieren Abschreckung nachzudenken.

- *Die weitere Modernisierung der Ausrüstung sowie die Umstrukturierung der Verteidigungsindustrie.* Die im Militärplanungsgesetz 1995-2000 vorgesehenen großen Rüstungsprogramme werden fortgeführt: Die Luftwaffe wird 2004-2005 mit dem Kampfflugzeug Rafale und das Heer mit dem Kampfpanzer Leclerc ausgerüstet; die Anstrengungen im Bereich Aufklärung (optische Satelliten Helios und Syracuse, Radarsatellit Osiris) werden beibehalten. Dagegen wird die Indienststellung des Flugzeugträgers Charles-de-Gaulle auf das Ende des Planungszeitraums verschoben. Im übrigen wird die französische Rüstungsindustrie,

Der Flugzeugträger Foch

die entwickelt wurde, um eine gewisse Form der nationalen Unabhängigkeit zu gewährleisten, umstrukturiert, damit sie noch wettbewerbsfähiger auf den internationalen Märkten werden kann. So werden die Flugzeugbauer Dassault Aviation und Aérospatiale fusionieren, und Thomson SA wird vor Ende 1996 privatisiert.

Dieses Militärplanungsgesetz 1997-2002 soll Frankreich die Mittel geben, um - unter Berücksichtigung eines neuen Kontextes anspruchsvoller internationaler Solidaritäten - seine Unabhängigkeit und seine Sicherheit zu wahrenund seine Rolle auf der Weltbühne, insbesondere auf europäischer Ebene, zu sichern.

Für weitere Informationen:

APHG und SIRPA, *Eléments de géostratégie et défense de la France*, Paris: La Documentation française, 1995.

G. Ayade und A. Demant, *Armements et désarmement depuis 1945*, Brüssel: Complexe, 1991.

E. Decaux, *La Conférence sur la sécurité et la coopération en Europe*, Paris: PUF (Que sais-je?), 1992.

M. Long (sous la dir. de), *Livre blanc sur la défense*, Paris: La Documentation française (collection des rapports officiels), 1994.

Mémento défense-armement: L'Europe et la sécurité internationale, Groupe de recherche et d'information sur la paix (GRIP), 1992.

H. Prévost, *La France, économie et sécurité*, Paris: Hachette (Pluriel), 1994.

Stratégie Française et industrie de l'armement, Paris: Fondation pour les Etudes de défense nationale, 1991.

Textes législatifs et réglementaires, Secrétariat général de la Défense nationale, Organisation générale de la Défense nationale, Journal officiel.

Armées d'aujourd'hui, revue mensuelle des Armées (SIRPA).

Défense nationale (mensuel).

Propos sur la défense, recueil mensuel des déclarations officielles en matière de défense, réalisé par le Service d'information et de relations publiques des Armées (SIRPA).

Der Kampfpanzer Leclerc

DIE
GESELLSCHAFT

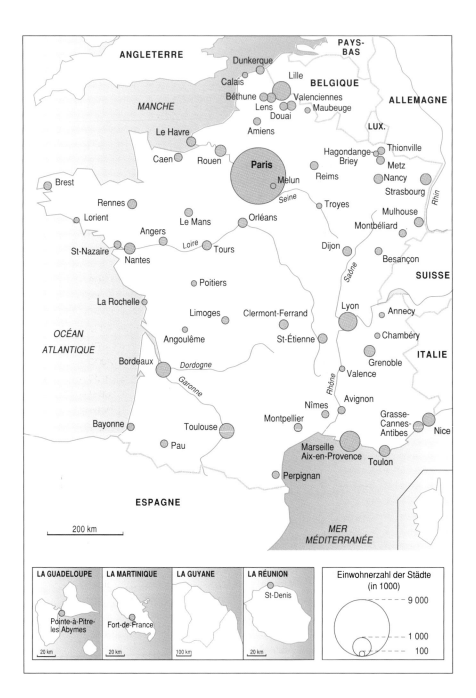

ANGLETERRE

PAYS-BAS

BELGIQUE

ALLEMAGNE

LUX.

Dunkerque
Calais
Lille
Béthune
Valenciennes
Lens
Maubeuge
Douai
Amiens

MANCHE

Le Havre
Caen
Rouen

Hagondange-
Briey
Thionville
Metz
Reims
Nancy
Strasbourg

Paris
Melun

Seine

Troyes

Mulhouse
Montbéliard

Brest

Rennes
Lorient
Le Mans
Orléans
Dijon
Besançon

SUISSE

Angers
St-Nazaire
Nantes
Loire
Tours

Poitiers

La Rochelle

OCÉAN
ATLANTIQUE

Limoges
Clermont-Ferrand
Angoulême
St-Étienne

Lyon
Annecy
Chambéry

Bordeaux
Dordogne
Garonne

Grenoble
Valence

ITALIE

Rhône
Saône
Rhin

Bayonne
Toulouse
Pau
Montpellier
Nîmes
Avignon

Grasse-
Cannes-
Antibes
Nice

Marseille
Aix-en-Provence
Toulon

Perpignan

ESPAGNE

200 km

MER
MÉDITERRANÉE

LA GUADELOUPE	LA MARTINIQUE	LA GUYANE	LA RÉUNION
Pointe-à-Pitre-les Abymes	Fort-de-France		St-Denis
20 km	20 km	100 km	20 km

Einwohnerzahl der Städte
(in 1000)

9 000

1 000

100

Lebensweisen

Wie in anderen Industrieländern, so gab es auch in Frankreich unmittelbar nach dem Krieg bis 1975 eine Zeit des wirtschaftlichen Aufschwungs, der das Land entscheidend verändert und in das Zeitalter der Konsum- und Freizeitgesellschaft geführt hat. Dieser Wandel hat eine gewisse Vereinheitlichung der Lebensweisen und Konsumgewohnheiten mit sich gebracht.

Dennoch werden Traditionen in vielen Gegenden noch gepflegt und sogar weiterentwickelt. Die kulturellen Unterschiede zwischen dem Norden und dem Süden, dem Westen und dem Osten Frankreichs, zwischen Regionen wie der Bretagne, dem Elsaß oder dem Baskenland sind bis heute erhalten, da sie in der Geographie und der Geschichte tief verwurzelt sind. Diese lebendige Vielfalt findet ihren Ausdruck in unterschiedlichen Mundarten, Küchen, religiösen Bräuchen, Sportarten sowie in den sozialen Beziehungen. Aber unabhängig von dieser Verschiedenartigkeit gibt es überall das französische Savoir-vivre, charakteristisch für ein Land mit hoher Kultur, das darum bemüht ist, sein reiches und vielfältiges Erbe ebenso wie seine Offenheit für Einflüsse von außen zu bewahren.

Zuwachs der Kaufkraft

Der Lebensstandard der Bevölkerung hat sich seit 1950 mehr als verdoppelt, und in den letzten 40 Jahren war der Einkommenszuwachs in Frankreich stärker als im gesamten Jahrhundert zuvor.

Neben Lohnerhöhungen kam es zu einer Vebesserung und ständigen Diversifizierung der Sozialleistungen (Familien- und Wohnungsbeihilfen etc.). Dies hat zwar zu einer Verminderung der sozialen Ungleichheit geführt, aber es gibt auch heute noch spürbare Unterschiede, die auf ungleichen Lohn- und vor allem Vermögensverhältnissen beruhen. Hierin spiegeln sich auch die Grenzen der sozialen Mobilität wider.

Die durchschnittliche monatliche Einkommensskala ging 1993 von 6.450 Franc (1.300 Dollar) bei einem ungelernten Arbeiter - unter Abzug der Sozialversicherungsbeiträge - bis 20.990 Franc (4.200 Dollar) bei einem leitenden Angestellten. Das durchschnittliche Monatseinkommen liegt im privaten und halböffentlichen Sektor bei 10.000 Franc (2.020 Dollar).

Frankreich war das erste europäische Land, das einen Mindestlohn einführte (1950), der auch heute noch für alle Beschäftigungszweige gilt. Der SMIC (dynamischer Mindestlohn für alle Beschäftigungssparten) lag am 1. Juli 1995 bei 6.250 Franc (monatlicher Bruttobetrag, entspricht 1.200 Dollar). Jeder neunte Arbeitnehmer ist SMIC-Empfänger; dies sind in erster Linie Jugendliche, Frauen und Mitarbeiter von Kleinunternehmen.

Der Lebensstandard in der Europäischen Union: BIP pro Einwohner (1993)

Deutschland	127,0
Österreich	123,0
Belgien	112,8
Dänemark	140,7
Spanien	66,0
Finnland	88,9
Frankreich	117,1
Griechenland	46,8
Irland	71, 6
Italien	92,2
Luxemburg	172,3
Niederlande	109,1
Portugal	47,1
Großbritannien	87,4
Schweden	114,2
Europa der Zwölf	100

Quelle: EU-Kommission.
Indices auf der Basis ihres Wertes in Ecu (Basis 100: Europa der Zwölf, 1993)

In den letzten Jahren sind die Nettolöhne der Arbeiter stärker gestiegen als die Gehälter der Führungskräfte sowie des mittleren und unteren Managements. Bei den Nettolöhnen der Angestellten war eine durchschnittliche Einkommensentwicklung zu beobachten.

Die Einkünfte der Franzosen variieren auch in Abhängigkeit von dem Vermögen der Haushalte, das traditionell aus Immobilien und Grundstücken besteht, heute aber immer häufiger auch Wertpapiere, Investmentfonds, Lebensversicherungen usw. einschließt.

Der Kaufkraftzuwachs der Haushalte ist in letzter Zeit langsamer gestiegen: 1993 lag er bei 0,9 %, 1994 bei 0,4 %, im Vergleich zu 3,5 % im Jahr 1990. Dieser Rückgang, u.a. bedingt durch die internationale Wirtschaftslage, ergibt sich durch das geringere Wachstum der Bruttolohnsumme der privaten Haushalte sowie die Erhöhung der Sozialversicherungsbeiträge und Steuern.

Die geringere Einkommensprogression hat auch zu einem Absinken der Sparquote der privaten Haushalte geführt. Sie ist zwar in letzter Zeit wieder gestiegen - Ausdruck der Besorgnis der Bevölkerung angesichts der zunehmenden Arbeitslosigkeit sowie der Attraktivität gewisser Anlagemöglichkeiten -, aber die alte Sparquote wurde nicht mehr erreicht; sie lag 1993 bei 14,2 % im Vergleich zu 20,4 % im Jahr 1978.

Wohnen in Frankreich

Der Anstieg des Lebensstandards fand seinen Ausdruck vor allem im Wohnungskauf: 54 % der Franzosen sind heute Eigentümer der Wohnung an ihrem Hauptwohnsitz. Dieser für Europa hohe Prozentsatz ist bemerkenswert für ein Land, das in der Nachkriegszeit in erster Linie den Bau von Mietwohnungen förderte.

Durch die rapide Entwicklung des Wohnungsbaus nach 1950 verwischte sich die Trennung zwischen dem Leben auf dem Land und dem Leben in der Stadt, vor allem aufgrund der Ausdehnung von Reihenhaussiedlungen am Stadtrand. Die Verstädterung der ländlichen Gebiete stellt eine der nachhaltigsten Veränderungen der allgemeinen Lebensbedingungen dar. Heute leben ungefähr 10 Millionen Menschen in Stadtnähe, in Gemeinden, in denen noch Landwirtschaft betrieben wird und die heute als "Schlafstädte" bezeichnet werden. Die Bewohner fahren zum Arbeiten täglich in die angrenzenden Städte.

An die Stelle der klassischen Verstädterung, die von Anfang des 19. Jahrhunderts bis kurz nach dem Zweiten Weltkrieg dauerte, ist eine Mischung aus städtischen und ländlichen Strukturen getreten, die mit zwei weiteren Phänomenen einhergeht: einerseits den veränderten Lebensbedingungen der Landwirte, deren Ehepartner oder Kinder immer häufiger einer Tätigkeit als Arbeiter oder Angestellte nachgehen und ihre Lebensweise entsprechend angepaßt haben. Andererseits nimmt bei den seit 1975 gebauten Wohnungen der Anteil der Einfamilienhäuser immer mehr zu (1993 53 % aller Wohnungen). Neben den 21,5 Millionen Wohnungen am Hauptwohnsitz besitzen die Franzosen 2,8 Millionen Wohnungen an einem Zweitwohnsitz auf dem Land und in Fremdenverkehrsgebieten in der Nähe von Ballungsräumen, an der Küste und in Wintersportorten. Durch die Massenproduktion von Bauelementen, die Verkleinerung der Wohnflächen und durch Gemeinschaftseigentum (Kauf einer Ferienwohnung durch mehrere Personen, die diese jeweils zu unterschiedlichen Zeiten für eine bestimmte Dauer nutzen) sanken die Preise, und der Markt florierte bis in die jüngste Zeit.

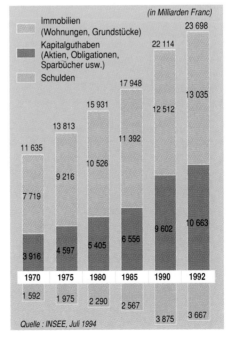

Das Vermögen der Haushalte 1992

(in Milliarden Franc)

Immobilien (Wohnungen, Grundstücke)
Kapitalguthaben (Aktien, Obligationen, Sparbücher usw.)
Schulden

1970	1975	1980	1985	1990	1992
11 635	13 813	15 931	17 948	22 114	23 698
7 719	9 216	10 526	11 392	12 512	13 035
3 916	4 597	5 405	6 556	9 602	10 663
1 592	1 975	2 290	2 567	3 875	3 667

Quelle : INSEE, Juli 1994

Verbrauch der privaten Haushalte

Der allgemeine Anstieg des Lebensstandards hat zu einer kontinuierlichen Steigerung des Verbrauchs geführt, der seit 1970 im Durchschnitt bei 3,1 % im Jahr liegt, wobei im Laufe der Jahre jedoch deutliche Schwankungen sowie starke Veränderungen der Konsumgewohnheiten zu beobachten waren. Die Ausstattung der privaten Haushalte hat sich beträchtlich verbessert. Mehr als 75 % besitzen heute mindestens ein Auto und 85 % einen Fernsehapparat, einen Kühlschrank, eine Waschmaschine und ein Telefon. 12 % besitzen einen Computer.

Die französischen Haushalte geben einen immer geringeren Anteil ihres Einkommens für Nahrung und Kleidung aus. Der Anteil der Nahrungsmittel an den Gesamtausgaben betrug 1994 nur noch 18,5 % im Vergleich zu 36 % im Jahr 1960. Die Ausgaben für andere Posten sind dagegen deutlich gestiegen (Mieten, Verkehrsmittel, Freizeit, Gesundheit).

Bedingt durch Werbung sowie ästhetische Ansprüche ist der Konsum immer stärker auf Diät- und Qualitätsprodukte ausgerichtet. So ist der Weinkonsum insgesamt seit den 50er Jahren auf die Hälfte zurückgegangen, während sich der Verbrauch von qualitativ hochwertigen Weinen verdoppelt hat. Auch fettarme Milchprodukte werden wesentlich stärker nachgefragt. Im übrigen hat die zunehmende Berufstätigkeit der Frauen den Kauf von Schnellgerichten und einfachen Mahlzeiten gefördert, die zunehmend mit Hilfe von Tiefkühlkost und Konserven zusammengestellt werden.

Der Verbrauch der Haushalte in einigen Ländern (1993, in %)

	Frankreich	Deutschland	Groß-britannien	Italien	Spanien	Schweden	Japan	Vereinigte Staaten	Schweiz
Nahrungsmittel, Tabak	19,1	16,8	21,6	20,7	21,8	22,0	20,8	13,1	27,6
Kleidung	6,5	7,4	6,2	10,1	8,9	7,2	6,0	6,6	4,4
Wohnung, Heizung, Strom	18,9	18,2	18,5	14,8	12,6	25,7	18,6	19,3	19,3
Möbel, Haushaltsgeräte	7,8	8,4	6,7	9,5	6,6	6,4	6,5	5,6	5,2
Medizinische Versorgung und Gesundheit	9,3	14,2	1,4	6,6	3,8	2,6	10,5	15,3	10,1
Verkehr und Kommunikation	16,7	15,9	17,9	12,2	15,4	18,1	11,0	14,5	11,9
Freizeit, Unterricht und Kultur	7,6	9,2	9,7	9,2	6,5	9,7	10,4	10,0	10, 4

In Frankreich nimmt die Gastronomie aber immer noch einen wichtigen Platz ein; Beweis hierfür sind der Erfolg guter Restaurants, die Publikation immer neuer Fachzeitschriften und der Bekanntheitsgrad der großen Chefköche. Die Kochkunst bleibt in der französischen Tradition tief verankert und ist ein besonderes Charakteristikum des Landes.

Gesundheit, ein Hauptanliegen

Der Anteil der Gesundheitspflege an allen in Frankreich hergestellten Gütern und Dienstleistungen ist von 3 % im Jahre 1950 auf 9 % im Jahre 1994 gestiegen. Der technische Fortschritt, die immer stärkere Inanspruchnahme der Gesundheitseinrichtungen sowie die Alterung der Bevölkerung lassen vermuten, daß sich diese Entwicklung weiter fortsetzen wird.

Ganz allgemein ist zu beobachten, daß die "Schwierigkeiten" des Lebens immer häufiger medizinisch bzw. medikamentös behandelt werden. In zunehmendem Maße lassen ältere Menschen Gesundheitsstörungen behandeln, die früher als ganz natürliche Alterserscheinungen angesehen wurden. Viele Ausgaben im Gesundheitsbereich werden auch getätigt, um Behinderungen, Unwohlsein und Schmerzen entgegenzuwirken.

Jedes Jahr unterziehen sich mehr als 20 % der Bevölkerung einer Behandlung in den öffentlichen und privaten Krankenhäusern. Diese reicht von der ärztlichen Untersuchung über die ambulante Therapie bis zu einem Krankenhausaufenthalt von einem oder mehreren Tagen. Mehr als die Hälfte der Gesundheitskosten werden für die Behandlung in Krankenhäusern ausgegeben. Der private Sektor spielt in bestimmten Bereichen eine wichtige, ja sogar eine herausragende Rolle, wie zum Beispiel bei der Geburtshilfe, den medizinischen Heilverfahren und der Rehabilitation

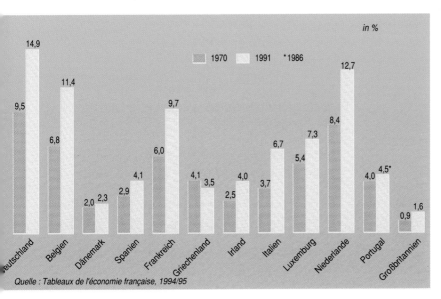

in %

1970   1991   *1986

14,9
11,4
9,5
6,8
2,0 2,3
2,9
4,1
6,0
9,7
4,1 3,5
2,5
4,0
3,7
6,7
5,4
7,3
8,4
12,7
4,0 4,5*
0,9 1,6

Deutschland   Belgien   Dänemark   Spanien   Frankreich   Griechenland   Irland   Italien   Luxemburg   Niederlande   Portugal   Großbritannien

Quelle : Tableaux de l'économie française, 1994/95

Anteil der Gesundheitsversorgung am Verbrauch der Haushalte zwischen 1970 und 1991 (Europa der Zwölf)

nach funktionellen Erkrankungen. Privatkliniken sind spezialisiert auf kleine chirurgische Eingriffe und die normale Unfallchirurgie. Die öffentlichen Krankenhäuser dagegen behandeln schwere Unfallverletzungen und psychiatrische Erkrankungen und bedienen sich bei Organtransplantationen, komplizierten chirurgischen Eingriffen oder der Behandlung schwerer chronischer Krankheiten der modernen Spitzentechnologie.

Familienstrukturen

**Ein Essen
in der Familie**

Die Ehe ist auch heute noch ein in den französischen Gebräuchen tief verwurzelter Wert, jedoch sind viele Ehen gefährdet.

Jede dritte wird geschieden, und immer mehr Paare, vor allem junge, leben unverheiratet zusammen; für sie ist diese Form der Beziehung eine Ehe auf Probe oder entspricht einer neuen Vorstellung von Lebensgemeinschaft. Neben 12 Millionen verheirateten Paaren lebten 1990 1,7 Millionen Paare in einer nichtehelichen Gemeinschaft. Seit 1960 hat sich ihre Zahl verneunfacht. In Frankreich werden jährlich ungefähr 250.000 Ehen geschlossen, wobei sich die Paare zu diesem Schritt immer später entschließen, d.h. das Durchschnittsalter liegt heute zwischen 25 und 28 Jahren.

In Frankreich leben 8,9 Millionen Familien, darunter 1,2 Millionen mit nur einem Elternteil. 86 % davon sind Frauen, die ihre Kinder nach einer Trennung allein erziehen. Kinderreiche Familien werden immer seltener: Nur 5 % haben vier oder mehr Kinder, allerdings haben 21 % aller Familien drei Kinder.

Niedergang oder Neubelebung der Religion?

Nimmt das religiöse Empfinden der Franzosen zu oder ab? Diese Veränderungen sind nur schwer in Zahlen zu fassen. Die Zahl der aktiven Gläubigen geht langsamer zurück, d.h., daß zum Beispiel der Anteil der regelmäßig praktizierenden Katholiken von 24 % im Jahre 1974 auf 12 % 1985 gefallen ist, seitdem aber zu stagnieren scheint, während der Anteil der gelegentlich praktizierenden Katholiken zunimmt. Die Religionsausübung ist je nach Landstrich unterschiedlich: Während sie im Westen Frankreichs, insbesondere in der Bretagne, sowie im Nordosten, in Lothringen und im Elsaß, noch eine bedeutende Rolle spielt, ist sie in den großen Ballungsräumen nur schwach ausgeprägt.

Die Trennung von Kirche und Staat im Jahre 1905 führte zwar zu einer umfassenden Befreiung der französischen Gesellschaft von kirchlicher Bindung, dennoch gehören die meisten Franzosen (mehr als 80 %) noch dem katholischen Glauben an. An zweiter Stelle der praktizierten Religionen steht der Islam (5,9 % der Bevölkerung), der heute - infolge des Zustroms muslimischer Einwanderer - stärker vertreten ist als der Protestantismus (2,4 %) und die jüdische Religion (0,8 %).

Die Franzosen im Arbeitsleben

Seit Anfang des Jahrhunderts ist die gesetzliche Wochenarbeitszeit kontinuierlich zurückgegangen. Von durchschnittlich 48 Stunden wurde sie 1936 auf 40 und 1982 auf 39 Stunden gekürzt. Selbst unter Berücksichtigung der Überstunden sinkt die tatsächlich geleistete Arbeitszeit: Von durchschnittlich 46 Stunden im Jahr 1963 fiel sie 1994 auf ungefähr 39 Stunden. Zwischen den verschiedenen Beschäftigungszweigen bestehen natürlich weiterhin Unterschiede: Im Baugewerbe und in der Industrie kam es zu deutlichen Kürzungen der Arbeitszeit. Die Wochenarbeitszeit der Arbeiter ist länger als die der Angestellten, die der Geschäftsleute und der Freiberufler ist sehr hoch. Insgesamt betrug die Jahresarbeitszeit 1992 im Durchschnitt 1666 Stunden, während sie in Deutschland bei 1618 und in den Vereinigten Staaten bei 1768 Stun-

Der tägliche Weg zur Arbeit: Benutzer des *Réseau express régional* (RER) in der Station Châtelet-Les-Halles in Paris

den lag. Wiederholt kamen die Franzosen in den Genuß einer Verlängerung des bezahlten Urlaubs, der 1936 mit 12 Urlaubstagen allgemein eingeführt wurde, 1956 auf 3 Wochen, 1969 auf 4 Wochen und 1982 auf 5 Wochen ausgedehnt wurde. Viele Unternehmen gewähren einige zusätzliche Tage, wenn der Urlaub außerhalb der Haupturlaubszeiten genommen wird.

Trotz der zögerlichen Haltung der Industrie sollte die Teilzeitarbeit ausgeweitet werden, um der Arbeitslosigkeit entgegenzuwirken. Sie hat zwar deutlich zugenommen (im Vergleich zu 6,5 % im Jahr 1978 waren es 1993 14 % der Arbeitsplätze), ihr Anteil ist aber noch immer niedriger als der in Großbritannien, den Niederlanden und den Vereinigten Staaten. Die Teilzeitarbeit wird vor allem von Frauen (27 %) ausgeübt, die sich hierfür entweder aufgrund familiärer Umstände oder zwecks Einkommensaufbesserung entscheiden. Auch die Sonntagsarbeit wird erneut diskutiert. Jeder fünfte Erwerbstätige arbeitet schon heute regelmäßig oder gelegentlich an Sonntagen und mehr als jeder zweite an Samstagen. Nachtarbeit, die vor allem in der Industrie, im öffentlichen Dienst und im Gesundheitswesen erforderlich ist, leisten ungefähr 600.000 Personen. Im Hinblick auf die Arbeitsbedingungen sind die Arbeitnehmer heute anspruchsvoller als früher. Dank der Mechanisierung und der Automatisierung der Arbeitswelt ist die Schichtarbeit zwar weniger beschwerlich geworden, aber der schnelle Arbeitsrhythmus, die Monotonie der Arbeit und der Lärm stellen immer noch schwere Belastungen dar. Auch die neuen Technologien bringen Anpassungsprobleme und neue Formen der Erschöpfung mit sich, obwohl die Arbeitsbelastung insgesamt abgenommen hat.

Neue Berufe in der Stahlindustrie: Produktionskontrolle in der Fabrik Sollac in Montataire (Oise)

Seit 1936 werden die Arbeitsbedingungen in Tarifverträgen festgelegt, die zwischen Arbeitgebern und Arbeitnehmern einer Branche ausgehandelt und staatlich garantiert werden. Zur Überprüfung der Arbeitsbedingungen und zur Vorbeugung von Unfällen werden die Betriebe jedes Jahr von einer Gruppe von Fachinspektoren besucht, die befugt sind, in den Ablauf der Unternehmen einzugreifen. Durch Arbeitsunfälle kommt es jährlich immer noch zu 1.200 Todesfällen und zu einem Verlust von 25 Millionen Arbeitstagen. Im übrigen hat eine Reihe von Gesetzen und Verordnungen, die seit 1982 erlassen wurden, die Organe zur Interessensvertretung der Arbeitnehmer sowie die Gewerkschaften gestärkt und ein Recht auf Verhandlungen auf Betriebsebene geschaffen.

Gewerkschaften und Berufsverbände

In Frankreich gibt es weniger Gewerkschaftsmitglieder als in anderen europäischen Ländern (Großbritannien, Schweden, Deutschland u.a.). Nachdem die Gewerkschafts-bewegung in den ersten dreißig Jahren nach dem Zweiten Weltkrieg besonders stark war, hat sie einen großen Teil ihres Einflusses verloren. Für diesen Rückgang lassen sich verschiedene Gründe anführen, vor allem ein größerer Individualismus, ein Verlust an Glaubwürdigkeit, die Zunahme der Arbeitslosigkeit u.s.w.

Es gibt rund 2,2 Millionen Gewerkschaftsmitglieder; das sind ungefähr 10 % der Erwerbstätigen. Die als repräsentativ geltenden Organisationen sind die *Confédération générale du travail* (CGT), die *Confédération française démocratique du travail* (CFDT), die *Confédération française des travailleurs chrétiens* (CFTC) und die *Confédération générale du travail-Force ouvrière* (CGT-FO). Die *Fédération de l'Education nationale* (FEN) und die aus ihr hervorgegangene *Fédération syndicale unitaire* (FSU) vertreten seit 1993 die Interessen der Lehrer. Die Führungskräfte schließen sich eher in der *Confédération française de l'encadrement-Confédération générale des cadres* (CFE-CGC) zusammen.

Die Verfassung von 1958 verweist auf die Präambel der Verfassung von 1946, die jedem Menschen das Recht auf die Vertretung seiner Interessen durch eine Gewerkschaft und die freie Wahl der Gewerkschaftszugehörigkeit zugesteht.
Das Interesse an den Gewerkschaften wird an den verschiedenen Arbeitnehmervertre-ter-Wahlen gemessen: z. B. den Wahlen der Vertreter in den französischen Arbeitsge-richten, den Wahlen der paritätisch besetzten Ausschüsse in der öffentlichen Verwaltung, den Betriebsratswahlen etc.
Vereinbarungen über Löhne und Gehälter sowie Arbeitsbedingungen werden eher auf nationaler Ebene abgeschlossen als auf der Ebene von Betrieben, Branchen oder Sektoren.

Auf Arbeitgeberseite vertritt der *Conseil national du patronat français* (CNPF) die meisten Unternehmen, mit Ausnahme der kleinsten, die nicht organisiert sind, und der Klein- und Mittelbetriebe, die in der *Confédération générale des petites et moyennes entreprises* (CGPME) vertreten sind. Landwirtschaftliche Betriebe sind in der *Fédération nationale des syndicats d'exploitants agricoles* (FNSEA) organisiert.

Neuere Tendenzen gehen dahin, daß sich bestimmte Berufe aufgrund ihrer spezifischen Probleme in eigenen berufsständischen Organisationen zusammenschließen.

Frankreich ist zwar seit jeher ein Land mit einer starken Gewerkschafts-tradition, aber seit einigen Jahren geht die Anzahl der Streiktage zurück: So gab es im Vergleich zu jährlich 4 Millionen Streiktagen in den 70er Jahren 1993 nur 593.000 Streiktage. Dies zeigt, daß infolge des durch die Arbeitslosigkeit geprägten Klimas ein sozialer Dialog in den Unternehmen geführt wird und daß die Gewerkschaften an Einfluß verloren haben.

Freizeitverhalten

Hat die Zunahme der Freizeit zu einer sogenannten Freizeitgesellschaft geführt? Je nach Belieben und finanziellen Möglichkeiten teilen die Franzosen ihre freie Zeit auf zwischen Fernsehen und anderen kulturellen oder sportlichen Aktivitäten sowie Entspannung oder Reisen.

Das Fernsehen, die wichtigste kulturelle Freizeitbeschäftigung

Ausgaben für kulturelle Aktivitäten der Haushalte (1994)

Die Franzosen verbringen im Durchschnitt täglich mehr als drei Stunden vor dem Fernseher. Ihnen kamen die Preissenkungen bei Fernsehgeräten, die Beliebtheit von Videorekordern und Videospielen sowie die Internationalisierung der Fernsehprogramme, ein Ergebnis der Satellitenverbindungen und Kabelübertragungen, entgegen. Der Erfolg des Fernsehens vollzog sich auf Kosten des Kinos, um so mehr, als öffentliche und private Sender im Jahr mehr als 450 Spielfilme zeigen. Die Anzahl der Kinobesucher ist von 412 Millionen im Jahr

in Milliarden Franc

Hörfunk und Fernsehen	17
Hi-Fi-Anlagen, Videogeräte	17
Druck- und Verlagserzeugnisse	27
Presse	36
Schallplatten und CDs, Videos	21
Kunstgegenstände, Antiquitäten	11
Kino	5
Veranstaltungen u.a.	30

Quelle :Ministère de la Culture et de la Francophonie

1957 auf 112 Millionen im Jahr 1993 gefallen. Dennoch ist Frankreich das europäische Land, in dem die Menschen am häufigsten ins Kino gehen: Im Vergleich zu jährlich 1,7 Eintrittskarten pro Einwohner in Deutschland und in Großbritannien und 1,6 Karten in Italien, wurden in Frankreich 1993 2,1 Eintrittskarten pro Einwohner verkauft. Um dem nachlassenden Interesse der Öffentlichkeit zu begegnen, werden insbesondere für Jugendliche verstärkt Preisermäßigungen angeboten; darüber hinaus bleibt die französische Filmproduktion mit der Herstellung von durchschnittlich 100 Filmen pro Jahr international eine der produktivsten.

Die Radiosender haben zwar mit der Konkurrenz durch das Fernsehen zu kämpfen, aber die Anzahl ihrer Zuhörer ist in den letzten Jahren infolge der Gründung vieler neuer privater oder öffentlicher Sender auf regionaler und überregionaler Ebene spürbar gestiegen. (s. Kap. 18)

Die Zahl der Theaterbesucher ist in Frankreich, vor allem in Paris, trotz des Fernsehens bemerkenswert. Das Boulevardtheater erfreut sich weiterhin großer Beliebtheit, dies gilt ebenso für klassische Stücke. Auch moderne Werke sprechen - infolge zahlreicher Festivals, deren bekanntestes das von Avignon ist - immer mehr Zuschauer an.

Die Fernsehsendungen machen auch der Tagespresse Konkurrenz, deren Auflagen seit dem Krieg stark zurückgegangen sind, und auch die Anzahl der Tageszeitungen hat sich deutlich verringert. Pro 1000 Einwohner werden täglich weniger als 200 Exemplare verkauft. Diese Tendenz wird sich fortsetzen, denn die Gewohnheit des regelmäßigen Lesens einer Tageszeitung ist bei den jungen Menschen wesentlich weniger ausgeprägt (30 % der 20- bis 34jährigen) als bei den älteren Menschen (mehr als 50 % der über 45jährigen). Zeitschriften werden dagegen immer stärker nachgefragt, was mit der zunehmenden Publikation von Fachzeitschriften in den Bereichen Sport, Hauswirtschaft, Kapitalanlagen, Innenausstattung, Kochen, Gartenpflege, Autos etc. einhergeht.

Das Verlagswesen ist in Frankreich der größte Arbeitgeber im kulturellen Bereich. Mehr als 800 Verleger veröffentlichen jedes Jahr eine beträchtliche Anzahl neuer Bücher, deren Gesamtauflage mehr als 350 Millionen Bände umfaßt. Romane, Lehrbücher, Kinder- und Jugendbücher sowie Kriminalromane stehen an erster Stelle, und auch bei wissenschaftlichen Büchern und praxisorientierter Literatur steigt der Umsatz. Bei den Comics ist seit 20 Jahren eine wahrhaft explosionsartige Nachfrage von seiten der Jugendlichen wie auch der Erwachsenen zu beobachten. Dieser Lese-Boom wurde durch die vielen Neuerscheinungen preisgünstiger Taschenbücher sowie die Einrichtung zahlreicher öffentlicher Bibliotheken gefördert.

Ein wachsendes Interesse scheint auch für andere Freizeitbeschäftigungen im kulturellen Bereich vorhanden, wie zum Beispiel für Museumsbesuche oder das Hören von Musik und das Musizieren. Die Anzahl der Besucher in den staatlichen Museen stieg von 9,5 Millionen im Jahr 1980 auf 16 Millionen im Jahr 1993. Im übrigen besitzen 40 % der Franzosen mindestens ein Musikinstrument, und 61 % haben eine Hifi-Anlage (1981: 29 %) und 26 % einen CD-Player.

Die Palette der Freizeitbeschäftigungen zu Hause ist mit der Begeisterung für das Eigenheim und durch die Zunahme der Zweitwohnungen

Endspiel der französischen Fußballmeisterschaften 1990 zwischen Montpellier und Racing in Paris

breiter geworden. Beschäftigungen wie Heimwerken und Gartenarbeit erfreuen sich dank der Verbesserung der Heimwerkergeräte, der Zunahme der Fachgeschäfte und dem Verkauf von sogenannten Mitnahmemöbeln immer größerer Beliebtheit.

Einzel- oder Gruppensport

Bedacht darauf, sich trotz einer überwiegend sitzenden Lebensweise in Form zu halten, entdecken immer mehr Franzosen die wohltuende Wirkung des Sports. Förderlich für dessen Popularität sind auch die technischen Fortschritte, die Preissenkungen bei in Großserie hergestelltem Material und die größere Zahl von Sporteinrichtungen.

Besonders verbreitet sind Einzelsportarten wie Jogging und Radfahren, die vor allem am Wochenende ausgeübt werden. Auch andere Sportarten wie Tennis, Wassersport und Skifahren (5 Millionen Skifahrer) sind beliebt.

Sport wird aber auch in Vereinen oder Clubs betrieben. Im Vergleich zu 17 % im Jahr 1982 gehörten 1991 21 % der Franzosen einem Sportverein an und 18 % einem Kultur- oder Freizeitverein. Die Anzahl der Lizenzsportler lag 1990 bei über 12,2 Millionen (1980 9,5 Millionen, 1970 5,5 Millionen).

Fußball bleibt zwar der populärste Sport, aber im Bereich von Tennis, Judo, Golf und Segeln ist die Anzahl der Lizenzinhaber in den letzten zehn Jahren am stärksten gestiegen. Die großen Sportverbände werden oft vom Staat oder den Gebietskörperschaften unterstützt und profitieren außerdem von der Medienwirkung der großen Sportveranstaltungen auf nationaler und internationaler Ebene wie der *Tour de France* (Radsport), den internationalen Rugby-Meisterschaftsspielen (*Tournoi des Cinq Nations*), den Europa- und Weltpokalspielen (Fußball) und den *French-Open* (Tennis).

Zunehmende Diversifizierung im Tourismus

Der Anstieg des Lebensstandards und die Verlängerung des bezahlten Urlaubs haben zu einem Aufschwung im Tourismus beigetragen: 34,6 Millionen Franzosen (60 % der Bevölkerung) machen jährlich Urlaub; davon fahren 16 % ins Ausland, vor allem in die Mittelmeerländer. Von denen, die in Frankreich bleiben, fahren trotz der Popularität des Wintersports immer noch 50 % ans Meer. Der Urlaub auf dem Land hat durch neue preisgünstige Unterbringungsmöglichkeiten, wie zum Beispiel Ferienwohnungen auf dem Bauernhof, und durch die Anlage von Seen oder Reitzentren usw. an Attraktivität gewonnen. Geschichtsträchtige Städte organisieren Bildungsreisen, die immer mehr Anhänger finden. Die Zunahme der Urlaubsreisen ist bei allen sozioprofessionellen Gruppen zu beobachten.

Landwirte und Rentner machen zwar noch etwas seltener Urlaub als leitende Angestellte und Freiberufler, doch in diesen beiden Kategorien wurden die höchsten Zuwächse verzeichnet, da den Rentnern die Anpassung der Renten und verschiedene Maßnahmen der Gemeinden und der Rentenkassen zugute kamen. Darüber hinaus hat die Einführung eines "Urlaubsschecks", der teilweise vom Arbeitgeber finanziert wird, zur Entwicklung des Tourismus beigetragen.

Seit einigen Jahren hat die Wirtschaftskrise die Urlaubsgewohnheiten grundlegend verändert: Die einzelnen Aufenthalte sind kürzer geworden, und es werden preiswertere Unterbringungsmöglichkeiten bevorzugt. Neben der Erholung und der Begegnung mit Verwandten und Freunden ist die Abwechslung der wichtigste Beweggrund für Urlaubsreisen. Nichtsdestoweniger nimmt der kulturelle Aspekt mittlerweile einen wichtigen Platz ein, wie der zunehmende Besuch großer Museen und Festivals zeigt.

Rentner auf
Wanderung in den
Vogesen

Für weitere Informationen:

Ch. Debbasch, J.-M. Pontier, *La société française*, Paris, 1995
L. Dirn, *La société française en tendances*, Paris, 1990
M. François (Hg.), *La France et les Français, Encyclopédie de la Pléiade*, Paris, 1972
M. Maruani et E. Reynaud, *Sociologie de l'emploi*, Paris, 1993
G. Mermet, *Francoscopie 1995: qui sont les Français?*, Paris, 1994
P. Morin, *La grande mutation du travail et de l'emploi*, Paris, 1993
René Mouriaux, *Le syndicalisme en France depuis 1945,* Paris, 1994
P. Tixier, *Mutation et déclin du syndicalisme*, Paris, 1992
Annuaire statistique de la France, Paris, INSEE, eine Ausgabe pro Jahr.

10

Der soziale Schutz und die Arbeitslosenunterstützung

Das Sozialsystem Frankreichs gehört zu den leistungsfähigsten der Welt. Lange Zeit blieb es nur einem Teil der Arbeitnehmer vorbehalten, doch nach dem 2. Weltkrieg wurde es schrittweise auf die gesamte Bevölkerung ausgedehnt.

1993 beliefen sich die Sozialausgaben auf 2.509 Milliarden Franc, gegenüber 1981 821,3 Milliarden, das sind 34,5 % des Bruttoinlandsprodukts (BIP), gegenüber 14 % im Jahr 1960. Diese Zahl ist höher als in Deutschland, Großbritannien und Italien, liegt jedoch leicht unter der niederländischen. Die Finanzierung dieses sozialen Schutzes, die während des 30 Jahre dauernden Wirtschaftswachstums problemlos verlief, bereitet nunmehr ernstes Kopfzerbrechen. Drastische Sparmaßnahmen sind erforderlich, und der Wohlfahrtsstaat als solcher wird in Frage gestellt.

Der soziale Schutz deckt verschiedene Bereiche ab: Gesundheit, Familie, Renten und den Kampf gegen die Arbeitslosigkeit, der heute große Bedeutung hat.

Gesundheit

In Frankreich gibt es 159.000 Ärzte sowie 37.000 Zahnärzte, 26.000 Apotheker und 254.000 Personen im Pflegedienst. Insgesamt beschäftigt der Gesundheitsbereich 1,7 Millionen Menschen, wodurch Frankreich in der medizinischen Versorgung neben Spanien, Schweden und Deutschland eine Spitzenstellung in Europa belegt. Außerdem wird das Netz der medizinischen Einrichtungen ständig verbessert, besonders durch die Ausstattung mit Geräten für bildgebende Verfahren (Ultraschall, Computertomographie, Kernspintomographie), so daß Frankreich auf diesem Gebiet eine Führungsposition einnimmt. Parallel zur technischen Modernisierung wurde auch das öffentliche Gesundheitswesen reformiert. Die medizinischen Einrichtungen werden mit Hilfe einer entsprechenden Karte regional harmonisch verteilt, so daß Kosten eingespart werden. Dieser Fortschritt vollzieht sich im Einklang mit dem althergebrachten Gesundheitswesen, das den freischaffenden Arzt nicht einengt und dem Patienten die freie Arztwahl läßt.

Der Staat ist auch bemüht, die Präventivmedizin zu fördern, z.B. durch häufigere Beratung am Arbeitsplatz und gezielte Informationskampagnen. Besonders aktiv sind die Behörden im Kampf gegen den Alkohol- und Nikotinmißbrauch, bei der Krebsvorsorge sowie bei der Aids-Vorsorge durch die Verwendung von Präservativen.

Aids-Vorsorge: Ein Plakat im Sommer 1994

Ziel der Gesundheitspolitik ist es, allen Bürgern des Landes die gleiche medizinische Fürsorge zu gewähren. Auch wenn noch Ungleichheiten bestehen, sei es auf Grund des Lebensstandards, der Bildung oder des Wohnorts, so sind diese weniger ausgeprägt als in anderen Bereichen.

Die Gesundheitsausgaben stiegen von 314 Milliarden Franc im Jahre 1985 auf 648 Milliarden im Jahre 1993, das sind 11.234 Franc (etwa 2.240 $) pro Kopf. Die französische Sozialversicherung finanziert 74 % dieser Ausgaben; 19 % müssen die Patienten tragen, den Rest bringen Staat und Zusatzkassen auf.

Die Steigerungsrate bei den Gesundheitsausgaben liegt über der des Wirtschaftswachstums. Das liegt daran, daß heute fast die gesamte Bevölkerung den Schutz des sozialen Netzes genießt, ist aber auch auf die Verbesserung des Lebensstandards, höhere Behandlungskosten (hauptsächlich aufgrund des technischen Fortschritts) und auf das Älterwerden der Bevölkerung zurückzuführen. Ein Viertel der Gesundheitsausgaben wird von den über 70jährigen veranlaßt, obwohl sie nur 14 % der Bevölkerung ausmachen, und ihre Zahl wird in den nächsten Jahrzehnten aufgrund der Altersstruktur der Bevölkerung und der höheren Lebenserwartung noch zunehmen.

Diese Umstände führen schon seit einigen Jahren zu einem strukturellen Defizit. Um Abhilfe zu schaffen, wurden zahlreiche Maßnahmen ergriffen. So werden Vereinbarungen zwischen der Nationalen Krankenversicherung und den Ärzteverbänden geschlossen, um die Höhe der von der Sozialversicherung zu erstattenden Honorare festzulegen und die Ausgaben zu bremsen. Hinzu kommen eine Kürzung der Erstattung von Medikamenten für sogenannte Bagatellerkrankungen und eine Anhebung der pauschalen Selbstbeteiligung der Krankenhauspatienten. Außerdem wurden die Beiträge der Arbeitgeber und Arbeitnehmer mehrmals angehoben. Um die Gesundheitsausgaben in den Griff zu bekommen, werden auch die Etats der Krankenhäuser überprüft, vermehrt Beihilfen für die häusliche Krankenpflege gezahlt und die Zunahme der Zahl der Ärzte sowie ihrer Behandlungen gebremst. Weitere Einsparungen sind durch Verhaltensänderungen bei Patienten und Ärzten möglich. So soll durch das Anlegen einer Krankenakte ermöglicht werden, bestimmte Patienten durchgängig zu betreuen und ihre Behandlung durch Allgemeinarzt und Facharzt abzustimmen.

Senioren und Behinderte

Rund 8,5 Millionen Franzosen sind 65 Jahre oder älter. Die meisten verfügen über ausreichende Einkommen oder Renten, allerdings nicht alle. Sinn der Sozialpolitik ist es, diesen die finanzielle Selbständigkeit zu gewährleisten. Daher wurde die Mindestaltersrente für alle über 65jährigen, die eine bestimmte Einkommensgrenze nicht erreichen, stark angehoben. Fast zwei Millionen Menschen erhalten ein monatliches Mindesteinkommen von 3.200 Franc bzw. 5.730 Franc (1.140 Dollar) für Verheiratete. Ergänzt wird dies durch zahlreiche finanzielle und soziale Maßnahmen: Wohngeld, kostenlose oder verbilligte Benutzung der öffentlichen Verkehrsmittel, Befreiung von der

Essen auf Rädern in
Villeurbanne

Fernsehgebühr, etc. Außerdem ist man bestrebt, durch organisierte Hilfe im Haushalt und häusliche Pflege älterer Menschen so lange wie möglich ein Leben in ihrer gewohnten Umgebung zu ermöglichen. Ergänzt werden diese Maßnahmen durch eine verstärkte ärztliche Betreuung in Seniorenheimen und die Einrichtung von Pflegeheimen für ältere Menschen.

Eine für Rollstuhlfah-
rer geeignete öffentli-
che Telefonzelle im
Bahnhof von Chartres

In Frankreich leben ca. 2,5 Millionen Behinderte, somit zählt jeder 20. Einwohner zu dieser Bevölkerungsgruppe. 1,4 Millionen sind im erwerbsfähigen Alter. Mit dem Gesetz vom 30. Juni 1975 wurden sowohl die rechtlichen Grundlagen als auch die Ausbildungsstätten geschaffen, mit denen drei Ziele verfolgt werden sollten: Förderung vorbeugender Maßnahmen, längere schulische Betreuung behinderter Kinder und Erleichterung der beruflichen Eingliederung der 200.000 behinderten Arbeitnehmer. Auch der öffentliche Dienst fördert die Einstellung von Behinderten. Außerdem erhalten pflegebedürftige Personen eine besondere finanzielle Unterstützung und können Beihilfen für die Betreuung in ihrer gewohnten Umgebung bekommen.

Die Familienpolitik

Frankreich ist das europäische Land, das den größten Anteil seines Bruttoinlandsproduktes (3,5 %) in die Familienpolitik investiert. Anfang dieses Jahrhunderts erhielten bedürftige kinderreiche Familien und bestimmte Beamte zum ersten Mal staatliche Unterstützung. Dann dauerte es aber bis zum 29. Juli 1939, bis ein Gesetz die Familienbeihilfen für alle, eine Prämie bei der Geburt des ersten Kindes, eine Beihilfe für Kinder betreuende Mütter und bestimmte steuerliche Vorteile für kinderreiche Familien einführte. Diese Maßnahmen, die vor allem die Geburtenzahlen ankurbeln sollten, wurden im 2. Weltkrieg und nach der Befreiung ausgeweitet. Seit den 70er Jahren wurde die Familienpolitik vielseitiger und gleichzeitig gezielter. Bevorzugt gefördert werden nunmehr einkommensschwache Familien und Alleinerziehende.

Hilfe erhalten Familien vor allem in Form von Unterstützungszahlungen. Einige erfolgen einkommensunabhängig: Kindergeld, Beihilfe für die Beschäftigung einer die Mutter unterstützenden Person, Beihilfe für die häusliche Betreuung eines Kindes, Erziehungsgeld und verschiedene Unterhaltszahlungen. Abhängig vom Einkommen der Eltern ist dagegen die Höhe der Säuglingsbeihilfe, des Schulbüchergeldes, der Beihilfe für Alleinerziehende sowie der Familienzulage (für Geringverdiener mit mindestens 3 Kindern). Insgesamt erhielten die Familien 1993 213 Milliarden Franc.

Für Familien mit steuerpflichtigem Einkommen gibt es außerdem Steuererleichterungen. Jedes Kind wird auf der Steuererklärung als halbe Einheit berücksichtigt, ab dem dritten Kind sogar als ganze. Hinzu kommen weitere Steuervergünstigungen, z.B. bei Beschäftigung einer Haushaltshilfe oder einer Betreuungsperson, sowie vorteilhafte Darlehnszinsen beim Immobilienerwerb.

Brutkasten in einer Frühgeborenenabteilung

Die Finanzierung dieser Familienbeihilfen wird vollständig von den Arbeitgebern getragen, deren Beitrag seit 1990 auf der Grundlage aller ausgezahlten Gehälter berechnet wird. Eingezogen werden diese Beiträge sowie die allgemeine soziale Pflichtabgabe auf alle Einkommensarten und die staatlichen Subventionen von der Nationalen Kasse für Familienbeihilfen (CNAF). Sie übernimmt auch die Auszahlung der verschiedenen Familienbei-

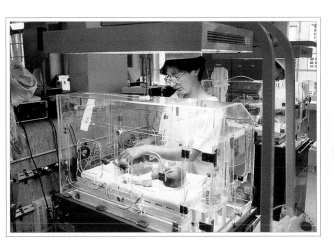

hilfen und besonderer Leistungen wie Wohnungsbeihilfen, Beihilfen für behinderte Erwachsene und des Mindesteinkommens zur beruflichen Eingliederung (s.u.).

Der Kampf gegen die neue Armut

Das Abdriften zahlreicher Jugendlicher in gesellschaftliche Randgruppen, die hohe Zahl der Scheidungen, die illegale Einwanderung und vor allem die steigende Arbeitslosigkeit haben zum Entstehen einer neuen Armut beigetragen. Um dieser entgegenzuwirken, führte der Staat 1988 das Mindesteinkommen zur beruflichen Eingliederung (RMI) ein, das jedem über 25jährigen mit Einkünften unter 2.000 Franc monatlich vorübergehend gewährt wird. Diese überwiegend vom Staat finanzierte Beihilfe stellt durch die Förderung der beruflichen Eingliederung oder Wiedereingliederung eine neue soziale Komponente dar.

Die fünf Risiken, die vom Sozialsystem abgedeckt werden

Für die **Alterssicherung** sind drei Arten von Leistungen vorgesehen:
- Leistungen, um die Beendigung der Haupterwerbstätigkeit zu ermöglichen. Es handelt sich vor allem um beitragsbezogene Renten und um vorzeitige Renten;
- sogenannte Solidaritätsleistungen. Sie werden fällig, sobald ein bestimmtes Alter erreicht ist (65 Jahre). Die Mindestaltersrente ist die wichtigste;
- sogenannte Überlebensrenten. Diese beruhen entweder auf direkten Ansprüchen (allgemeine Witwenrente) oder auf Ansprüchen, die sich von denen des Verstorbenen ableiten lassen: an den hinterbliebenen Ehegatten zurückfallende Altersrente gemäß dem Aufteilungsprinzip.

Das **Gesundheitsrisiko** wird abgesichert durch Leistungen bei Krankheit, Invalidität und Arbeitsunfällen. Ersetzt werden in diesem Rahmen Ausgaben für die medizinische Versorgung. Hinzu kommen Barleistungen (Krankentagegeld) sowie Renten an Behinderte bei fortdauernder Arbeitsunfähigkeit.

Die **Leistungen im Bereich Familie und Mutterschaft** bezwecken einen teilweisen Ausgleich der durch Kinder entstehenden Unterhaltskosten (Ausbildungskosten nicht eingeschlossen). Es handelt sich dabei um Barleistungen (Familienbeihilfen), aber auch in geringerem, jedoch zunehmendem Maße um Wohnungsbeihilfen (personenbezogenes Wohngeld).
Zu erwähnen wären noch Mutterschaftsleistungen, die weitgehend im Rahmen der medizinischen Versorgung anfallen.

Im **Beschäftigungsbereich** werden
- im Bedarfsfall die Kosten für eine Umschulung getragen,
- das Risiko der Arbeitslosigkeit abgedeckt, mit einem Anrecht auf alle entsprechenden Leistungen.

Die Rubrik **"Sonstiges"** umfaßt vor allem den Schutz sozial Benachteiligter (Bedürftige, Vorbestrafte, Haftentlassene), die Kriegsopferfürsorge und die Sozialhilfe für Opfer von politischen Ereignissen, Gewaltverbrechen oder Naturkatastrophen. In dieser Rubrik werden auch die Leistungen in Verbindung mit dem Mindesteinkommen zur beruflichen Eingliederung (RMI) zusammengefaßt.

QUELLE: Données sociales (Soziale Daten und Informationen) INSEE (Nationales Amt für Statistik und Wirtschaftsforschung). 1993.

Seit ihrer Einführung wurden 32 Milliarden Franc an 950.000 Personen ausgezahlt, so daß mit den Angehörigen insgesamt 1,8 Millionen Menschen in ihren Genuß kamen. Dies entsprach Ende 1994 somit knapp 3 % der französischen Bevölkerung. Ein großer Teil der Bezieher sind junge, alleinstehende Menschen, rund die Hälfte war unter 35 Jahre alt. Die meisten stammen aus einkommensschwachen Familien und haben keinen oder einen niedrigen Bildungsabschluß. Weniger als 10 % haben das Abitur oder eine Universitäts- oder Fachhochschulausbildung. Während die Hälfte keine weiteren Einkünfte bezieht, erhalten andere Familien- oder Wohnbeihilfen oder erzielen geringe Einkünfte durch eine Erwerbstätigkeit.

Der Kampf gegen die Arbeitslosigkeit

Wie die meisten Industriestaaten muß auch Frankreich seit zwanzig Jahren gegen eine zunehmende Arbeitslosigkeit ankämpfen. 3,2 Millionen Menschen sind davon betroffen. Wenig oder gar nicht qualifizierte Beschäftigte sind zwar am häufigsten in der Statistik vertreten; andere Berufsgruppen, besonders mittlere und auch leitende Angestellte, werden jedoch immer stärker erfaßt. Und bei den neu geschaffenen Arbeitsplätzen handelt es sich oft um schlechter bezahlte Tätigkeiten, Zeitarbeit und leicht auflösbare Beschäftigungsverhältnisse.

Der schon Anfang der 70er Jahre aufgenommene Kampf um die Arbeitsplätze wurde zuerst auf wirtschaftlicher, dann auf sozialer Ebene geführt, danach an beiden Fronten gleichzeitig.

Mit Wirtschaftsmaßnahmen wird versucht, die Unternehmen darin zu bestärken, keine Entlassungen vorzunehmen oder noch besser, neue Arbeitsplätze zu schaffen. Zu diesem Zweck ist der Staat bemüht, für ein günstiges Umfeld zu sorgen. Er übernimmt teilweise oder vollständig die Sozialabgaben der Unternehmen, senkt die Gewerbesteuer und die Gewinnbesteuerung bei Neuinvestitionen. Erst kürzlich beschloß die Regierung, die bis dahin von den Unternehmen getragenen Familienbeihilfen in den Staatshaushalt zu übernehmen.

Im Rahmen gesamtgesellschaftlicher Maßnahmen wurden das Rentenalter gesenkt, der vorgezogene Ruhestand ab 55 in allen von der Krise betroffenen Branchen eingeführt, die Wochenarbeitszeit verkürzt, die Halbtags- oder Teilzeitarbeit gefördert und die Maßnahmen für Arbeitslose verstärkt. Durch sie sollen Arbeitslose mit Hilfe von Praktika beruflich weitergebildet und auf verschiedenen Wegen (Arbeitsbeschaffungsmaßnahmen, Praktika zur Einführung in das Berufsleben usw.) wieder in das soziale Leben integriert werden.

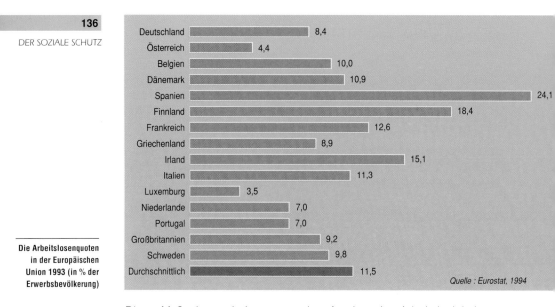

Deutschland	8,4
Österreich	4,4
Belgien	10,0
Dänemark	10,9
Spanien	24,1
Finnland	18,4
Frankreich	12,6
Griechenland	8,9
Irland	15,1
Italien	11,3
Luxemburg	3,5
Niederlande	7,0
Portugal	7,0
Großbritannien	9,2
Schweden	9,8
Durchschnittlich	11,5

Die Arbeitslosenquoten in der Europäischen Union 1993 (in % der Erwerbsbevölkerung)

Quelle : Eurostat, 1994

Diese Maßnahmen haben zwar den Anstieg der Arbeitslosigkeit gebremst und die soziale Ausgrenzung reduziert, doch sie reichen nicht aus, um die Auswirkungen der Rezession und der Produktivitätsgewinne auszugleichen. Seit Anfang 1995 hat der Wirtschaftsaufschwung eine Abnahme der Arbeitslosigkeit mit sich gebracht, aber die Zahl der Langzeitarbeitslosen ist weiter gestiegen. Daher mußte das System der Arbeitslosenunterstützung in den letzten Jahren neu angepaßt werden.

Der Staat wünscht zum Beispiel eine größere Flexibilität, um den Arbeitsmarkt besser den Wirtschaftsschwankungen anpassen zu können. Er veranlaßt Arbeitnehmer und Arbeitgeber zur Vereinbarung von Jahresarbeitszeiten, um Schwankungen der wöchentlichen Arbeitszeit innerhalb eines bestimmten Rahmens (höchstens 48 Stunden) zu ermöglichen. Er fördert auch die Teilzeitarbeit. In bestimmten Bereichen der Touristikbranche kann auch Sonntagsarbeit bewilligt werden. Außerdem erleichtert die Einführung des "Dienstleistungsschecks" Privatpersonen die Einstellung von Haushaltshilfen.

1994 wurden vom Staat und von dem 1958 gegründeten, paritätisch von den Arbeitgeber- und Arbeitnehmerverbänden verwalteten Gesamtverband der Arbeitslosenversicherungskassen (UNEDIC) 240 Milliarden Franc für die Beschäftigungspolitik ausgegeben. Die Arbeitslosenversicherung, die ihre Mittel aus Beiträgen der Arbeitgeber und Arbeitnehmer sowie aus staatlichen Hilfen bezieht, zahlt den Arbeitslosen beitragsabhängig ca. 52 % des früheren Arbeitsentgelts, wobei diese Leistung zeitlich begrenzt und degressiv ist, um die Betroffenen dazu zu bewegen, schneller wieder eine neue Tätigkeit aufzunehmen.

Neue Änderungen

Die Finanzierung des Sozialsystems ist heute aufgrund des schnellen Anstiegs der Ausgaben und der Stagnation der Einnahmen gefährdet. Der Alterungsprozeß in der Bevölkerung belastet nämlich die Renten- und Krankenkassen, während gleichzeitig die Altersstruktur und die zunehmende Arbeitslosigkeit das Beitragsvolumen drücken. Besonders beunruhigend ist diese Situation, weil in keinem Land die Finanzierung des sozialen Schutzes so stark von lohnbezogenen Beiträgen abhängt wie in Frankreich, auch wenn sich der Staat durch Subventionen in zunehmendem Maße daran beteiligt.

Die Suche nach einer ausgewogenen Finanzierung bringt auch Veränderungen des Systems mit sich. Bei den Leistungen für Arbeitslose wird nunmehr unterschieden zwischen dem Bereich, der in den Versicherungsrahmen gehört und die Arbeitslosen betrifft, die schon Beiträge entrichtet haben, und dem Bereich der Solidarität, der all diejenigen betrifft, die das Versicherungssystem verlassen haben oder ihm noch nicht beigetreten sind (Jugendliche, Frauen etc.). Letztere werden mit öffentlichen Mitteln unterstützt.

Was die Alterssicherung betrifft, so war die wichtigste Änderung der 80er Jahre die allgemeine Herabsetzung des Rentenalters auf 60 Jahre. Aber der immer größer werdende Anteil der Renten am Bruttoinlandsprodukt sowie die aus dem Generationenvertrag entstehenden Probleme könnten zur Einrichtung eines ergänzenden Kapitalversicherungssystems auf Rentenbasis führen. Übrigens entrichten schon zahlreiche Arbeitnehmer Beiträge an entsprechende Einrichtungen, um sich eine Zusatzrente zu sichern. Um die finanzielle Belastung zu senken, hat der Staat 1993 das Rentenberechnungsverfahren geändert. Die Renten werden schrittweise auf der Grundlage einer vierzigjährigen Arbeitszeit (statt 37,5 Jahre) und der 25 Jahre mit dem höchsten Arbeitsentgelt (statt 10 Jahre) berechnet.

Die 1991 eingeführte allgemeine soziale Pflichtabgabe (CSG) ist kennzeichnend für das neue Verfahren, das neben den einbehaltenen Lohnabgaben auch einen Teil des Steueraufkommens mit in die Finanzierung der sozialen Sicherheit einbezieht, wobei alle Einkommensformen, auch Kapitalerträge, erfaßt werden. Darüber hinaus zeichnen sich zwei weitere Entwicklungen ab. Erstens scheint es nunmehr unausweichlich, daß immer mehr Bürger private Vorsorge hinsichtlich der Altersversorgung und der Krankenversicherung treffen, obwohl dies zu sozialen Ungleichheiten führen kann. Zweitens werden Solidaritätsfonds eingerichtet, besonders für die Altersversorgung, aber auch für Risiken wie z.B. AIDS oder Behinderung oder auch für Alleinerziehende. So kann zwischen den Fällen, die in den Bereich der gesetzlichen Sozialversicherung gehören, und denen, die aus öffentlichen Mitteln unterstützt werden müssen, unterschieden werden.

Im Dezember 1995 stellte die Regierung einen ehrgeizigen Plan zur Reform des sozialen Schutzes vor, der unter anderem die Ausweitung seiner Finanzierung auf andere Einkommen als Löhne und Gehälter, die Einbindung des Parlaments in die Definition des Sozialhaushalts der Nation und die schrittweise Verschmelzung der verschiedenen Sozialversicherungssysteme zu einem umfassenden System vorsieht, das einen angemessenen Schutz für alle Bürger gewährleistet.

Für weitere Informationen:

Ministère des Affaires sociales, de la santé et de la ville - SESI, *Annuaire des statistiques sanitaires* et sociales, 1995
"Protection sociale en Europe et compétition mondiale", *Futuribles*, décembre 1992
"Protection sociale", *Données sociales*, INSEE, 1994
"Santé: les voies de la réforme", *L'observateur de l'OCDE*, n° 179, décembre-janvier 1993
"Solidarité-Santé": 10 ans de protection sociale", dossier n° 2, *Etudes statistiques* SESI, avril-juin 1992
"La protection sociale", La Documentation française (Les Notices), 1995.

Die Verteilung der Gesundheitsausgaben nach Sektor (links) und nach Finanzierung (rechts)

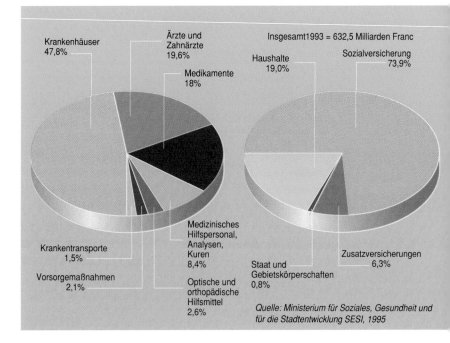

Krankenhäuser 47,8%

Ärzte und Zahnärzte 19,6%

Medikamente 18%

Insgesamt 1993 = 632,5 Milliarden Franc

Haushalte 19,0%

Sozialversicherung 73,9%

Krankentransporte 1,5%

Vorsorgemaßnahmen 2,1%

Medizinisches Hilfspersonal, Analysen, Kuren 8,4%

Optische und orthopädische Hilfsmittel 2,6%

Staat und Gebietskörperschaften 0,8%

Zusatzversicherungen 6,3%

Quelle: Ministerium für Soziales, Gesundheit und für die Stadtentwicklung SESI, 1995

11

Der Umweltschutz

Die meisten entwickelten Länder betreiben erst seit rund 20 Jahren eine Umweltschutzpolitik. Frankreich hat als eines der ersten Länder ein Ministerium für Umwelt- und Naturschutz eingerichtet (1971). Aber schon zuvor waren umweltpolitische Maßnahmen getroffen worden, z.B. das Gesetz zur Einrichtung von Nationalparks (1960) oder das Gewässerschutzgesetz (1964), das seiner Zeit weit voraus war und finanzielle Anreize schuf, die auf dem Verursacherprinzip beruhten.

Zwischen 1970 und 1990 beschäftigte sich die französische Umweltpolitik in erster Linie damit, Gesetze zu erarbeiten und Einrichtungen für die Gebiete Abfallwirtschaft (1976), Luftreinhaltung (1981) oder Energieeinsparung (1982) zu schaffen. Diese Einrichtungen wurden 1990 in der Agentur für Umweltschutz und Energieeinsparung (ADEME) zusammengefaßt, und Ende desselben Jahres wurde im Parlament ein Nationaler Plan für den Umweltschutz verabschiedet.

Heute beschäftigt das Umweltministerium 2.400 Menschen in seiner Zentralverwaltung und den territorialen Nebenstellen. Sein Haushalt wird regelmäßig erhöht und belief sich 1994 auf 1,6 Mrd. Franc (30 Mio. Dollar). Darin sind nicht die Mittel enthalten, die andere Verwaltungen, öffentliche Einrichtungen und Gebietskörperschaften für den Umweltschutz ausgeben und die insgesamt 63,6 Mrd. Franc (11,5 Mrd. Dollar) ausmachen. Den größten Anteil davon (49,5 Mrd. Franc) tragen die Gebietskörperschaften und hier vor allem die Kommunen, die neben dem Staat am meisten mit Umweltproblemen befaßt sind. Zählt man die Ausgaben der Industrie und der Haushalte hinzu, so belaufen sich die jährlich für den Umweltschutz ausgegebenen Summen auf 139 Mrd. Franc (25 Mrd. Dollar).

Das Land verfügt heute über ein relativ vollständiges System von Gesetzen und Verordnungen. Der im März 1993 eingerichtete interministerielle Umweltausschuß sorgt dafür, daß der Umweltschutz in allen staatlichen Dienststellen stärker berücksichtigt wird. Die 26 regionalen Umweltdirektionen (DIREN), die 1991 eingerichtet wurden (davon 4 in den Überseegebieten) übernehmen die Aufgabe als Gesprächspartner auf der lokalen Ebene.

Das Umweltministerium verfolgt in erster Linie eine Politik der Schadensvorbeugung und nicht der Schadensbeseitigung und setzt bei der Verfolgung seiner Ziele vorrangig auf Verständigung und Absprache.

Mit dem Dezentralisierungsgesetz von 1983 wurde den Gebietskörperschaften eine wesentliche Rolle bei der Stadtplanung und -entwicklung übertragen. Die Bereiche Trinkwasserversorgung, Sanierungsmaßnahmen, Bodennutzung, Sammlung und Verwertung von Hausmüll sowie Verkehrsplanung fallen seither in die Zuständigkeit der Kommunen. Die Ausgaben für den Umweltschutz, insbesondere für die Wasser- und Abfallwirtschaft, steigen unaufhörlich. Immer mehr mittlere und große Städte haben spezielle Dienstleistungen eingerichtet, etwa hundert haben einen städtischen Umweltplan aufgestellt oder eine Umweltcharta verabschiedet, um eine umfassende Bewirtschaftung im Rahmen einer anhaltenden Entwicklung zu ermöglichen.

Auch die Bürger beteiligen sich aktiv am Umweltschutz. In den vergangenen 15 Jahren sind rund 40.000 Vereine und Initiativen entstanden (von denen 1.500 wirklich aktiv sind), die sich den Schutz des Lebensraums und der Natur zur Aufgabe gemacht haben. Die von den Behörden anerkannten Vereine gelten als offizielle Partner der staatlichen Politik und erhalten Zuschüsse (Dekret vom 7. Juli 1977). Sie haben ihre ursprünglich defensive Haltung aufgegeben und verfolgen heute eine Politik des Dialogs.

Frankreichs Vorgehen im internationalen Rahmen

Der Schutz der Umwelt wurde im Laufe der Zeit als eine Notwendigkeit erkannt, die über die Grenzen eines einzelnen Staates hinausgeht und manchmal sogar globale Dimensionen annimmt. Diese Erkenntnis hat zu vielen internationalen Verträgen, Richtlinien und Konventionen geführt. Frankreich ist auf europäischer Ebene durch über 100 und weltweit durch rund 30 gebunden und hat in einigen Fällen die Initiative übernommen:

- bei der Verabschiedung der Erklärung von Den Haag über den Schutz der Erdatmosphäre am 11. März 1989 durch 24 Staaten;

- mit dem Vorschlag, die Antarktis als Naturschutz- und Forschungsgebiet anzusehen;

- mit der Ausrichtung des 15. Gipfeltreffens der Industrieländer mit dem Themenschwerpunkt Umweltschutz am 16. Juli 1989 in Paris;

- bei der Schaffung des Weltfonds für Umweltschutz auf Initiative Frankreichs und Deutschlands zur Unterstützung der Entwicklungsländer;

- bei der Einrichtung einer Schutzzone für Wale im Umkreis der Antarktis, die Frankreich seit 1992 vorgeschlagen hat.

Frankreich hat auch an der zweiten UN-Konferenz für Umwelt und Entwicklung im Juni 1992 in Rio de Janeiro teilgenommen, die 20 Jahre nach der ersten in Stockholm stattfand, und hat die beiden Konventionen über den Schutz des Klimas und der Artenvielfalt ratifiziert (im Januar bzw. Juni 1994). Nach den Verhandlungen in Paris hat Frankreich die Konvention über die Versteppung unterzeichnet (Oktober 1994). Und in dem Bestreben, den ärmsten Ländern zu helfen, hat es ein Programm zur Förderung erneuerbarer Energien für Afrika in Gang gebracht, um den Folgen der massiven Abholzung entgegenzuwirken.

Die Berücksichtigung der mittel- und langfristigen Erfordernisse wird, in wirtschaftlich schwierigen Zeiten, allen Bürgern Anstrengungen abverlangen, damit der Schutz der Umwelt, der Lebensqualität und vor allem die Sicherung der Zukunft nachfolgender Generationen gewährleistet werden kann. Im Hinblick auf das letztgenannte Ziel hat Präsident Mitterrand am 24. März 1993 einen "Rat für die Rechte künftiger Generationen" unter Vorsitz von Jacques Cousteau geschaffen.

Der Schutz der Erdatmosphäre

Als Beitrag zu den weltweiten Anstrengungen hat Frankreich 1990 eine Interministerielle Mission zum Treibhauseffekt eingerichtet.

Da Frankreich keine nennenswerten fossilen Energiequellen besitzt, hat es seine Energiepolitik auf einem umfangreichen Atomstromprogramm aufgebaut, das zwar einerseits das Problem der Abfallentsorgung aufwirft, auf der anderen Seite aber zwischen 1980 und 1988 zu einer Reduzierung des Ausstoßes an Kohlendioxid um ein Drittel geführt hat. Die Zunahme des Verkehrs wirkt zwar dieser Entwicklung entgegen, aber mit 1,9 Tonnen jährlich pro Einwohner gehört Frankreich weiterhin zu den Industrieländern mit dem geringsten Ausstoß an Kohlendioxid (CO_2).

Zum Schutz der Ozonschicht nimmt Frankreich an den Verhandlungen über das Montrealer Protokoll teil, das im Januar 1989 ratifiziert wurde und in dem ursprünglich vorgesehen war, die Produktion von Fluorchlorkohlenwasserstoffen (FCKW) bis zum 1. Januar 2000 vollständig einzustellen. Frankreich und seine europäischen Partner haben sich später auf den 1. Januar 1995 geeinigt.

Das vollautomatische
Schienenfahrzeug *VAL*
von Matra ist ein um-
weltfreundliches Ver-
kehrsmittel

In Frankreich selbst ist die Schwefeldioxidbelastung zurückgegangen, die Bleibelastung gleich geblieben, und bei den Stickstoffoxiden wurde punktuell eine erhöhte Konzentration festgestellt, die auf den Autoverkehr zurückzuführen ist. Strengere Kontrollen alter Fahrzeuge, Anreize von seiten der Regierung wie die "Verschrottungsprämie" sowie die Einführung des Katalysators, der seit 1. Januar 1993 für alle Neuwagen Pflicht ist, und des bleifreien Benzins waren nicht ausreichend. Daher wird auf dem Gebiet weniger schädlicher Ersatztreibstoffe wie Erd- oder Flüssiggas geforscht, und die Entwicklung des Elektroautos wurde erneut in Angriff genommen.

Rund 1.500 Einrichtungen auf französischem Boden unterliegen einer Sonderabgabe, deren Höhe sich nach der ausgestoßenen Schadstoffmenge richtet. Mit diesen Einnahmen wird die Entwicklung von Techniken zur Schadstoffbeseitigung und zur Verminderung des Schadstoffausstoßes entwickelt sowie zur Überwachung der Luftreinhaltung finanziert.

Zur Kontrolle der Luftverschmutzung in den Städten hat Frankreich ein System von ca. 30 Meßstationsnetzen eingerichtet, die überall im Land automatisch die Schadstoffbelastung der Luft messen und reagieren, sobald die Grenzwerte überschritten werden. Sie werden von den beteiligten lokalen Stellen, die sich in Zweckverbänden zusammengeschlossen haben, gemeinsam betrieben.

Wasser - eine erhaltenswerte Ressource

Im Vergleich zu anderen Ländern ist Frankreich bevorzugt, da es reichliche Wasserreserven besitzt, die auf 1.000 Mrd. m^3 geschätzt werden. Sie sind jedoch ungleich im Land verteilt, und sie sind gefährdet. Zum Schutz der Gewässer wurden vor rund 30 Jahren entsprechend den großen Gewässerbecken sechs Wasserwirtschaftsbehörden eingerichtet, die dem Umweltministerium unterstehen, aber finanziell unabhängig sind. Ihre Einnahmen stammen aus den Abgaben der Verbraucher, die sich nach der Menge des verbrauchten Wassers bzw. der eingeleiteten Schadstoffe richten. Diese Gelder werden dann als Anleihen oder Zuschüsse vergeben, z. B. um ein Unternehmen beim Bau oder bei der Verbesserung einer Abwasseraufbereitungsanlage zu unterstützen. Obgleich das System auf dem Verursacherprinzip beruht, versuchen die Wasserwirtschaftsbehörden immer, über Absprachen zu einer Regelung zu gelangen. Eine wichtige Rolle hierbei spielen die "Gewässerausschüsse", in denen alle Beteiligten zu Wort kommen können. Das Gewässerschutzgesetz von 1964 wurde im Januar 1992 überarbeitet, und die Rolle der Gebietskörperschaften bei der Unterhaltung der Wasserläufe wurde gestärkt. Außerdem wurde der Grundsatz bestätigt, daß die Gewässer Teil des gemeinsamen nationalen Erbes sind.

Ziel ist, die Qualität der insgesamt 277.000 km langen Wasserläufe wiederherzustellen. Dank der Wasserwirtschaftsbehörden konnten in den vergangenen 20 Jahren gute Erfolge erzielt werden: Die Unternehmen haben ihre Schadstoffeinleitungen um mehr als 70 % reduziert. Die Regierung strebt an, bis zum Ende des Jahrhunderts die Einleitung aller toxischen Stoffe zu unterbinden.

In Regionen mit intensiver Landwirtschaft ist auch das Grundwasser belastet. Ein nationales Programm soll die Landwirte mobilisieren und dazu bringen, bestimmte Praktiken, wie die übermäßige Düngung mit Schweinegülle oder Kunstdünger, zu überdenken.

Einen weiteren Beitrag zum Gewässerschutz leistet Frankreich im Rahmen der europäischen Richtlinie von 1991, nach der die Kanalisierung und Aufbereitung der Haushaltsabwässer bis spätestens 2005 sicherzustellen ist.

Ein Baggerschiff auf der Seine

Die Politik zum Schutz der Gewässer hat für Frankreich große Bedeutung. Seit 1992 wurden die Hilfen und Investitionen in diesem Bereich beträchtlich erhöht. So sind die Wasserwirtschaftsbehörden mit 39,1 Mrd. Franc (7 Mrd. Dollar) an den 90,7 Mrd. Franc (16,5 Mrd. Dollar) beteiligt, die für entsprechende Arbeiten im Zeitraum 1992-1996 ausgegeben werden.

Der Schutz der Meere und der Küsten

Frankreichs Küsten sind 5.500 km lang. Zählt man die Übersee-Gebiete hinzu, so besitzt das Land das drittgrößte Seegebiet der Welt (11 Mio. km^2). Jährlich besuchen Millionen von Touristen die französischen Küsten, und 663 Gemeinden unterhalten bewachte Badestrände. Im Laufe eines Jahres werden 21.000 Meerwasserproben analysiert, damit gewährleistet ist, daß die in einer EU-Richtlinie festgelegten Grenzwerte nicht überschritten werden. Vor Beginn der Badesaison entwickelt sich jedes Jahr ein regelrechter Wettbewerb um die beste Wasserqualität.

Mit dem Ausbau der Kläranlagen der Küstenstädte verbesserte sich die Qualität der Badegewässer deutlich, und heute messen 86,5 % der Kontrollpunkte Werte, die den Normen entsprechen.

1975 wurde das Küstenschutzamt (*conservatoire du littoral*) eingerichtet, zu dessen Aufgaben die Erhaltung naturnaher Lebensräume an den französischen Küsten gehört. Das Amt erwirbt zu diesem Zweck Grundbesitz am Meer oder an großen Gewässerflächen, um deren natürlichen Charakter in seiner Ganzheit und Vielfalt zu bewahren. Mittlerweile sind 43.623 ha auf einer Küstenlänge von über 500 km im Besitz dieser Behörde, die auch für die Übersee-Departements zuständig ist.

Legen einer Sperre gegen die Verschmutzung durch ausgelaufenes Öl in der Bretagne

Man kann zwar nicht die gesamte französische Küstenlandschaft sperren, jedoch sind in manchen Gebieten besondere Schutzmaßnahmen erforderlich. So wurden z. B. durch das Gesetz vom

3. Januar 1986, das 1989 verschärft wurde, in 1.124 Gemeinden Flächen als "bedeutend" ausgewiesen, die nur begrenzt oder gar nicht baulich erschlossen werden dürfen.

Der Natur- und Landschaftsschutz

Frühere Generationen haben Landschaften und Lebensräume geprägt, und einige von ihnen wurden von der UNESCO als Weltkulturerbe klassifiziert. In Frankreich sind es rund 20, darunter der Mont-Saint-Michel.

Die Vielfalt naturnaher Lebensräume spiegelt sich in dem Reichtum ihrer Wildpflanzen und Wildtiere wieder. Frankreich hat bereits 1976 ein Naturschutzgesetz verabschiedet. Seit 1982 wurden mehr als 14.000 Flächen als "Zonen, die wegen ihrer Flora und Fauna von besonderem ökologischem Interesse sind" ausgewiesen und untersucht; die meisten von ihnen liegen in Feucht- oder Waldgebieten. Um die EU-Richtlinie "Habitat" vom 21. Mai 1992 umzusetzen, setzt Frankreich diese erste Datenerhebung fort. Bis zum Jahr 2004 sollen in dem europäischen Biotopverbundsystem "Natura 2000" alle interessanten Flächen zusammengefaßt und die Gewährleistung ihrer biologischen Vielfalt sichergestellt werden.

Einige gefährdete Arten erfordern allerdings besondere Schutzmaßnahmen. So ist der Lachs, der aus den meisten Flüssen völlig verschwunden war, dank der Wiederherstellung von Laichgebieten, dem Bau von Lachsleitern und der Ansiedlung von Setzlingen wieder heimisch geworden.

1994 unterzeichneten das Umweltministerium und die betroffenen Kommunen eine Charta zum Schutz der letzten Pyrenäen-Bären, deren schrittweise Wiederansiedlung ebenfalls vorgesehen ist.

Zum Landschaftsschutz und zur Landschaftspflege (nach dem Gesetz vom 8. Januar 1993) gehört auch die Gestaltung der Stadtränder, die häufig durch das ungeordnete Nebeneinander von Reklametafeln, Fabriken und Supermärkten verunstaltet sind, oder die Verlegung von Stromleitungen unter die Erde, also ganz allgemein eine stärkere Berücksichtigung der Landschaft als Einheit.

Das drängendste Problem für die Zukunft stellen die ländlichen Gebiete dar. Sowohl die immer stärker industrialisierte Landwirtschaft als auch die anhaltende Landflucht haben schädliche Folgen für die Erhaltung der traditionellen landwirtschaftlichen Flächen. Hier sind schnelle Lösungen unabdingbar.

Zum besonderen Schutz naturnaher Räume werden bestimmte Gebiete zu Nationalparks erklärt, die nur in den Randgebieten bewohnt sind. Im Mutterland Frankreich gibt es bisher sechs und auf Guadeloupe einen; sechs weitere sind geplant und sollen im Mont-Blanc-Massiv, auf Korsika, in der Bretagne und in Guayana eingerichtet werden.

Bis auf die Insel *Port-Cros* liegen alle Nationalparks im Gebirge. Die 27 regionalen Naturparks dagegen sind über das ganze Land verteilt und liegen in der bretonischen Heidelandschaft der *Monts d'Arée*, den Moorgebieten des Elsässer Belchen, der Camargue, der Seenplatte der *Brenne* oder den Lavendelfeldern des Lubéron. 14 weitere Parks sind geplant. Neben dem Schutz der Umwelt spielt in diesen Gebieten auch die wirtschaftliche Entwicklung eine Rolle.

Darüber hinaus gibt es 114 Naturschutzgebiete, die im Besitz des Staates, von Kommunen oder von Privateigentümern sind und manchmal das letzte Rückzugsgebiet für bedrohte Tier- und Pflanzenarten darstellen. Weitere 40 sind geplant.

Die Abfallpolitik

In allen Industrieländern werden die Mengen an Haushalts- und Industrieabfällen ständig größer. In Frankreich fallen jährlich mehr als 20 Mio. t Haushaltsmüll an. Die Gesamtmenge hat sich in 30 Jahren mehr als verdoppelt und beträgt heute durchschnittlich 358 kg pro Person und Jahr. Dabei liegt der Anteil in den großen Ballungsgebieten wesentlich höher als in ländlichen Gemeinden.

Ein großer Teil dieser Abfälle (53.000 t täglich) wird auf Deponien gebracht. Seit dem 1. Juli 1992 dürfen dort nur noch die Abfälle gelagert werden, die nicht recycelt oder in Müllverbrennungsanlagen entsorgt werden können, sowie die bei der Verbrennung anfallenden Aschen und Rauchreinigungsrückstände, die stark mit Schwermetallen oder anderen Schadstoffen belastet sind.

Täglich werden durchschnittlich 30.000 Tonnen Haushaltsmüll in mehr als 300 Verbrennungsanlagen im ganzen Land entsorgt. In den größten Anlagen wird durch Kraft-Wärme-Kopplung Energie gewonnen.

Neben der Müllvermeidung wird der Wiederverwertung ein hoher Stellenwert eingeräumt. Dazu müssen die Abfälle getrennt gesammelt werden. In fast 18.000 französischen Gemeinden mit insgesamt 45 Mio. Einwohnern stehen spezielle Mülleimer oder Müllcontainer zur Verfügung, in denen Papier und Glas, ja sogar Aluminium, Weißblech, Kunststoff, Altöl oder andere Abfälle getrennt gesammelt werden.

Nach dem Plastik-Recycling hat Frankreich auch bei der Wiederverwertung von Glas beste Ergebnisse erzielt. Die wiederverwertete Glasmenge hat sich in 15 Jahren mehr als verdoppelt und macht heute 35 % aus. Seit dem 1. Januar 1993 muß die Industrie Verpackungsmüll entweder vermeiden oder einen entsprechenden finanziellen Beitrag für die Entsorgung entrichten. Angestrebt wird eine Wiederverwertungsrate von 75 % bis zum Jahr 2002.

Das Gesetz vom 13. Juli 1992 legt fest, daß jedes Departement bis 1996 einen Plan zur Vermeidung von Haus- und Industrieabfällen vorlegen soll. Von den rund 150 Mio. Tonnen Industriemüll können 100 Mio. Tonnen als Aufschüttungsmaterial benutzt werden, 40 Mio. Tonnen können dem Hausmüll beigemengt werden, der Rest enthält toxische oder gefährliche Stoffe und muß als Sondermüll entsorgt werden.

Für die Entsorgung von Sondermüll gibt es verschiedene Verfahren: Er wird entweder verbrannt, durch physikalisch-chemische Behandlung entgiftet oder - das gilt für die Hälfte - auf eine der 11 Sondermülldeponien gebracht. Ab 2002 können auch dort nur noch die nicht verwertbaren Abfälle gelagert werden. Das neue Gesetz sieht für jede Anlage, in der Abfälle aufbereitet oder gelagert werden, einen lokalen Informations- und Kontrollausschuß vor, in dem auch Anlieger und Initiativen vertreten sind.

Abfuhr des sortierten Mülls im Städteverband Lille

Trotz dieser Vorschriften gibt es noch ehemalige illegale Deponien. Über 500 sind bekannt und werden nach und nach saniert. Das neue Gesetz verbietet nicht nur solche Praktiken, sondern auch das Einführen von Hausabfällen zur Lagerung in Frankreich (1991 mehrere Hundert Millionen Tonnen). Die Grenzkontrollen wurden entsprechend verschärft, und seit dem 1. April 1993 wird eine Abgabe für die Lagerung von Abfällen erhoben.

Wirtschaft, Forschung und Entwicklung

Die Rolle der Umwelt wird jetzt auch in dem Plan zur Wiederankurbelung der Wirtschaft des Landes berücksichtigt. 1994 brachten die Franzosen mehr als 1 % des Bruttoinlandsprodukts für den Umweltschutz auf.

Die Unternehmen sind angehalten, "Umweltschutzpläne" in ihr Unternehmenskonzept zu integrieren. Der eigentliche Fortschritt besteht nicht nur in der Beseitigung der Umweltverschmutzung durch den Einbau von Filtern, Entstaubungs- oder Kläranlagen, sondern in der Anwendung einer "sauberen Technologie". Das Amt für Umweltschutz und Energieeinsparung (ADEME) hat zu diesem Zweck für den Zeitraum 1992-1996 ein Budget von 400 Mio. Franc (72 Mio. Dollar) zur Verfügung gestellt. Die Produkte selbst müssen "Öko-Produkte" werden, die weder bei der Herstellung noch beim Gebrauch oder bei der Vernichtung die Umwelt gefährden. Das 1991 eingeführte französische Umweltschutzzeichen *NF Environnement* bezieht auch den Rohstoff eines Produkts ein und verlangt eine vorherige Ökobilanz als Bestandsaufnahme der Auswirkungen des Produkts auf die Umwelt.

Der Umsatz der "Öko-Industrien" lag 1994 bei über 110 Mrd. Franc (20 Mrd. Dollar), wobei die Bereiche Wasser- und Abfallwirtschaft die besten Ergebnisse erzielten.

Die sogenannten "Öko-Berufe" stellen 270.000 Arbeitsplätze. In ländlichen Gebieten scheint der Bedarf künftig noch größer zu werden, da viele Menschen abwandern und Arbeitskräfte für die Pflege von Flußläufen oder Wanderwegen benötigt werden. Im Rahmen von Arbeits-

Die Stadt La Rochelle hat 10 Exemplare des Peugeot 106 mit Elektromotor angeschafft, der 1995 in den Handel kommt

platzbeschaffungsmaßnahmen hat die Regierung 300 Mio. Franc (54 Mio. Dollar) für 35.000 neue "grüne Arbeitsplätze" zur Verfügung gestellt.

Eine wirkungsvolle Umweltpolitik braucht als Grundlage eine hochrangige Forschung und Entwicklung. 4,5 % der öffentlichen Forschungsausgaben fließen in diesen Bereich, und fast 4.000 Forscher und Ingenieure arbeiten in international renommierten Teams vor allem auf den Gebieten Klimaschutz, Luftreinhaltung, Sicherheit und Hydrogeologie.

Aber anders als z.B. die Vereinigten Staaten oder Japan verfügt Frankreich über keine große Forschungseinrichtung, die sich speziell mit dem Umweltschutz beschäftigt. Umweltfragen werden in Hunderten von Universitätslabors und Forschungseinrichtungen wie dem Nationalen Zentrum für wissenschaftliche Forschung (CNRS), dem Museum für Naturkunde, dem Nationalen Institut für Gesundheits- und medizinische Forschung (INSERM), dem Nationalen Institut für Landwirtschaftsforschung (INRA), dem Büro für Geologie- und Bergbauforschung (BRGM), dem Französischen Forschungsinstitut für Entwicklungszusammenarbeit (ORSTOM), dem Französischen Meeresforschungsinstitut (IFREMER), dem Nationalen Zentrum für Agrar-, Wasser- und Holztechnik (CEMAGREF), dem französischen Wetteramt, dem Nationalen Zentrum für Raumfahrtforschung (CNES) u. v. a. behandelt. Die einzige Ausnahme bildet das Nationale Forschungsinstitut für Umweltschutz und Umweltgefahren in der Industrie (INERIS), das auf die Analyse und Messung von Umweltgefahren, die Entwicklung von Verfahren zur Begrenzung des Schadstoffausstoßes und die Erarbeitung von Grenzwerten spezialisiert ist.

Ein anderes wichtiges Instrument der Umweltpolitik ist das 1991 gegründete Französische Umweltinstitut (IFEN), das in Verbindung mit allen betroffenen Organisationen Umweltdaten sammelt und verarbeitet. Es entspricht auf der nationalen Ebene der Europäischen Umweltagentur, die ihren Sitz in Kopenhagen hat.

Eine neue Sichtweise

Neben diesem globalen Vorgehen besteht der tatsächliche Fortschritt in der Absprache bei Raumordnungsfragen. Große Infrastrukturprojekte wie der Bau von Autobahnen oder Hochgeschwindigkeitsverbindungen werden in breiterem Rahmen demokratischer diskutiert. Von 6.000 Umweltverträglichkeitsprüfungen, die in Frankreich jährlich durchgeführt werden, beziehen sich 300 auf Infrastrukturprojekte (einschließlich Hochspannungsleitungen). Mit dem Dekret vom 25. Februar 1993 wurde der Bereich für Verträglichkeitsprüfungen ausgedehnt. Auch die öffentlichen Untersuchungen, die vor dem Bau einer Straße, einer Autobahnteilstrecke oder eines Streckenabschnitts für den Hochgeschwindigkeitszug obligatorisch sind, sollen transparenter gestaltet werden.

Im übrigen entstehen in allen erdenklichen Bereichen Bürgerinitiativen, die Umweltbewußtsein zu einem neuen gesellschaftlichen Wert erheben. So fühlten sich von der Aktion "1000 Herausforderungen für meinen Planeten" (1993) über 120.000 junge Menschen angesprochen. Und schon 1994 absolvierten 250 Wehrpflichtige ihren Dienst im Umweltschutz, der seit 1995 als Zivildienst gilt.

Der Umweltschutz wird in Frankreich zur Angelegenheit aller Bürger.

Für weitere Informationen:

Atlas des risques majeurs, écologie, environnement, nature, Paris, 1992
M. Barnier, *Chacun pour tous*, Paris, 1990
Ministère de l'Environnement, *Les données économiques de l'environnement*, Paris, La Documentation française, 1992-1993
Ministère de l'Environnement - IFEN, *L'environnement en France*, Paris, 1994-1995
OECD, *Rapport sur l'état de l'environnement* sowie *Les indicateurs de l'environnement, Paris, 1994*.

WIRTSCHAFT

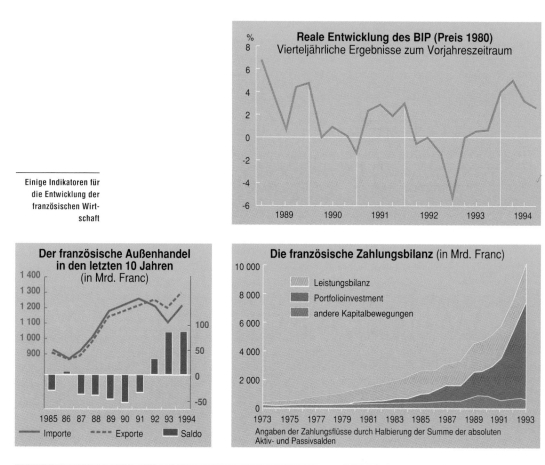

Reale Entwicklung des BIP (Preis 1980)
Vierteljährliche Ergebnisse zum Vorjahreszeitraum

%

1989 1990 1991 1992 1993 1994

Einige Indikatoren für
die Entwicklung der
französischen Wirt-
schaft

**Der französische Außenhandel
in den letzten 10 Jahren**
(in Mrd. Franc)

1985 86 87 88 89 90 91 92 93 1994

—— Importe   - - - - Exporte   ▮ Saldo

Die französische Zahlungsbilanz (in Mrd. Franc)

Leistungsbilanz
Portfolioinvestment
andere Kapitalbewegungen

1973 1975 1977 1979 1981 1983 1985 1987 1989 1991 1993

Angaben der Zahlungsflüsse durch Halbierung der Summe der absoluten
Aktiv- und Passivsalden

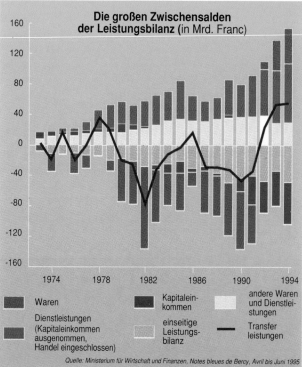

**Die großen Zwischensalden
der Leistungsbilanz** (in Mrd. Franc)

1974 1978 1982 1986 1990 1994

▮ Waren

Dienstleistungen
(Kapitaleinkommen
ausgenommen,
Handel eingeschlossen)

▮ Kapitalein-
kommen

einseitige
Leistungs-
bilanz

andere Waren
und Dienstlei-
stungen

—— Transfer
leistungen

Quelle: Ministerium für Wirtschaft und Finanzen, Notes bleues de Bercy, Avril bis Juni 1995

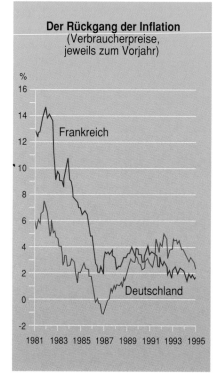

Der Rückgang der Inflation
(Verbraucherpreise,
jeweils zum Vorjahr)

%

Frankreich

Deutschland

1981 1983 1985 1987 1989 1991 1993 1995

12

Die Wirtschaftspolitik

Mit einem Bruttoinlandsprodukt (BIP) von 7.089 Mrd. Franc (1.288 Mrd. Dollar) ist Frankreich weltweit fünftstärkste Wirtschaftsmacht und viertgrößter Exporteur. Der Lebensstandard der Franzosen gehört zu den höchsten der Welt. Diese Stellung Frankreichs ist vor allem zurückzuführen auf die Entwicklung, die Wirtschaft und Handel durch fast 40jährige aktive Teilnahme am Aufbau Europas erfahren haben. Denn diese Integration in eine große Wirtschaftsstruktur hat in der ersten Zeit ein spektakuläres Wachstum der landwirtschaftlichen Produktion in Frankreich hervorgerufen. Sie hat ebenfalls zur Restrukturierung der Industrie, zur Mobilisierung des Kapitals zu Gunsten von Forschung und Entwicklung sowie zur Schaffung eines breit gefächerten Dienstleistungsbereichs beigetragen.

Die wesentliche Rolle des Handels

Als große Kolonialmacht war Frankreich vom 19. Jahrhundert an bis zum Anfang der 60er Jahre dieses Jahrhunderts im Welthandel nicht stark integriert. Im Jahr 1958 betrug der Exportanteil nur 9 % des Bruttoinlandsproduktes, und der Handel mit den ehemaligen Kolonien machte immer noch ein Viertel der Importe und fast ein Drittel der Exporte aus. Vom Ende des Zweiten Weltkrieges an bis zum Jahr 1958 wurde die Industrie wiederaufgebaut und modernisiert. Der Staat spielte dabei eine große Rolle: Er übernahm die großen Banken, die Kohlenbergwerke, die Gas- und Elektrizitätsversorgung und durch die Verstaatlichung von Unternehmen wie Renault auch einen Teil der Industrie. Die starke Inlandsnachfrage förderte das Wachstum, das in den 50er Jahren 4,6 % jährlich erreichte.

Von 1958 bis 1973 beschleunigte sich das Wachstum mit einer jährlichen Wachstumsrate von 5,5 %, im Vergleich zu 4,8 % in der Bundesrepublik Deutschland und 3,9 % in den USA. Nur Japan erreichte eine höhere Wachstumsrate. Das Bruttoinlandsprodukt verdoppelte sich real in diesem Zeitraum, und die Industrieproduktion erhöhte sich in einem

Jahresrhythmus von 5,7 %, wodurch Frankreich weltweit hinter Japan und Italien den dritten Platz bei der Wachstumsquote erreichte.

Die Entkolonialisierung und schließlich der Beitritt zur Europäischen Gemeinschaft für Kohle und Stahl (EGKS) im Jahr 1951 und zur Europäischen Wirtschaftsgemeinschaft (EWG) im Jahr 1957 führten zu einer Umstrukturierung der Wirtschaft und durchbrachen die handelspolitische Isolation Frankreichs. 1973 betrug der Handel mit den Ländern der Franc-Zone (die ehemaligen Kolonien) nur noch 3,5 % der Importe und 5,1 % der Exporte. Dagegen belief sich der Anteil des Außenhandels mit den Industriestaaten auf mehr als 76 %, wobei 55 % des Handelsverkehrs im Rahmen der EWG stattfanden. Die Landwirtschaft und die Industrie wurden weiter modernisiert. Der Staat baute die Verkehrsinfrastrukturen, insbesondere Autobahnen, aus und unterstützte große Industrieprogramme wie Luftfahrt und Atomenergie. Das wirtschaftliche Ungleichgewicht zwischen Paris und der Provinz verringerte sich dank der industriellen Dezentralisierung und der Einführung einer Raumordnungspolitik.

Der autonome Hafen von Le Havre: Auch Supertanker können direkt im Hafen anlegen

Das "Floaten" der Währungen (zurückzuführen auf die Aufhebung der Goldkonvertibilität des Dollar 1971) und die erste Ölkrise (1973) führten zum Ende der "ruhmreichen Dreißig" (1945-1975). Die Wachstumsrate verringerte sich unter starken Schwankungen von Jahr zu Jahr. Frank-

reich stand einer doppelten Konkurrenz gegenüber: den USA und Japan bei Spitzentechnologien und den Entwicklungsländern bei den arbeitskräfteintensiven Industrien. Zur Verbesserung ihrer Wettbewerbsfähigkeit erhöhten die Unternehmen die Produktivität und verringerten den Personalbestand. Wie auch in den anderen europäischen Ländern schlug sich der Stellenabbau in der Industrie in einer Zunahme der Arbeitslosigkeit nieder, da infolge der Modernisierung im Dienstleistungssektor weniger Arbeitsplätze entstanden. Frankreichs Wirtschaft öffnete sich weiter vor allem auf die EG-Staaten. Die Exporte machten durchschnittlich 27 % des BIP aus; das war weniger als in Deutschland, aber mehr als in den USA und Japan.

Ein günstiges
europäisches Umfeld

Der Aufbau Europas hat die französische Wirtschaft nachhaltig beeinflußt. Die Unternehmen mußten große Anstrengungen auf sich nehmen, um neuen Konkurrenten besser entgegentreten und auch, um die Möglichkeiten dieses großen Marktes nutzen zu können. Der freie Verkehr von Personen, Waren, Dienstleistungen und Kapital, der 1993 im Rahmen des Binnenmarktes eingeführt wurde, hat den französischen Unternehmen einen Handelsraum mit 348 Millionen Verbrauchern eröffnet. Insgesamt gesehen hat die Zugehörigkeit zur EG der Wirtschaft insgesamt, insbesondere der Landwirtschaft, der Industrie, dem Verkehrswesen sowie den Dienstleistungen und besonders dem Finanzbereich, ein hohes Maß an Dynamik verliehen. Die Gemeinsame Agrarpolitik (GAP) wurde für Frankreich zum bedeutsamen Modernisierungsfaktor. Der mit der Durchführung der GAP beauftragte Europäische Ausgleichs- und Garantiefonds für die Landwirtschaft (EAGFL) vergibt umfangreiche Hilfen für die Nutzung von landwirtschaftlichen Flächen, die Modernisierung der landwirtschaftlichen Betriebe und die Verbesserung der Anbauflächen. Er unterstützt auch regelmäßig die Gebirgslandwirtschaft und weitere benachteiligte Regionen. Im Industriebereich hat insbesondere der freie Waren- und Kapitalverkehr die französischen Unternehmen belebt. Die Folge waren höhere Investitionen, eine große Kapitalkonzentration und mehr Niederlassungen im Ausland.

Ohne eine enge währungspolitische Zusammenarbeit zur Stabilisierung der Wechselkurse bei der wachsenden Verflechtung der europäischen Volkswirtschaften und bei freiem Kapitalverkehr kann der Binnenmarkt praktisch nicht funktionieren (Frankreich hat 1993 60 % seines Außenhandels mit seinen Partnern der Europäischen Union verwirklicht, 1980 waren es 51 %). Die Schaffung des Europäischen Währungssystems (EWS) im Jahr 1979 und der Vertrag über die Europäische Union, der am 1. November 1993 in Kraft trat, hat Frankreich ebenso wie seine Partner auf den Weg zur Wirtschafts- und Währungsunion (WWU) gebracht. Dieser Prozeß erfordert einen gewissen Grad an Konvergenz der Volkswirtschaften: Das Haushaltsdefizit und die öffentliche Verschuldung wurden auf 3 % bzw. 60 % des BIP begrenzt, die Inflation und die Zinssätze müssen eingedämmt werden, die Wechselkurse müssen stabilisiert werden etc. Nach der Schaffung des Europäischen Währungsinstituts im Januar 1994 sind später eine Europäische Zentralbank und eine gemeinsame Währung vorgesehen. Nachdem zwischen Januar 1987 und Sommer 1992 im europäischen Währungssystem keine Anpassungen der Leitkurse erfolgt waren, gerieten einige europäische Währungen bis zum Sommer 1993 in Spekulationskrisen, wodurch die Notwendigkeit einer koordinierten Währungspolitik noch offensichtlicher wurde. Der französische Franc hat diesen Spekulationen standgehalten: Die Stabilitätsorientierung Frankreichs und der anderen Länder der Europäischen Union wurde klar bekräftigt.

Eine tiefgreifende Veränderung der Strukturen

Die wirtschaftliche Rolle des Staates ist herausragend. Er ist nicht nur der größte Produzent und der größte Kunde, sondern auch der größte Arbeitgeber: Die Verwaltung beschäftigt rd. 2,16 Millionen Menschen, davon mehr als eine Million im öffentlichen Bildungswesen. Er ist ebenfalls der größte Transportunternehmer und der größte Haus- und Grundbesitzer. Die bedeutende Rolle des Staates hat eine lange Tradition, ihre Anfänge gehen auf Colbert (17. Jh.) zurück.

Der Staat legt die Grundzüge der Wirtschaftspolitik fest und stützt sich dabei auf die 1947 eingeführte Wirtschaftsplanung. Sie hat zwar nur Anregungscharakter und keine bindende Kraft, konnte dennoch die Investitionen in die vorrangigen Bereiche lenken. Die Wirtschaftspläne haben nach und nach zum Wiederaufbau des Landes, zur Modernisierung der Industrie, zur besseren Verteilung der Aktivitäten und zum Aufbau der großen Infrastrukturen beigetragen.

Durch die Beteiligung an Unternehmen greift der Staat in die Produktion ein. Diese Aufgabe wurde 1982 noch verstärkt: Eine Welle von Nationalisierungen zielte darauf ab, den Produktionsapparat zu modernisieren und die Unternehmen neu zu strukturieren. Sie führte ein Viertel der Industrie und 90 % der Bankeinlagen in die Staatswirtschaft. Nach dem Mehrheitswechsel von 1986 (bis 1988) privatisierte die Regierung zwölf Unternehmen. Als im März 1993 dieselbe politische Mehrheit er-

Kampagne für die Privatisierung der *Société Générale* (1993)

neut die Regierung übernahm, wurde ein neues Privatisierungspro-
gramm für 21 große Industrieunternehmen, Banken und Versicherungs-
gesellschaften beschlossen. Heute bekennt sich Frankreich eindeutig
zur liberalen Wirtschaft. Die Rolle des Staates wurde unter Berücksichtigung zweier Feststellungen neu definiert: Die steigenden öffentlichen
Ausgaben lasten zu schwer auf der Abgabenquote, und Ankurbelungs-
programme durch öffentliche Ausgaben haben in einer offenen Wirtschaft nur wenig oder negative Wirkung.

Steigende Leistungsfähigkeit der Unternehmen

Unter diesen Bedingungen haben sich die Unter-
nehmen den neuen Herausforderungen gestellt: Internationalisierung
des Handelsverkehrs, Auftreten neuer Konkurrenten, Berücksichtigung
der Umwelt, Eroberung neuer, sich schnell entwickelnder Märkte, insbesondere in Südostasien. Die französischen Unternehmen bemühen
sich, ihre Wettbewerbsfähigkeit gegenüber der ausländischen Konkurrenz durch Senkung der Produktionskosten zu steigern. Landwirtschaftliche Betriebe sowie Industrie- und Dienstleistungsunternehmen
verfolgen einen seit mehreren Jahrzehnten anhaltenden Konzentrationskurs. Auch wenn diese Konzentration weniger intensiv ist als in
den USA und in Japan, so zählen doch zu den hundert größten
Unternehmen weltweit neun französische, womit Frankreich hinter
Deutschland (14), aber vor Großbritannien (5) und Italien (4) liegt. 25
französische Gruppen erwirtschaften einen Umsatz von über 50 Mrd.
Franc (9 Mrd. Dollar), 40 Unternehmen haben einen Auslandsumsatz von
10 Mrd. Franc (1,8 Mrd. Dollar), davon 10 mehr als 50 Mrd. Franc (9
Mrd. Dollar). Die tausend größten französischen Unternehmen erwirtschaften 38 % des Gesamtumsatzes aller Unternehmen und
beschäftigen 33 % des gesamten Personalbestands, wobei die wirtschaftliche Konzentration in den kapitalintensiven Bereichen größer
ist. Die Anzahl der kleinen und mittelständischen Unternehmen (10
bis 50 Beschäftigte) beläuft sich auf etwa 160.000 im Vergleich zu
275.000 in Deutschland.

In der gewerblichen Wirtschaft verfügen die Unternehmen über qualifizierte Arbeitskräfte. Die im Vergleich zu Deutschland um 25 % niedrigeren Lohnkosten stärken ihre Wettbewerbsfähigkeit - ein Ergebnis
der lohnpolitischen Selbstdisziplin Frankreichs. Das Lohngefälle, das
im Vergleich zu Italien, Spanien und Großbritannien ungünstig ist, wird
ganz oder teilweise durch eine höhere Produktivität aufgefangen. Nach
der intensiven Modernisierung Ende der 70er Jahre sowie in den Jahren
1987/1988 ist die Investitionstätigkeit der französischen Unternehmen
Ende der 80er Jahre regressionsbedingt leicht zurückgegangen. Im
Verhältnis Eigenkapital zu Finanzkapital nimmt Frankreich unter den
wichtigsten Ländern der Europäischen Union einen mittleren Platz ein.

Seit 1983 haben sich die Gewinnspannen der Unternehmen verbessert, was zum Teil auf die Reform der Unternehmensbesteuerung zurückzuführen ist: Der Steuersatz wurde 1983 auf 50 %, 1988 auf 42 % und 1993 schließlich auf 33,3 %, oder auf eines der niedrigsten Niveaus in Industrieländern, gesenkt. Insgesamt hat sich die Wettbewerbsfähigkeit französischer Produkte im Jahresdurchschnitt um 3 % verbessert, und Frankreich hat insbesondere in Europa Marktanteile gewonnen.

Stärken und Schwächen Frankreichs

Frankreich dürfte für die nächsten Jahre gut gerüstet sein. Die Hauptprobleme liegen nun bei der ansteigenden Arbeitslosigkeit und den öffentlichen Defiziten. Die Auswirkungen der Arbeitslosigkeit, die im März 1995 3,3 Millionen Menschen betraf, d.h. 12,2 % der Arbeitsfähigen (im Sinne des Internationalen Arbeitsamtes), werden durch hohe Sozialleistungen in Form von Beihilfen, Versicherungen und Solidaritätsbeiträgen begrenzt.

Die Klein- und Mittelbetriebe schaffen Arbeitsplätze: Espadrille-Herstellung bei *Etchandy* in Mauléon im wenig industrialisierten Westen Frankreichs

Was die Defizite angeht, so ist Frankreich in einer vergleichbaren Situation wie die übrigen OECD-Länder, ganz besonders in Europa, wo sie im allgemeinen mehr als 5 % des BIP ausmachen und wo in 11 von 12 Ländern mehrjährige Konsolidierungsprogramme, sogenannte "Konvergenzprogramme", eingeführt werden mußten. Während Frankreich noch vor einigen Jahren eines der wenigen Länder war, die bei den Haushaltsdefiziten die im Vertrag zur Europäischen Union festgelegte Grenze von 3 % des BIP einhielten, so haben sich seine öffentlichen Finanzen seit 1991 verschlechtert, und 1994 erreichte der Finanzierungsbedarf des Staates 5,7 % des BIP. Gleichzeitig stieg die öffentliche Verschuldung und erreichte 1994 48 % des BIP. Sie ist zwar immer noch eine der niedrigsten in der Europäischen Union, weist jedoch steigende Tendenz auf. Die französische Regierung hat, wie die übrigen europäischen Regierungen, ein mittelfristiges Programm zur Verbesserung der öffentlichen Finanzen ("Konvergenzprogramm") entwickelt, hat aber auch gezielte

Maßnahmen zugunsten der vom Wirtschaftszyklus besonders abhängigen Branchen ergriffen.

Zu den Stärken Frankreichs gehört die Eindämmung der Inflation. Während die Preissteigerung Anfang der 80er Jahre 14 % betrug, lag sie 1994 unter 2 %. Dies ist das Ergebnis eines langen Konsenses und einer seit über einem Jahrzehnt verfolgten kontinuierlichen Stabilitätspolitik, die bei keinem Regierungswechsel in Frage gestellt wurde. Die Maßnahmen zur Stabilisierung der Preise und zur Stärkung der Wettbewerbsfähigkeit waren erfolgreich. Die seit mehreren Jahren zurückeroberte Stabilität der Einkommen und der Kosten erklärt die Wettbewerbsfähigkeit der Preise des verarbeitenden Gewerbes, trotz Schwankungen des Franc gegenüber den Währungen einiger Länder der Europäischen Union. Bei den Lohnstückkosten und den Exportpreisen des verarbeitenden Gewerbes sind die Wettbewerbsvorteile noch größer.

Möglicherweise hat die Stabilitätspolitik die Modernisierung des Produktionsapparates und die zur Eroberung ausländischer Märkte erforderlichen Produktivitätsgewinne gefördert. So erzielte der Außenhandel nach langen Jahren des Defizits Überschüsse: 90 Mrd. Franc (16,3 Mrd. Dollar), eine starke Erhöhung im Vergleich zu 1992 (31 Mrd. Franc oder 5,6 Mrd. Dollar). Der Überschuß bei den gewerblichen Produkten ist deutlich gestiegen (52 Mrd. Franc oder 9,4 Mrd. Dollar, einschließlich militärischer Waren, im Vergleich zu 4 Mrd. Franc oder 0,72 Mrd. Dollar im Jahr 1992). Die zivile Industrie hat einen Überschuß von 41 Mrd. Franc (7,4 Mrd. Dollar) verzeichnet, nach einem Defizit von 12 Mrd. Franc (2,1 Mrd. Dollar) im Jahre 1992. Vor dem Hintergrund eines ver-

**Die Einnahmen und
Ausgaben des Staates**

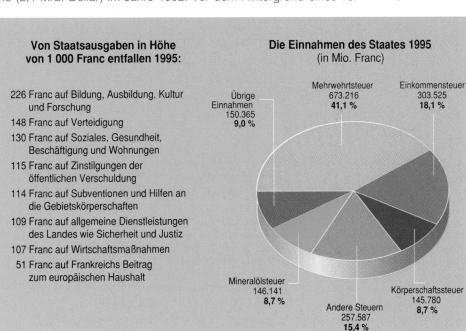

**Von Staatsausgaben in Höhe
von 1 000 Franc entfallen 1995:**

226 Franc auf Bildung, Ausbildung, Kultur
und Forschung

148 Franc auf Verteidigung

130 Franc auf Soziales, Gesundheit,
Beschäftigung und Wohnungen

115 Franc auf Zinstilgungen der
öffentlichen Verschuldung

114 Franc auf Subventionen und Hilfen an
die Gebietskörperschaften

109 Franc auf allgemeine Dienstleistungen
des Landes wie Sicherheit und Justiz

107 Franc auf Wirtschaftsmaßnahmen

51 Franc auf Frankreichs Beitrag
zum europäischen Haushalt

Die Einnahmen des Staates 1995
(in Mio. Franc)

Mehrwertsteuer
673.216
41,1 %

Einkommensteuer
303.525
18,1 %

Übrige
Einnahmen
150.365
9,0 %

Mineralölsteuer
146.141
8,7 %

Andere Steuern
257.587
15,4 %

Körperschaftssteuer
145.780
8,7 %

schärften Wettbewerbs und der zunehmenden Öffnung der Volkswirt-schaften, die mit einer wachsenden Verflechtung in Handel, Industrie und Finanzen einhergehen, war das internationale Umfeld 1993 mit ei-nem relativ schwachen weltweiten Wirtschaftswachstum ungünstig. In diesem Zusammenhang ist das BIP insgesamt im Jahresdurchschnitt um 0,9 Punkte gesunken. Seit dem Ende des Zweiten Weltkrieges war ein solcher Rückgang nur einmal, 1975, zu verzeichnen. Aber 1994, nach der kurzen Rezession, hat Frankreich ein reales Wachstum von mehr als 5 % des BIP erreicht.

Entwicklung der Beschäftigung nach Stellung im Beruf

	Landwirtschaft		Industrie		Hoch- und Tiefbau		Dienstleistungen		Gesamt	
	1982	1992	1982	1992	1982	1992	1982	1992	1982	1992
Freie Berufe und Unternehmer	82,9	78,3	4,6	6,7	20,1	21,3	9,5	7,8	15,2	12,5
Führungskräfte und hohe Positionen	0,2	0,2	6,8	10,2	3,0	3,6	11,0	14,9	8,3	12,2
mittlere Positionen	1,0	1,5	17,4	19,9	10,2	10,1	23,1	23,3	18,7	20,3
Angestellte	1,4	2,0	10,4	9,6	5,6	4,8	39,2	37,1	25,8	26,7
Facharbeiter	1,1	1,5	32,4	33,4	42,5	44,6	11,1	10,9	18,4	17,7
ungelernte Arbeiter	13,4	16,5	28,4	21,2	18,6	15,6	6,1	6,0	13,6	10,6
Gesamt	100,0	100,0	100,0	100,0	100,0	100,0	100,0	100,0	100,0	100,0

Quelle: INSEE, *Enquêtes Emploi 1982 et1992*

13

Die großen Wirtschafts-sektoren

Die Energiewirtschaft

Obwohl Frankreich nur wenige Bodenschätze hat, kann es mehr als die Hälfte seines Energiebedarfs durch die Produktion von Atomstrom decken (75 % seiner Stromproduktion stammen aus der Kernenergie, vor 20 Jahren waren es nur 25 %). Es ist damit relativ unabhängig, vergleichbar mit Deutschland und weit unabhängiger als Italien und Japan. Die Energiepolitik, die in den 60er Jahren auf billiges Öl gesetzt hatte, wurde durch die Ölkrise 1973 in Frage gestellt, und Frankreich betrieb fortan eine Diversifizierung seiner Energielieferanten und -quellen. Im übrigen unterstützte der Staat die Energiewirtschaft und beschleunigte das Programm für den Bau von Kernkraftwerken. Die Folge war eine spürbare Verringerung der Ölimporte, wobei sich nach 1985 der Preisrückgang

Elf-Aquitaine: Ölbohrplattform in der Nordsee

und die Dollarabwertung zusätzlich günstig auswirkten. Die Energieausgaben sanken von 187 Mrd. Franc (34 Mrd. Dollar) im Jahr 1985 auf 69 Mrd. Franc (12,5 Mrd. Dollar) im Jahr 1993.

Mineralöl

Das Erdöl macht heute etwas mehr als 40 % des Energieverbrauchs aus. Trotz der geographischen Diversifizierung stammen noch 46,5 % der Rohöllieferungen aus dem Mittleren Osten, wobei Saudi-Arabien vor dem Iran liegt. Europa nimmt mit Großbritannien, Norwegen und Rußland den zweiten Platz ein; der Rest kommt vor allem aus Afrika (Nigeria, Algerien, Gabun und Kongo). Es gibt zwei große französische Ölgesellschaften, die *Compagnie française des pétroles* (CFP-Total) und *Elf*, die weltweit große Vorkommen fördern und in Frankreich von der Forschung bis zum Vertrieb eine bedeutende Rolle im Ölsektor spielen.

Elektrizitätswirtschaft

Die französische Stromproduktion hat sich seit 1970 mehr als verdreifacht. Sie betrug 1993 451 Mrd. kWh und deckte 38 % des gesamten Energiebedarfs des Landes. Im selben Jahr exportierte Frankreich Strom im Wert von 14 Mrd. Franc (2,5 Mrd. Dollar) in seine Nachbarländer. Dieses Ergebnis ist in erster Linie auf die umfangreiche Ausstattung mit Kernkraftwerken zurückzuführen, die Frankreich nach den USA den zweiten Platz weltweit sichern und allein drei Viertel der Stromproduktion sicherstellen. Insgesamt sind 57 Reaktoren auf 21 Standorte verteilt, die an den großen Flüssen, vor allem an Rhône und Loire, sowie an den Küsten gelegen sind. Das staatliche Unternehmen *Electricité de France* (EDF) ist das größte Elektrizitätsunternehmen weltweit. Durch Wasserkraft erzeugte Elektrizität machte 1993 15 % der inländischen Stromproduktion aus (im Vergleich zu 55,7 % im Jahr 1960). Sie wird von Kraftwerken geliefert, die an Rhône und Loire, aber auch in den Alpen, den Pyrenäen und dem Zentralmassiv liegen.

**Primärenergiever-
brauch 1979 und 1993**

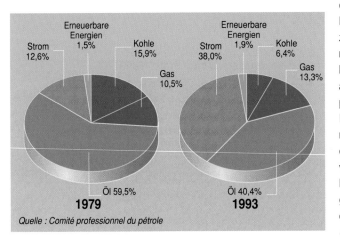

1979 **1993**

Quelle : Comité professionnel du pétrole

Andere Energiequellen

Das Erdgas macht ungefähr 13 % des Energieverbrauchs aus (1960 3,5 %). Als umweltfreundliche Energiequelle mit vielfältiger Verwendungsmöglichkeit müßte der Anteil größer werden, um so mehr, als es relativ preiswert ist und das Leitungsnetz ausgebaut wird. Das staatliche Unternehmen *Gaz de France* (GDF) hat ein Monopol für den Kauf, die Beförderung, die Lagerung und den Vertrieb. Da die französischen Vorkommen (vorwiegend in Lacq im Südwesten) bald vollständig erschöpft sind, wird Erdgas aus Rußland, Algerien, den Niederlanden und Norwegen importiert.

Die Kohle deckt nur noch etwa 6 % des gesamten Energieverbrauchs (1970 22,7 %). Die inländische Produktion, die sich 1958 auf 60 Mio. Tonnen belief, ging 1993 auf 11 Mio. Tonnen zurück. Mehr als zwei Drittel der Kohle werden heute importiert, insbesondere aus den USA, Australien und Südafrika.

Die erneuerbaren Energien tragen weniger als 2 % zur Energiebilanz bei. Nach der Erdwärme- und der Sonnenenergie könnte das als Brennstoff verwandte Äthanol dank der von der Europäischen Union gewährten Hilfe zum Abbau der Rüben- und Getreideüberschüsse an Bedeutung gewinnen.

Die Landwirtschaft

Die französische Landwirtschaft erzeugt rd. 23 % der EU-Produktion und liegt damit vor Italien auf dem ersten Platz. 1993 machte die Landwirtschaft 2,5 % des BIP aus und der Mehrwert der Agrarnahrungsmittel 3,4 %. Der Außenhandelsüberschuß bei Agrarnahrungsmitteln (Rohprodukte und verarbeitete Produkte) belief sich 1993 auf 56,9 Mrd. Franc (10,3 Mrd. Dollar) und überstieg damit den Rekord des Jahres 1992 um 3,3 Mrd. (0,6 Mrd. Dollar). Der Handelsüberschuß der Agrarnahrungsmittel belief sich 1993 auf 24,7 Mrd. Franc (4 Mrd. Dollar), das sind 4,8 Mrd. (0,8 Mrd. Dollar) mehr als 1992. Nominal ist Frankreich nach den USA und vor den Niederlanden weltweit der zweitgrößte Exporteur von Agrarnahrungsmitteln.

Entwicklung der Betriebe

Die landwirtschaftlich genutzten Flächen machen 55 % des 55 Mio. Hektar großen französischen Staatsgebiets aus (Waldflächen 27 %, nicht landwirtschaftlich genutzte Flächen 12 %). Sie werden mehrheitlich als Ackerflächen (60 %) sowie als Wiesen (36 %) und zum Wein- und Obstanbau genutzt. Die Aufteilung der Ackerflächen hat sich vor allem nach 1993 mit der Reform der Gemeinsamen Europäischen Agrarpolitik (GAP) geändert. Die Flächen für den Getreideanbau haben sich verringert und machen nur noch 47 % (vorher 52 %) der Ackerflächen aus. Auch die Flächen für Ölsaaten wurden um 16 % verkleinert. Die stillgelegten Ackerflächen hingegen

nehmen 1,8 Mio. Hektar ein. Die Lage der Anbauflächen zeigt deutlich
die Vielfalt der französischen Regionen. Die Hauptackerbaufrüchte
(Getreide, Ölsaaten, Hülsenfrüchte, Rüben u.a.) findet man in den Regionen Centre, Picardie und Ile-de-France; im Westen des Landes
und den Gebirgsregionen dagegen werden Futterpflanzen angebaut.
Die Mittelmeerregionen und der Südwesten sind für Dauerkulturen
(Wein, Obst) geeignet.

Viele landwirtschaftliche Betriebe wurden zwischen 1970 und 1990
zusammengelegt. Dadurch verringerte sich die Zahl von 1,6 Mio.
auf 924.000, und die Durchschnittsgröße stieg um mehr als 10 Hektar, so daß sich die landwirtschaftlich genutzten Flächen in immer
größeren Betrieben konzentrieren. Die Hälfte der Betriebe betreibt
Viehzucht, 18 % Pflanzenbau und 12 % Weinbau. Die Modernisierung der Landwirtschaft und die Einführung moderner Geräte machten eine Flurbereinigung erforderlich. Die Technisierung der
landwirtschaftlichen Betriebe führte zu beträchtlichen Produktivitätssteigerungen.

Pflanzenbau

1993 stammten mehr als 50 % der landwirtschaftlichen
Erzeugnisse aus dem Pflanzenbau. Getreide stand dabei mit etwa 30
Mio. Tonnen Weizen und 8,9 Mio. Gerste an erster Stelle. 1993 pro-
duzierte Frankreich 60 Mio. Tonnen Getreide (bei einer Weltproduktion

von 1.436 Mio. Tonnen) und stand damit an erster Stelle der europäischen Produzenten. Getreide wird überall in Frankreich angebaut, und in fast allen Regionen hat sich der Anbau deutlich verringert. 1993 wurden 9 Mio. Hektar unterschritten (-8,5 % im Vergleich zu 1992). Weichweizen steht an erster Stelle (30,6 Mio. Tonnen 1993). Mit 38 % der Gesamternte war Frankreich der größte Weizenproduzent und mit 15 Mio. Tonnen der größte Maisproduzent der EU. Die Inlandsnachfrage stieg aufgrund eines erhöhten Bedarfs an Tierfutter.

Nach der Verringerung der Anbauflächen im Rahmen der Gemeinsamen Agrarpolitik ging die französische Ölsaatenproduktion von 1992 bis 1993 um 18 % zurück. Jedoch konnten im Außenhandel mit Ölsaaten, der bis 1982 defizitär war, ab 1985 regelmäßig Überschüsse erzielt werden, da der Export von Raps und Sonnenblumen gestiegen ist. Soja macht nur noch 58 % der französischen Ölsaatenimporte aus (1992 558.000 Tonnen).

Die Produktion von weißem Zucker stieg 1993 auf 4,4 Mio. Tonnen und machte mehr als ein Viertel der europäischen Produktion aus. Berücksichtigt man auch die Rohrzuckerproduktion, so steht Frankreich weltweit nur an fünfter Stelle (Indien an erster). Mit 13 % der Produktion steht Frankreich bei Gemüse in Europa an dritter Stelle, hinter Spanien (23 %) und Italien (28 %). An Frischgemüse werden in Frankreich hauptsächlich Tomaten, Karotten, Blumenkohl und Salate angebaut (in der Reihenfolge der Mengen).

Viehzucht

Frankreich ist der größte Tierproduzent der EU. Der Rinderbestand (1992 rd. 20,4 Mio.) wird seit der Einführung der EG-Milchquoten im Jahr 1984 immer niedriger. Rinderzucht wird vor allem in den Regionen Bretagne, Pays de la Loire, Basse-Normandie und Auvergne betrieben. Der Bestand an Schweinen (1993 12,9 Mio.) konzentriert sich im wesentlichen im Westen des Landes und deckt den Eigenbedarf fast vollständig (98 %). Schafzucht (1993 10,4 Mio. Tiere) wird vorwiegend in den Regionen Midi-Pyrénées und Aquitaine betrieben.

Die
Landwirtschaftsmesse
in Paris findet jedes
Jahr statt

Agrarnahrungsmittel

Der Agrarnahrungsmittelbereich ist eine der Stärken der französischen Wirtschaft. Die Branche erzielt seit mehreren Jahren bedeutende Wachstumsraten, besonders bei Getränken (einschließlich alkoholischer Getränke), Getreide und in weniger großem Ausmaß bei Milch und Milchprodukten. Mit einem Plus von 24,7 Mrd. Franc (4,5 Mrd. Dollar) ist der Handelsüberschuß weiter gestiegen. Die genossenschaftlichen Betriebe erzielen 16 % des Umsatzes und beschäftigen 11 % der Erwerbstätigen dieser Branche. Die meisten Arbeitsplätze stellt die Milchindustrie: Neun Unternehmen beschäftigen mehr als 2.500 Mitarbeiter, drei Unternehmen haben sogar mehr als 3.500 Beschäftigte (*Miko*, *Générale des grandes sources* und *SOPAD*).

Mit 12 Mrd. Franc (2,1 Mrd. Dollar) stieg der Außenhandelsüberschuß bei Milchprodukten 1993 um 5,7 %. Die Branche erzielte mit 438 Betrieben und 67.400 Beschäftigten einen Umsatz von 156 Mrd. Franc (28 Mrd. Dollar). Das Produktionswachstum verlangsamte sich bei Käse und Frischmilchprodukten, mit Ausnahme der Frischmilchdesserts, die infolge der Neuerungen bei den Verpackungen und der Einführung neuer Produkte von einer starken Inlandsnachfrage profitieren.

Mit 53 Mio. Hektolitern Wein lag Frankreich 1993 weltweit auf dem zweiten Platz der weinproduzierenden Länder, hinter Italien (59 Mio. Hektoliter) und vor Spanien (29 Mio. Hektoliter). Die Qualitätsweine bestimmter Anbaugebiete (VQPRD), zu denen die Weine mit kontrollierter Herkunftsbezeichnung (AOC) und die Weine hoher Qualität (VDQS) gehören, machen allein 22,3 Hektoliter aus. Die Produktion von Champagner stieg 1993 auf 230 Mio. Flaschen, von denen 153 Mio. für Frankreich und 77 Mio. für den Export bestimmt waren. Bei Bier lag Frankreich 1993 mit 18.512 Hektolitern an vierter Stelle (1991 an sechster).

Forstwirtschaft

Die Waldflächen Frankreichs machen etwas mehr als ein Viertel der Waldflächen der EU aus. Sie sind hinter denen der skandinavischen Länder die zweitgrößten Waldflächen Europas und bedecken vor allem den Südosten und die Gebirgsregionen des Landes. Laubhölzer machen 63 % der Wälder aus. Frankreich kann seinen Bedarf an Laubholz (mit 9.043 Kubikmetern Nutzholz) decken, hat jedoch nicht genug Nadelholz. Das Defizit der Holzbranche verringerte sich 1993 (10,3 Mrd. Franc oder 1,8 Mrd. Dollar, im Vergleich zu 14,1 Mrd. Franc oder 2,5 Mrd. Dollar im Jahr 1992). Es ist im wesentlichen auf die Bereiche Papier- und Pappemasse, Holzmöbel und Nadelschnittholz zurückzuführen.

Fischerei

Frankreich ist die viertgrößte Fischfangnation der EU, liegt aber weit hinter Dänemark, Spanien und Großbritannien. Am Produktionswert gemessen läge Frankreich allerdings vor Dänemark. 1992 erreichte die französische Produktion 790.000 Tonnen. Die nach Fangmengen wichtigsten Fischarten sind Sardinen, Wittlinge und Sardellen. Die französische Produktion reicht bei weitem nicht zur Deckung des inländischen Verbrauchs aus: Das Gesamtdefizit der Branche belief sich 1993 auf 9,6 Mrd. Franc (1,7 Mrd. Dollar), im Vergleich zu 10,4 Mrd. Franc (1,9 Mrd. Dollar) im Jahr 1992. Importiert werden hauptsächlich Lachs und Garnelen.

Kleine Fischtrawler im
Hafen von Erquy
(Côtes-d'Armor)

Biotechnologien

Die Biotechnologien sind in Frankreich in allen Bereichen - ob Genetik, Aromastoffe oder Fermente - stark expandierende Wirtschaftszweige, und viele Unternehmen und Labors, wie *Rhône-Poulenc*, *Roussel-Uclaf*, das Nationale Institut für Gesundheit und medizinische Forschung (INSERM) und das *Institut Pasteur* arbeiten auf diesem Gebiet. Die Absatzmärkte sind vielfältig: die pharmazeutische Industrie, mit der Entwicklung neuer Antibiotika, Hormone und Impfstoffe, gehört ebenso dazu wie die Landwirtschaft und die Agrarnahrungsmittelindustrie mit der Entwicklung von Biopestiziden oder von In-vitro-Kulturen, die die Entwicklung neuer Arten ermöglicht, oder auch die Milchindustrie, in der die Enzymtechnologie Anwendung findet. Auch für den Umweltschutz sind die Biotechnologien von Bedeutung (Abfallbeseitigung, Verwendung erneuerbarer Energien auf der Basis von Methan und Diester, einem Kraftstoff, der aus Raps gewonnen wird).

Die Industrie

Die französische Industrie belegt weltweit den fünften Platz. Sie stellt 30 % der Arbeitsplätze, 40 % der Investitionen und fast 80 % der Exporte. Trotz einer Vervierfachung der Produktion seit 1950 ist der Anteil der Beschäftigten zurückgegangen: Seit 1975 hat die Industrie 1,5 Mio. Arbeitsplätze an den Dienstleistungssektor verloren, eine Folge des Strukturwandels und des zunehmenden Einsat-

Schmiede im Stahl-
werk *Creusot-Loire* in
Creusot (Saône-et-
Loire), das zur 1995
privatisierten *Usinor-
Sacilor*-Gruppe gehört

zes von Robotern. Halbfertigprodukte machen 32,8 % der Produktion der verarbeitenden Industrie aus, Ausrüstungsgüter 26,8 %, Verbrauchsgüter 25,9 %, die Automobilbranche 13,1 % und Haushaltsgüter 1,4 %. Der öffentliche Sektor erwirtschaftet fast 20 % des Gesamtumsatzes und fast 28 % der Exporte, aber sein Anteil sinkt mit den Privatisierungen, die zwischen 1986 und 1988 begonnen wurden und seit Herbst 1993 wieder fortgesetzt werden. Die Großunternehmen (mehr als 500 Beschäftigte) stellen 46 % der Arbeitsplätze, 56 % des Absatzes und mehr als 72 % der Exporte. Die Konzentrationsbewegung war hier in den letzten 20 Jahren besonders ausgeprägt. Die kleinen und mittelständischen Unternehmen machen immer noch einen großen Teil der gewerblichen Wirtschaft aus. Ihre Anpassungsfähigkeit hat ihnen in den letzten 20 Jahren sogar einen klaren Aufschwung ermöglicht. Sie sind hauptsächlich in den Branchen Agrarnahrungsmittel, Baugewerbe und Bekleidung aktiv. Ausländische Unternehmen, mehrheitlich aus den Vereinigten Staaten, Deutschland, der Schweiz und Großbritannien, gründen zunehmend Niederlassungen in Frankreich. Die 2.860 ausländischen Unternehmen stellen 22 % der Arbeitsplätze, 26 % der Investitionen und 27 % des Umsatzes der Industrie. Als Zielland für ausländische Investitionen steht Frankreich an der Spitze der OECD-Staaten. Das gesamte verarbeitende Gewerbe erzielte einen Handelssaldo von 52 Mrd. Franc (9,4 Mrd. Dollar). Dieses Ergebnis erklärt sich zum einen durch das französische Know-how in den verschiedenen traditionellen Branchen (Automobil, Eisenbahnen, Feinchemie, Bekleidung, Parfum und Kosmetik) und zum anderen durch die Spitzentechnologien (Kernkraft, Telekommunikation, Luft- und Raumfahrt).

Halbfertigprodukte

Die französische Eisen- und Stahlindustrie lag 1993 mit einer Produktion von 17 Mio. Tonnen weltweit auf dem elften Platz. In der EU wird Frankreich von Deutschland und Italien überrundet und liegt weit hinter den Vereinigten Staaten, Japan und der ehemaligen Sowjetunion. Die Produktion ging seit 1974 infolge der Krise und der Konkurrenz durch andere Produkte wie Aluminium und Kunststoff um fast ein Drittel zurück. Außerdem zeigten das europäische Programm zur Reduzierung der Kapazitäten sowie die Konkurrenz durch Länder wie die Vereinigten Staaten, einige Länder Mittel- und Osteuropas oder neue Industrieländer wie Brasilien und Südkorea Wirkung. Die Eisen- und Stahlindustrie befindet sich vorwiegend im Norden, insbesondere in der Umgebung von Dünkirchen, und in Lothringen sowie an einigen Standorten in den Alpen, die sich auf legierten Stahl spezialisiert haben.

Die Aluminiumindustrie, die ursprünglich in den Alpen und in den Pyrenäen in der Nähe von Wasserkraftwerken angesiedelt war, wurde in die Häfen verlagert, in denen die Bauxitimporte aus Australien, Afrika und Brasilien ankommen. *Pechiney*, das größte Unternehmen der Branche, besitzt in Dünkirchen, in der Nähe des Kernkraftwerks Gravelines, den größten Betrieb Europas.

Frankreichs chemische Industrie liegt weltweit an vierter Stelle. Ihr Jahresumsatz übersteigt 400 Mrd. Franc (72 Mrd. Dollar), und sie beschäftigt 298.000 Menschen. Die weitverzweigte Branche mit einem großen Investitionsbedarf und hohen Forschungsausgaben wird von einigen Großunternehmen wie *Rhône Poulenc*, *Elf-Atochem* und *Air Liquide* beherrscht, die jedoch kleiner sind als die entsprechenden deutschen oder amerikanischen Konzerne. In den letzten Jahren erfolgten wichtige Umstrukturierungen. Vor allem in der Großchemikalienbranche, die

Halbfertigprodukte zur Herstellung von Düngemitteln, Natron und Kunst-
stoffen liefert, gab es Zusammenlegungen. Die Petrochemie, mit den Bran-
chenführern *Compagnie française des pétroles* (CFP-Total) und *Elf-Aquitaine*, ist nach und nach an die Stelle der Farbenchemie getreten.

Hoch- und Tiefbau

Dieser Sektor hat rd. 1,5 Mio. Beschäftigte und erzielt
einen Umsatz von 600 Mrd. Franc (11 Mrd. Dollar). Die größten
Tiefbauunternehmen sind *Bouygues* und *SGE* (die beiden größten europäischen Gruppen), die vor einigen Jahren einen breit angelegten
Konzentrationskurs einschlagen haben. Ihre Aktivitäten im Inland erstrecken sich auf den Bau von Autobahnen, Infrastrukturen für Hochgeschwindigkeitszüge, Kernkraftwerke und Großbauprojekte wie die
Brücke zur Ile de Ré und die Normandie-Brücke. Sie sind auch im
Ausland aktiv (Universität von Riad in Saudiarabien u.a.), wo sie jedoch mit ausländischen Konzernen, insbesondere aus den neuen Industrieländern, konkurrieren müssen. Der Hochbausektor hingegen ist
mit 30.000 Klein- und Mittelbetrieben stark zersplittert. Zur Steigerung
ihrer Produktivität arbeiten diese Unternehmen mit Fertigbauteilen. Die
Aktivitäten in dieser Branche hängen stark von der Konjunktur, von
öffentlichen Aufträgen und vom Wohnungsbau ab.

Ausrüstungsgüter

Die Automobilbranche, einschließlich der Zulieferer,
verbuchte 1993 einen Handelsüberschuß von fast 26,6 Mrd. Franc
(4,8 Mrd. Dollar). 1993 produzierte Frankreich 2,8 Mio. Pkw und
320.000 Nutzfahrzeuge und stand damit weltweit auf dem vierten
Platz. Der Fahrzeugbau stellt direkt 300.000 und indirekt zwei Millionen
Arbeitsplätze. Das Unternehmen *Renault*, das gerade in die Pri-
vatwirtschaft überführt wird, und die private Gruppe *PSA* (*Peugeot*
und *Citroën*), sichern fast die gesamte Produktion und nehmen
weltweit den neunten bzw. elften Platz ein. Bei den Zulieferern ist es
in letzter Zeit zu Zusammenlegungen gekommen, durch die einige
bedeutende Unternehmen entstanden sind, wie z.B. *Valéo*, der größte
französische und zweitgrößte europäische Zulieferer. Die französischen Hersteller exportieren mehr als 60 % der Produktion, mußten
aber 40 % des inländischen Marktes an die Konkurrenz, insbesondere
an Deutschland und Italien, abgeben. Zur Stärkung ihrer Wettbewerbsfähigkeit haben sie massiv in den Robotereinsatz investiert, was
zu Personalabbau führte. Außerdem erhöhten sie die Zahl ihrer Niederlassungen im Ausland, vor allem in Spanien und in Portugal.

Die Elektro- und Elektronikindustrie erzielte 1993 einen Umsatz von
mehr als 280 Mrd. Franc (50 Mrd. Dollar) und beschäftigte über
350.000 Mitarbeiter. Die Branche, in der es starke Diversifizierungs-
und Konzentrationsbewegungen gegeben hat, hängt im zivilen Bereich

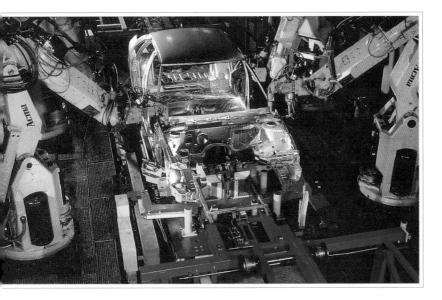

Endmontage des
"Safrane" bei Renault
in Sandouville (Seine-
maritime)

stark von Aufträgen staatlicher Unternehmen und im Rüstungsbereich von Aufträgen des Staates ab. *Alcatel* hat in den letzten Jahren zahlreiche Firmenanteile erworben (z.B. 1986 den Bereich Telekommunikation von ITT) und ist in der Branche weltweit immer noch führend. *Alsthom*, Teilhaberin der britischen GEC, ist neben Eisenbahnen (TGV) auf Ausrüstungen für Elektrizitätswerke spezialisiert. *Thomson* deckt einen Bereich von angewandter Elektronik über Verteidigung bis zu Haushaltsgeräten ab. *Schneider* ist in der Elektromechanik führend, *Bull* bei der Herstellung von Computern. Diese Branchen kämpfen mit der Konkurrenz aus den Vereinigten Staaten, Japan und den südostasiatischen Staaten. Auch wenn in den Bereichen Elektrogeräte und Telekommunikation Handelsüberschüsse erzielt werden, so decken sie nicht die Defizite aus der Computerbranche und der Unterhaltungselektronik. Um ihre Entwicklung zu erleichtern, sind mehrere französische Unternehmen Kooperationen mit ausländischen Firmen eingegangen.

Frankreich ist nach wie vor eines der leistungsstärksten Länder in der Luft- und Raumfahrt sowie in der Rüstungsindustrie. Die Luftfahrtindustrie ist vorwiegend im Pariser Raum und im Südwesten (Toulouse, Bordeaux) angesiedelt (über 100.000 Beschäftigte). Zu ihr gehören mehrere staatliche Unternehmen (*Aérospatiale, Snecma*). Aufgrund der hohen Investitionen in dieser Branche beteiligen sich die französischen Unternehmen jetzt an großen internationalen Kooperationsprogrammen. So dominiert in der zivilen Luftfahrt das von Frankreich, Deutschland, Großbritannien und Spanien betriebene Airbus-Programm. Die *Snecma*, die sich auf den Bau von Motoren spezialisiert hat, ist an der amerikanischen *General Electric* beteiligt.

Die Raumfahrtindustrie, die sich ebenfalls im europäischen Rahmen (Programm Arianespace) entwickelt, hat trotz der Konkurrenz aus den

Vereinigten Staaten, Rußland und seit kurzem China, für die nächsten Jahre einen sehr hohen Auftragsbestand (mit Ariane 5), den sie der Zuverlässigkeit ihrer Trägerraketen (*Société européenne de propulsion*, *SEP*) verdankt, die vom Raumfahrtzentrum Kourou in Guayana gestartet werden. Auch im Bereich der Telekommunikations- und Beobachtungssatelliten (SPOT) ist Frankreich wettbewerbsfähig. Diese Branche hat in Zukunft ein starkes Wachstum zu erwarten.

Die Rüstungsindustrie stand 1993 bei Exporten weltweit an fünfter Stelle und erwirtschaftete einen Handelsüberschuß von etwa 10 Mrd. Franc (1,8 Mrd. Dollar). Sie sichert 250.000 Arbeitsplätze. Die Branche ist weitgehend vom Staat abhängig und wird bei den Bodenwaffen von *GIAT-Industries* beherrscht, bei Flugzeugen von *Dassault* und *Aérospatiale* und bei Raketen von *Thomson-CSF* und *Matra*. Sie ist jedoch mit neuen Konkurrenten wie Brasilien und China konfrontiert und muß auf die weltweiten Tendenzen zur Abrüstung reagieren (s. Kap. 8).

Nachrichtensatellit von
France Telecom

Der Schiffbau hat seine Aktivitäten aufgrund der Überkapazitäten der Weltflotte und der Konkurrenz durch asiatische Werften spürbar verringert. Die Lieferungen beliefen sich 1993 auf 86.000 Registertonnen. Die *Chantiers de l'Atlantique* bauen in Saint-Nazaire Passagierdampfer und Flüssiggastanker.

Verbrauchsgüter

Bei den Verbrauchsgütern nimmt Frankreich den vierten Platz unter den Exportländern ein. So erzielten die angewandte verbrauchsnahe Chemie und die pharmazeutische Industrie (195.000 Beschäftigte) 1993 einen Handelsüberschuß von 29,8 Mrd. Franc (5,4 Mrd. Dollar). Der wichtigste Zweig der Feinchemie, die pharmazeutische Industrie, hat allein etwa ein Viertel des Umsatzes in diesem Sektor erzielt. Der Branche gehören große französische Gruppen wie *Rhône-Poulenc Santé*, *Mérieux* und *Sanofi* (pharmazeutische Abteilung von *Elf-Aquitaine*) sowie Niederlassungen ausländischer Unternehmen und zahlreiche Klein- und Mittelbetriebe an. Zur chemienahen Industrie gehören vorwiegend Parfumhersteller, an erster Stelle *L'Oréal*, der weltweit größte Kosmetikkonzern. Mit dieser Branche liegt Frankreich bei Exporten auf dem dritten Platz (1993 rd. 20 Mrd. Franc oder 3,6 Mrd. Dollar).

Die Textil- und Bekleidungsindustrie beschäftigt fast 300.000 Menschen und erwirtschaftet einen Umsatz von mehr als 180 Mrd. Franc (32,7 Mrd. Dollar). Die Textilindustrie im engeren Sinne wird von Großunternehmen wie *Chargeurs-Textiles*, *VEV* und *DMC* beherrscht. Auch nach weitreichenden Umstrukturierungen blieben die meisten von ihnen an ihren ursprünglichen Standorten: die Woll- und Baumwollspinnereien und -webereien in Roubaix-Tourcoing und Armentières, die Baumwollverarbeitung in Mulhouse, die Seiden- und Kunstfaserhersteller im Raum Lyon und die Strickwarenindustrie in Troyes. In den letzten 10 Jahren haben die Textilunternehmen finanzielle und technische Konzentrationen vorgenommen und massiv in die Modernisierung ihrer Ausrüstung investiert. Durch den Einsatz von Robotern waren beträchtliche Produktivitätssteigerungen möglich, die zur Stärkung des Wettbewerbs beitrugen. Die personalintensive Bekleidungsindustrie ist in viele Klein- und Mittelbetriebe zersplittert. Sie ist in den großen Ballungszentren der Regionen Nord-Pas-de-Calais, Rhône-Alpes und Ile-de-France angesiedelt. Die Unternehmen haben neue Technologien entwickelt und schneiden z.B. heute die Stoffe mit Laserstrahl. Sie haben ihre Produktion häufig in die Mittelmeerländer, nach Mittel- und Osteuropa oder nach Südostasien verlagert, um niedrigere Produktionskosten zu nutzen. Ihnen kam das AMF-Abkommen zwischen der EU und den Hauptexportländern der Dritten Welt zugute, das eine vorübergehende Begrenzung der Importe von Billigprodukten ermöglicht hat.

Die französische Haute Couture ist widerstandsfähiger und erwirtschaftet hohe Gewinne. Sie ist immer noch die anspruchsvollste der Welt, und Namen wie Yves Saint-Laurent, Chanel, Christian Dior, Pierre Balmain, Pierre Cardin oder Christian Lacroix sprechen für sich. Der überwiegende Teil ihrer Produktion, die in mehreren Modeschauen jährlich vorgestellt wird, geht in den Export. Viele Modehäuser vertreiben eigene Parfums oder Juwelierwaren. Mit dem Juwelierhandwerk, das teilweise auf dem Place Vendôme in Paris konzentriert ist, sind berühmte Namen wie *Boucheron*, *Cartier* oder *Van Cleef + Arpels* verbunden. Die meisten Unternehmen der Luxusgüterindustrie, von der *Haute couture* über Porzellan bis zur Goldschmiedekunst, sind in dem 1954 gegründeten *Comité Colbert* zusammengeschlossen. 1993 belief sich der Umsatz seiner Mitglieder auf 31,7 Mrd. Franc (5,7 Mrd. Dollar); 73 % davon wurden im Ausland realisiert.

Der Dienstleistungssektor

Banken und Versicherungen

Die französische Zentralbank ist nun unabhängig. Seit ihrer Gründung im Jahr 1800 durch Napoleon Bonaparte wurden die Entscheidungsstrukturen der *Banque de France* viermal umfassend reformiert. Schon mit dem Gesetz vom 24. Juli 1936 wurde ihre Organisation so verändert, daß der Einfluß des Staates gestärkt wurde. Diese Reform war der erste Schritt zur Verstaatlichung der Zentralbank, die nach Kriegsende durch das Gesetz vom 2. Dezember 1945 beschlossen wurde. 1973 schuf ein modernisierter Rahmen die Voraussetzungen für die Anpassung an wichtige Entwicklungen im wirtschaftlichen und finanziellen Umfeld. Aber entscheidend war das Jahr 1993: Mit dem Gesetz vom 4. August wurde die Unabhängigkeit der *Banque de France* festgeschrieben. Bis dahin hatte sie die Rolle einer Staatsbank. Der neue Status verbietet ihr ausdrücklich, der Staatskasse oder anderen Einrichtungen des öffentlichen Rechts Überziehungs- oder sonstige Kredite zu gewähren. Weiterhin führt sie die Konten der Staatskasse, nimmt teil am staatlichen Schuldenmanagement, leistet die Führung der laufenden Konten der Schatzpapiere. Sie erstellt außerdem für den Staat die Zahlungsbilanz.

Seit Mitte der 80er Jahre erfährt das französische Bankensystem einen grundlegenden Strukturwandel, der sowohl die Organisation als auch die Arbeitsbedingungen der Kreditinstitute betrifft. Die mit dem Gesetz vom 24. Januar 1984 eingeleitete Modernisierung des Kreditwesens stärkte in Verbindung mit der allgemeinen Liberalisierung und der Deregulierung der Bank- und Finanzaktivitäten den Wettbewerb in der Branche. Das Bankgewerbe ging daraufhin auf Rationalisierungs- und Konzentrationskurs, der sich im Vorfeld der Verwirklichung des einheitlichen Marktes der Bankdienstleistungen noch verschärfte. Mit der Vollendung der europäischen Integration werden die Bemühungen zur Anpassung an den verschärften Wettbewerb in den nächsten Jahren mit Sicherheit fortgesetzt.

Das französische Kreditwesen nimmt in der französischen Wirtschaft einen bedeutenden Platz ein. 1992 trugen die Bankgeschäfte mit 3,68 % zum BIP bei; dieser Anteil ist mit den Branchen Verkehr, Energie-, Land- und Forstwirtschaft sowie Fischerei vergleichbar. Die wichtigsten Banken gehören, gemessen am Personalbestand oder an der Börsenkapitalisierung, zu den größten französischen Unternehmen. Die Entwicklung des Bankensystems läßt sich auch an der Gesamtzahl der Kreditinstitute (1.649 am 1. Januar 1994) und der Bankschalter (etwa 25.500, ohne die 17.000 Schalter der Post) messen.

Das französische Kreditwesen hat schon lange internationale Bedeutung, wie Anzahl und Größe der französischen Kreditinstitute im Ausland und der ausländischen Kreditinstitute in Frankreich dokumentieren. Mehrere französische Banken heben sich in der internationalen Rangliste hervor, sei es nach Eigenkapitalkennzahlen, nach Bilanzvolumen

Der Handel im *Crédit du Nord* in Paris

oder nach Anzahl der Auslandsniederlassungen. Ende 1993 waren 51 französische Kreditinstitute mit 177 Filialen (62 davon in der Europäischen Union), 557 Tochterfirmen oder Beteiligungen und 258 Vertretungsbüros in 127 Ländern vertreten. Umgekehrt gab es Ende 1993 in Frankreich 293 ausländische Kreditinstitute, davon 180 Banken,sowie116 Repräsentationsbüros aus 36 unterschiedlichen Ländern.

Der Finanzplatz Paris ist ein einheitlicher Kapitalmarkt, der von Tagesgeld bis zu sehr langfristigen Geschäften reicht und allen Emittenten offensteht. Die Aktien- und Rentenmärkte zählen weltweit zu den führenden. Der Finanzplatz Paris verfügt auch über einen aktiven Markt für Derivate sowohl im Freiverkehr als auch im organisierten Handel: MATIF (Internationaler Terminmarkt) und MONEP (Pariser Markt für Optionsgeschäfte). Er setzt dem internationalen Wertpapier- und Kapital-

verkehr keine technischen, steuerlichen oder ordnungsmäßigen Hemm-
nisse und hat sich in den letzten Jahren erheblich modernisiert. Er
bietet allen internationalen Investoren eine breite Palette von Märkten
und Geschäften mit hoher Sicherheit und Transparenz. Mit einer Börsenkapitalisierung von 2.689 Mrd. Franc (489 Mrd. Dollar) Ende 1993
nimmt der französische Aktienmarkt weltweit den 4. Platz ein. Er hat
im Verlauf der 80er Jahre ein schnelleres Wachstum als andere große
Finanzplätze erfahren; der Kurswert verzehnfachte sich zwischen 1982
und 1992, und die Tendenz ist weiter steigend. Die Anzahl der Trans-
aktionen ist um das Elffache gestiegen. Der Kurszettel der Pariser Börse spiegelt die geographische und branchenbezogene Vielfalt der französischen Volkswirtschaft wider. Die 40 wichtigsten Aktienwerte (nach
Kurswert) bilden den Index "CAC 40"; die Pariser Börse hat aber auch
breiter angelegte Indizes entwickelt, die mittlere Werte umfassen. Seit
1983 haben die kleinen und mittelständischen Unternehmen mit star-
kem Wachstumspotential Zugang zum geregelten Markt: 276 Werte waren 1992 dort notiert, darunter 5 ausländische Unternehmen. Der Ren-
tenmarkt ist das größte Segment des französischen Finanzmarktes. Mit
einer Börsenkapitalisierung von 3.900 Mrd. Franc (709 Mrd. Dollar) im
Jahr 1993 im Vergleich zu 500 Mrd. Franc (90 Mrd. Dollar) im Jahre
1980 ist er weltweit der drittgrößte Finanzmarkt.

Der weltweite Umsatz der französischen Versicherungsunternehmen
betrug 1993 819,7 Mrd. Franc (149 Mrd. Dollar). Die Versicherungs-
branche zählt 600 Erstversicherer mit rd. 211.000 Beschäftigten in
Frankreich (1 % der arbeitsfähigen Bevölkerung) und 20 Rückversi-
cherer.

Der Handel

Die Produktion wurde in diesem Sektor konjunkturbe-
dingt doppelt betroffen: von einem Rückgang der Dienstleistungen an
Unternehmen und von einem rückläufigen Verbrauch der Privathaus-
halte. Dennoch belief sie sich 1993 auf 2.123 Mrd. Franc (386 Mrd.
Dollar). Der Einzelhandel (1993 1,25 Mio. Beschäftigte) hat sich im
Laufe der letzten 25 Jahre grundlegend gewandelt. Die großen Waren-
häuser vertrieben 1993 fast 43 % der handelsfähigen Produkte, im
Vergleich zu 24 % im Jahr 1970. In bestimmten Regionen wurden mit
Unterstützung der öffentlichen Hand Fördermaßnahmen zur Rettung
der kleinen Läden durchgeführt, die den Grundbedarf der Bevölkerung
decken (Lebensmittelgeschäfte, Metzgereien, Bäckereien). In der
Stadt versuchen die kleinen Lebensmittelgeschäfte, ihre Kundschaft
zu halten, indem sie ihre Öffnungszeiten ausweiten und ihren Einkauf
zentralisieren. Der selbständige Fachhandel widersteht trotz hoher
Fluktuation besser. Einige nutzen die werbewirksamen bekannten Mar-
ken als Franchising-Unternehmen. An der Peripherie der Großstädte

entstanden riesige Einkaufszentren mit Verbrauchermärkten, Fach-
geschäften und unterschiedlichen Dienstleistungseinrichtungen wie
Kinos und Restaurants. Der sogenannte integrierte Handel entstand
im letzten Jahrhundert mit großen Warenhäusern wie *Le Bon Marché* in Paris und erfuhr nach dem Zweiten Weltkrieg einen neuen
Aufschwung mit Kaufhäusern wie *Prisunic* und *Monoprix*. Aber seit
den 60er Jahren muß er mit den Supermärkten und Verbrauchermärkten konkurrieren, die im Selbstbedienungssystem äußerst
günstige Preise anbieten
können. Der Konzentrations-
trend im integrierten Handel
hat in den vergangenen 10
Jahren große Konzerne wie
Promodès, *Carrefour* oder
Auchan hervorgebracht. In
diesem Bereich nimmt die
Internationalisierung ständig
zu. Der französische Markt
muß sich europäischen
Konkurrenten stellen, so
z.B. dem deutschen
Neckermann oder dem
schweizerischen Migros.
Gleichzeitig lassen sich
französische Verbraucher-
märkte im Ausland nieder
(*Carrefour* in Spanien, Italien und Mexiko, *Promodès*
in Deutschland). Der integrierte Handel betrifft in er-
ster Linie die Lebensmittelbranche, aber auch die Bereiche elektrische
Haushaltsgeräte (*Darty*), Einrichtungsgegenstände (*Castorama*),
Freizeitartikel (*FNAC*) usw. Der Versandhandel hat sich in einigen
Bereichen entwickelt, z.B. in der Bekleidung (*Les Trois Suisses*,
La Redoute usw.).

Kassenbereich des
Verbrauchermarktes
Carrefour in
Villiers-en-Bière bei
Melun im Pariser Raum

Nach einem durchschnittlichen Jahreswachstum von 8 % in den Jahren
1985 bis 1990 und einem langsamen Rückgang seit 1991 waren die
Dienstleistungen an Unternehmen 1993 erstmals seit dreißig Jahren
rückläufig. Neben der wirtschaftlichen Rezession wirkte sich auch die
Sättigung des Marktes negativ aus. Der Rückgang betraf vor allem die
Werbebranche, Zeitarbeitsunternehmen und Immobilienagenturen. DV-
Dienste stagnieren, die Wirtschafts- und Technikberatung hingegen
nahm eine positive Entwicklung.

Der Tourismus stellte 1993 direkt oder indirekt 1,5 Mio. Arbeitsplätze
und brachte Devisen in Höhe von 620 Mrd. Franc (112 Mrd. Dollar)
ein. Frankreich ist heute weltweit das Land mit den meisten ausländi-

schen Touristen (57 Mio.), was sich in der Handelsbilanz mit einem Überschuß von fast 60 Mrd. Franc (10,9 Mrd. Dollar) niederschlägt. 70,5 % der Übernachtungen entfielen auf Touristen aus EU-Ländern, von denen die Deutschen vor den Briten, Belgiern und Niederländern lagen. Die Amerikaner, die zwar ausgabefreudiger sind, aber spürbar auf Veränderungen des Dollarkurses reagieren, machten 5,5 % aller Touristen aus. Mit 600.000 Besuchern jährlich nimmt der Anteil der Japaner deutlich zu. Der internationale Tourismus trägt auch zur wirtschaftlichen Entwicklung vieler Regionen bei. So bremst er z.B. die Entvölkerung der Gebirgsregionen und fördert bestimmte Erschließungsmaßnahmen in den Küstengebieten. Auch viele Industriezweige profitieren vom Tourismus, z.B. die Freizeitschiffahrt, die Sportausrüstungsindustrie oder der Hoch- und Tiefbau (s. Kap. 14).

Zur Verbesserung der Unterbringungsmöglichkeiten wurden bedeutende Investitionen getätigt, die sich in der Dynamik der Hotelketten (*Accor* gehört weltweit zu den größten) und der Familienhotels niederschlagen. In mehr als einer Million Hotelzimmern, 900.000 Campingplätzen, 28.000 Ferienquartieren auf dem Land, 755 Feriendörfern und vielen Privatzimmern stehen insgesamt 18,5 Mio. Betten zur Verfügung. Das Ministerium für Tourismus und französische Reiseagenturen wie *Havas-Tourisme* führen umfangreiche Werbekampagnen im Ausland durch.

**Touristen auf einem
Seine-Boot in Paris**

Verkehr und Telekommunikation

Der Informationsfluß hat sich entsprechend dem Verkehr von Reisenden und Waren beträchtlich entwickelt. Die Netze, die früher auf nationaler Ebene konzipiert wurden, werden in Zukunft im Rahmen der EU eingerichtet, wo der Binnenmarkt die Konkurrenz belebt.

Die staatliche französische Eisenbahngesellschaft SNCF ist für den Betrieb des 32.730 km langen *Eisenbahnnetzes* zuständig. Da die SNCF ihren Verpflichtungen als öffentliches Dienstleistungsunternehmen nachkommen muß und hohe Investitionskosten trägt (20 Mrd. Franc, also 3,6 Mrd. Dollar, im Jahr 1993), wird sie vom Staat unterstützt. Im Schienenverkehr werden nur 26,5 % der Waren befördert, im Vergleich zu 62 % im Jahr 1958. Diese Entwicklung spiegelt die Konkurrenz durch die Straße und den strukturellen Rückgang des Massengütertransports wider. Die Geschwindigkeitserhöhungen, der Einsatz von Waggons für den Transport von Containern und Schleppern sowie der Huckepackverkehr (Transport von Lastwagen auf Zügen) lassen in den nächsten Jahren eine Wiederbelebung des Schienentransports erhoffen. Die Personenbeförderung sieht sich der Konkurrenz durch den

Straße und Schiene befördern gemeinsam: Umladen auf Containerwaggons in Nantes

Luftverkehr ausgesetzt. Die große Innovation der 80er Jahre war die Entwicklung der Hochgeschwindigkeitszüge (TGV), die von *GEC-Alsthom* gebaut werden. Die Personenbeförderung wird bald vom europaweiten Ausbau des Hochgeschwindigkeitsnetzes profitieren. Die Stärken der SNCF sind Sicherheit, Geschwindigkeit, Pünktlichkeit und Komfort. Im Pariser Raum arbeitet die SNCF mit dem öffentlichen

Pariser Nahverkehrsbetrieb RATP zusammen, der jedes Jahr mehr als 1,5 Mrd. Menschen in der Metro und 800 Mio. in Bussen befördert. Die Netze der beiden Unternehmen werden im Verbund mit dem regionalen Schnellbahnnetz RER betrieben.

Frankreich hat eines der dichtesten Straßennetze der Welt: 806.000 km, davon mehr als 7.000 km Autobahn, die in Zukunft an die der Nachbarländer angebunden werden sollen. Aufgrund eines Automobilparks von 24 Mio. Pkw und 4,9 Mio. Nutzfahrzeugen erfolgen 90 % des Personenverkehrs und 60 % des Warenverkehrs über die Straße. Der Warentransport wird von 39.000 Unternehmen mit 350.000 Beschäftigten durchgeführt.

Mit 6,8 Mio. Tonnen/km (1992) übernimmt die Binnenschiffahrt weniger als 4 % des inländischen Warenverkehrs. Diese Situation ist auf drei Faktoren zurückzuführen: den Niedergang der Kohlengruben und der Eisen- und Stahlindustrie, die Konkurrenz durch die Schiene und vor allem die Überalterung des Wasserstraßennetzes. Das französische Binnenschiffahrtsnetz ist zwar das längste in Europa (8.500 km), es besteht jedoch zum größten Teil aus Kanälen, die oft nur für Schiffe mit geringem Ladevermögen schiffbar sind und daher die Verbindungen zwischen den großen Achsen wie Seine, Rhône, Mosel und Rhein behindern. Im ganzen sind nur 1.860 km an das europäische Lademaß von 1.500 Tonnen angepaßt. Zur Zeit wird untersucht, wie die Binnenschiffahrt wieder belebt werden kann. Neben einer geplanten Verbindung für Großraumschiffe zwischen Rhein und Rhône denkt der Staat über eine zweite Verbindung zwischen der Seine und den Kanälen im Norden nach.

Frankreich ist eine wahre Drehscheibe im Luftverkehr, wie der Verkehr der Pariser Flughäfen (1993 mehr als 50 Mio. Passagiere) beweist, und nimmt innerhalb Europas hinter London den zweiten Rang ein. Auch die anderen französischen Flughäfen sind stark frequentiert, insbesondere Nizza und Marseille, die von den steigenden Touristenzahlen profitieren und denen die Hochgeschwindigkeitszüge kaum Konkurrenz machen. Die nationale Fluggesellschaft *Air France* gehört nach Flugkilometern zu den fünf größten Gesellschaften weltweit. 1990 übernahm sie die Kontrolle über *Air Inter*, die nur im Inland fliegt, und *UTA*, die Afrika und den pazifischen Raum bedient. *Air France* fliegt 186 Flughäfen in 75 Ländern an und beförderte 1993 mehr als 14 Mio. Passagiere. *Air Inter* hatte im selben Jahr über 16 Mio. Passagiere. Die französischen Fluggesellschaften stehen heute einer starken internationalen Konkurrenz gegenüber, die in der EU aufgrund der schrittweisen Liberalisierung des Luftverkehrs noch schärfer wird.

Am 1. Januar 1993 bestand die französische Flotte (ohne die Fischfangflotte) aus 221 Schiffen mit mehr als 100 Bruttoregistertonnen (BRT); 188 davon waren Frachtschiffe. Frankreich nimmt so mit 4,2 Mio. BRT europaweit den siebten Rang ein. Es gibt eine staatliche Reederei, die *Compagnie générale maritime* (CGM), und mehrere private, wie *Delmas*. Wie ihre Konkurrenz ist auch die französische Flotte in den letzten zwanzig Jahren größer geworden. Seine handelspolitische Offenheit und seine 3.000 km Küsten an Atlantik, Ärmelkanal und Mittelmeer ermöglichen es Frankreich, Seefrachtgeschäfte von 245 Mio. Tonnen pro Jahr zu tätigen, womit es europaweit auf dem vierten und weltweit auf dem achten Platz steht. Rotterdam ist zwar mit Abstand der größte europäische Hafen, aber Marseille, Le Havre und Dünkirchen stehen immerhin an dritter, fünfter und achter Stelle, und auch Nantes-Saint-Nazaire und Rouen sind sehr aktiv. Mit staatlicher Unterstützung betreiben sie ihre Modernisierung, um ihr Dienstleistungsangebot zu diversifizieren und den Warenumschlag zu beschleunigen, damit sie gegen die belgische und niederländische Konkurrenz bestehen können.

1992 beförderte die Post 21,4 Mrd. Sendungen (Briefe, Päckchen, Zeitungen und Zeitschriften). Die französische Post ist zuverlässig und schnell bei der Beförderung (innerhalb von 24 Stunden zum Normaltarif). Sie bietet außerdem weitere Dienste an: Beförderung zum Spartarif, Eilzustellung, Bankgeschäfte etc. Sie beschäftigt fast 300.000 Mitarbeiter. 1990 wurden der Postdienst und der Telefondienst getrennt, und es wurden zwei Unternehmen des öffentlichen Rechts gegründet. *France Telecom* übernahm die Telekommunikationsdienste. Dank hoher staatlicher Investitionen in den 70er und 80er Jahren gibt es heute fast 31 Mio. Telefonanschlüsse in Frankreich (mehr als ein Anschluß für zwei Einwohner), und die Tarife, vor allem für Ferngespräche, sinken kontinuierlich.

Die französische Telematikbranche entwickelt sich stetig weiter: 6,5 Mio. Minitel-Endgeräte sind in Betrieb, und mehr als eine Milliarde Verbindungen werden jährlich registriert. Dieses Netz bietet 17.000 Dienste an, u.a. das Telefonbuch, Platzreservierungen für Verkehrsmittel und Veranstaltungen, Datenbanken, Nachrichtenübermittlung usw. Auch Fax-Geräte (mehr als 1,1 Mio. Geräte) und Mobiltelefone erfahren eine rasche Verbreitung. Im übrigen profitieren die französischen Unternehmen von dem unbestreitbaren technischen Vorsprung des ISDN-Netzes.

Für weitere Informationen:

Les tableaux de l'économie française 1994-1995, Paris, INSEE, 1994
J.-M. Charpin, *L'avenir de l'économie française*, Paris, La Documentation française, 1993
L'économie française. Rapport sur les comptes de la Nation, Paris, 1995
Les chiffres-clés de l'économie française, Paris, Ministère de l'Économie, 1994
B. Coriat, D. Taddéï, *Made in France*, Paris, 1993
DREE, *Commerce extérieur français : retour à l'excédent*, La Documentation française, 1993
J.-F. Eck, *La France dans la nouvelle économie mondiale*, Paris, 1994
Études économiques de l'OCDE, France, Paris, 1994
La France, industries et services depuis 1945, Paris, 1994
L'industrie française en 1994, Paris, INSEE, 1995
P. Le Roy, *Les agricultures françaises face aux marchés mondiaux*, Paris, 1993
A. Minc, *La France de l'an 2000*, Paris, La Documentation française, 1994
Ministère de l'Industrie, *Les chiffres-clés de l'industrie 1994-1995*, Paris, 1995
Observatoire français des conjonctures économiques, *L'économie française 1995*, Paris, 1995
J.-P. Vesperini, *L'économie française sous la Ve République*, Paris, 1993
D. Zerah, *Le système financier français: dix ans de mutation*, La Documentation française, 1993

Zeitschriften
Capital; *L'Expansion*; *Le Nouvel Economiste*; *Le Revenu français*; *Valeurs actuelles*; *La Vie française*; *Problèmes économiques, La Documentation française*.

14

Die wirtschaftlich-soziale Raumordnung und Regionalplanung

Vergleicht man die einzelnen französischen Regionen, so lassen sich Unterschiede in ihrer Entwicklung feststellen. Die Gründe dafür liegen für die Landwirtschaft in den natürlichen Gegebenheiten, für den Tourismus in den klimatischen Bedingungen, aber auch in der Lage der großen Wasserstraßen, in den Folgen der beiden industriellen Revolutionen, der wirtschaftlichen Entwicklung nach dem Krieg und der Krise der 70er Jahre. Zur Linderung dieser regionalen Ungleichheiten betreiben die zuständigen Behörden seit Jahrzehnten eine Raumordnungspolitik, die eine bessere Verteilung der Bevölkerung und der Wirtschaftätigkeiten bezweckt.

Diese Herausforderung ist so gewaltig, daß die Regierung darüber 1994 eine Debatte mit Volksvertretern, Entscheidungsträgern im wirtschaftlichen, sozialen und kulturellen Bereich, Verbänden und Bürgern anregte. Am 4. Februar 1995 wurde ein Rahmengesetz für Raumordnung und Entwicklung bis zum Jahr 2015 verabschiedet.

Ein wenig Gechichte

Nach dem Zweiten Weltkrieg wurde man sich des regionalen Gefälles bewußt, und so kam es 1949 zur Einrichtung einer Raumordnungsbehörde. Nun verstärkte sich landesweit die Wahrnehmung dieses Ungleichgewichts, das durch die wirtschaftlichen Veränderungen noch vielseitigere Formen angenommen hatte.

Am auffallendsten sind die Disparitäten zwischen Paris und der Provinz. Schon 1950 ballten sich im Pariser Raum (2,2 % der Landesfläche) 18,6 % der Bevölkerung, hier erfolgte jede dritte Unternehmensgründung und wurden fast 25 % des Volkseinkommens erwirtschaftet.

Regional gesehen ist Frankreich praktisch durch eine Diagonale zwischen Le Havre und Marseille geteilt. Im stark industrialisierten Nord-

und Ostfrankreich lebten drei Viertel der Arbeitnehmer des sekundären Sektors, die Landwirtschaft war gesund, und hier befanden sich auch die meisten Großstädte. In West- und Südwestfrankreich dagegen wies die Landwirtschaft immer noch karge Erträge auf, während die Industrie und der gehobene Dienstleistungssektor nur in ein paar großen Ballungsgebieten vertreten waren.

Auch Städte und ländliche Gegenden unterschieden sich voneinander. Auf der einen Seite schritt die Urbanisierung schnell voran, auf der anderen drohte einigen ländlichen Gebieten in den fünfziger und sechziger Jahren die Entvölkerung, besonders im Süden des Zentralmassivs und der Alpen oder in den mittleren Pyrenäen. In den siebziger Jahren verschlimmerte sich die Lage aufgrund der Wirtschaftskrise, von der die traditionellen Industriezweige (Bergbau, Stahl, Textil, Schiffbau) im Norden und in Lothringen besonders stark betroffen waren. Gleichzeitig gelang es den südlichen Regionen, gestärkt durch neuzeitliche Industrien (Luft- und Raumfahrt, Elektronik, Informatik), die Schwierigkeiten besser zu meistern.

Der Nationale Straßenverkehrsleitplan (1995): Fast 500 neue Autobahnkilometer wurden 1994 eröffnet

Dieses Ungleichgewicht veranlaßte den Staat, eine kohärente Raumordnungspolitik einzuführen. 1963 wurde das Referat für Raumordnung und Regionalplanung (DATAR) geschaffen. Innerhalb der 1956 festgelegten 22 Programmregionen lenkte es die wirtschaftlich-soziale Raumordnung, unterstützt von verschiedenen lokalen Einrichtungen, die besonders für die touristische Erschließung, die Industrialisierung und die Gestaltung der Ballungsräume zuständig sind. Die 1982 und 1983 verabschiedeten Dezentralisierungsgesetze bewirkten einen stufenweisen Rückzug des Staates, der den Gebietskörperschaften einen Großteil der Raumordnungsarbeiten übertrug.

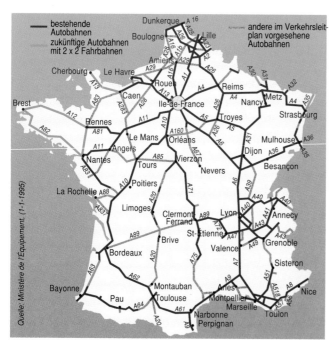

Seit 1984 werden zwischen Staat und Regionen "Planverträge" geschlossen, die es jeder Region ermöglichen, ihre vorrangigen Raumordnungsvorhaben festzulegen, um danach im Gespräch mit der Regierung die verschiedenen Projekte auf nationaler Ebene abzustimmen. Diese vom Staat und den einzelnen Regionen gemeinsam finanzierten Raumordnungsverträge betreffen die verschiedensten Bereiche. Die finanzielle Beteiligung des Staates steht im umgekehrten Verhältnis zu den Mitteln, über welche die Regionen verfügen. Insgesamt gaben Staat und Regionen im Zeitraum 1989-1993 55 bzw. 40 Milliarden Franc für die Raumordnung aus. Für den Zeitraum 1994-1998 wurde die staatliche Beteiligung auf 67,5 Milliarden Franc festgelegt. Hinzu kommt die Finanzierung von Sonderprogrammen. In den Bereich Straßen fließt fast ein Drittel, in die wirtschaftliche Entwicklung 18 %, in den Städtebau 10 %. Auch in die Umsetzung des Plans *Université 2000*, in den Umweltschutz und in den kulturellen Bereich wird viel investiert.

Gesichert wird die Finanzierung der Raumordnung vor allem durch den Fonds für wirtschaftliche und soziale Entwicklung (FDES) und den Interventionsfonds für Raumordnung (FIAT). Im Rahmen der Europäischen Union beteiligt sich der Europäische Fonds für regionale Entwicklung (EFRE) seit 1975 mit 40 bis 50 % an der Finanzierung bestimmter Maßnahmen der Mitgliedstaaten. Ergänzt wird die Hilfe der Europäischen Union für benachteiligte Regionen durch den Europäischen Sozialfonds (ESF) oder die Europäische Investitionsbank (EIB).

Die Strategie der Raumordnung hat sich deutlich verändert. Zuerst ließ der Staat seine Hilfe bevorzugt den schwach industrialisierten Regionen zukommen, unterstützte die Dezentralisierung der Industrie und die Entwicklung von "Gleichgewichtsmetropolen" (Lille, Straßburg, Bordeaux usw.). Später förderten die zuständigen Stellen verstärkt Städte mittlerer Größe, die Modernisierung des ländlichen Lebensraums und die großangelegte touristische Erschließung bestimmter Regionen (Languedoc, Ostkorsika). Die Krise der 70er Jahre verhinderte jedoch eine Fortsetzung dieser Politik und veranlaßte den Staat, sein Eingreifen auf die Industrieregionen zu konzentrieren, die mit dem akuten Problem der Arbeitslosigkeit und der Anpassung an neue wirtschaftliche Erfordernisse zu kämpfen hatten.

Die großen Achsen der Raumordnungspolitik

Bei der Durchführung der Raumordnungsprogramme wurden vier Hauptschwerpunkte gesetzt.

Der Verkehr: Modernisierung und Öffnung des Netzes

Große Infrastrukturarbeiten zur Förderung touristischer Regionen (Languedoc-Roussillon, Aquitanien usw.) und zur Verbesserung der Kommunikationsmöglichkeiten wurden zwischen den französischen Regionen einerseits und zwischen Frankreich und seinen europäischen Partnern andererseits unternommen. So wuchs das Autobahnnetz von 225 km im Jahre 1962 auf mehr als 7.000 km im Jahre 1995 an. Die meisten Autobahnen führen zwar immer noch nach Paris, neue Strecken binden jedoch auch ehemals isolierte Regionen wie das Zentralmassiv

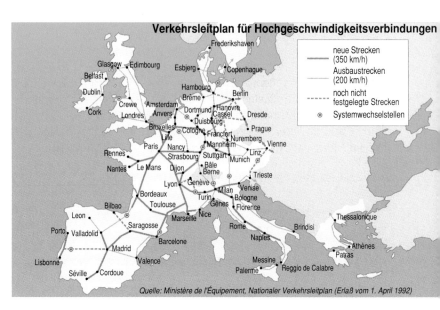

Quelle: Ministère de l'Équipement, Nationaler Verkehrsleitplan (Erlaß vom 1. April 1992)

Als Vorreiter bei Hochgeschwindigkeitsverbindungen bringt Frankreich gute Voraussetzungen für eine Anbindung an das europäische Netz mit

an und stellen Querverbindungen her, wie z.B. die Strecke Narbonne-Bordeaux. Andere Autobahnen ermöglichen dem Verkehr aus Nordeuropa, Paris östlich zu umfahren (Calais-Dijon). Anfang des 21. Jahrhunderts dürfte sich das Autobahnnetz, das schon weitgehend mit dem europäischen Netz verbunden ist, über 12.000 km erstrecken.

Die zweite große Maßnahme zur Modernisierung des Verkehrswesens war die Entwicklung des Hochgeschwindigkeitszugs TGV. Seit 1981 verbindet der TGV-Süd-Ost Paris und Lyon in zwei Stunden (450 km); durch die Verlängerung dieser Trasse wird Marseille im Jahr 1999 nur noch drei Stunden von Paris entfernt sein (700 km). Der 1989 eingeweihte TGV-Atlantik bewältigt die Strecke Nantes-Paris in zwei Stunden und zwanzig Minuten. Der TGV-Nord, der von Paris nach Lille weniger als eine Stunde braucht, bindet Großbritannien durch den Ärmelkanaltunnel an. In Kürze beginnen die Bauarbeiten des TGV-Ost, der später bis nach Berlin und München fahren wird, während der TGV-Süd-Ost Lyon und Turin verbinden soll. So entsteht nach und nach ein TGV-Netz, das auf ganz Europa ausgerichtet ist, mit Paris als einer der wichtigsten Drehscheiben.

Schließlich wurden noch einige große Wasserwege (Rhône, Seine, Mosel) und bedeutende Häfen (Marseille-Fos, Le Havre, Dünkirchen, Rouen) modernisiert. Die Pariser Flughäfen Roissy-Charles-de-Gaulle und Orly liegen nunmehr europaweit an zweiter Stelle, sowohl beim Binnenflugverkehr als auch bei den internationalen Flügen. In Frankreich verfügen etwa dreißig Städte über einen Flughafen mit einem jährlichen Passagieraufkommen von mehr als 100.000 Personen.

Die Städte

Auch die städtische Raumordnung, der zweite Schwerpunkt, wurde mit großem Aufwand betrieben. Die ersten Maßnahmen bezweckten eine Entlastung des Pariser Raums und die Errichtung von "Gleichgewichtsmetropolen" (1964), um die Disproportionen zwischen Paris und der Provinz auszugleichen. Aus diesen relativ weit von der Hauptstadt gelegenen größeren Städten sollten eigenständige Entscheidungszentren werden. Dazu wurden ihre Infrastruktur und der gehobene Dienstleistungssektor gestärkt.

Durch die schnelle Entwicklung der Gleichgewichtsmetropolen verkümmerten jedoch die angrenzenden Regionen, so daß ab 1973 ein Programm zur Raumordnung und Infrastrukturförderung zugunsten der Städte mittlerer Größe gestartet wurde. Berücksichtigt wurden insgesamt 160 Städte mit 20.000 bis 100.000 Einwohnern, was einer Gesamtzahl von 7 Millionen Stadtbewohnern entspricht. Parallel dazu wurden um Paris fünf und in der Provinz vier Trabantenstädte gebaut, um die Hauptstadt und einige Gleichgewichtsmetropolen zu entlasten. Seit 1975 schließlich sorgt ein weiteres Programm für die wirtschaftliche und soziale Förderung der Kleinstädte von 5.000 bis 20.000 Einwohnern.

Wiederbelebung und Anpassung an neue Erfordernisse

Die industrielle Raumordnung ist der dritte Tätigkeitsbereich der DATAR. Mit einem Prämiensystem wurde einerseits ver-

Ankunfthalle für Hochgeschwindigkeitszüge am Flughafenbahnhof Roissy 2

sucht, die Unternehmen in die Provinz zu locken, und mit steuerlichen Nachteilen wollte man sie bis 1984 von der Niederlassung in die Region Ile-de-France abhalten. So erhoffte sich der Staat, im Rahmen einer großangelegten Dezentralisierungsaktion den Unternehmern den schwach industrialisierten Osten und Süden Frankreichs schmackhaft zu machen. Ab 1975 konzentrierten sich die staatlichen Bemühungen verstärkt auf die von der Wirtschaftskrise heimgesuchten Industrieregionen. 1984 wurden 15 Umstrukturierungszentren geschaffen, um neue Wirtschaftszweige anzulocken und eine Unterbringung der aus den von der Rezession betroffenen Branchen entlassenen Arbeitskräfte zu ermöglichen. Um den Niedergang des Schiffbaus einzudämmen, errichtete der Staat 1986 in Dünkirchen, La Ciotat und La Seyne drei Gewerbegebiete, in denen den sich niederlassenden Unternehmen zehn Jahre lang völlige Steuerbefreiung gewährt wurde.

Die Aufwertung ländlicher Gebiete

Der vierte Schwerpunkt umfaßt die ländlichen und benachteiligten Regionen, das sind rund 25 % des Landes. Dort bestimmte die DATAR 1967 Aufbaugebiete, in die Hilfen und Subventionen flossen. Ergänzt wurden diese Maßnahmen 1985 durch das Gesetz über die benachteiligten Berggebiete. Die Behörden zeigten sich besorgt über den wirtschaftlichen Niedergang der ländlichen Gebiete, eine Folge der Landflucht und der Überalterung der dortigen Bevölkerung. Um die Landwirte vor Ort zu halten, wurden zahlreiche Maßnahmen sowohl auf nationaler als auch auf EU-Ebene getroffen: zweckgebundene Beihilfen, Prämien, Förderung des Öko-Tourismus usw.

Bilanz und Perspektiven

Wie haben sich die Disparitäten zwischen Paris und der Provinz entwickelt? Das Bevölkerungswachstum der Region Ile-de-France wurde zwar gebremst und fiel von jährlich 1,3 % im Zeitraum 1968 bis 1975 auf 0,3 % von 1975 bis 1982, aber von 1982 bis 1990 stieg es wieder auf 0,7 % pro Jahr an. Die wirtschaftliche Bedeutung des Pariser Raums hat noch zugenommen, und die Pariser Übermacht zeigt sich vor allem im besonders ausgeprägten gehobenen tertiären Sektor (Banken, Versicherungen, High-Tech). Die Region Ile-de-France erwirtschaftet allein 28,7 % des Bruttoinlandprodukts (BIP) und verbucht ca. 40 % der jährlich in Frankreich geschaffenen Arbeitsplätze.

Das große Ost-West-Gefälle bleibt bestehen: 70 % der Beschäftigten im Industriebereich arbeiten östlich der oben erwähnten Diagonale Le Havre-Marseille, wo auch die Verkehrsinfrastruktur am stärksten erneuert wurde. Die Diskrepanz ist jedoch nicht mehr so groß wie in den 60er Jahren. Zu Hunderttausenden wurden Arbeitsplätze im Westen und im westlichen Zentral-Frankreich geschaffen, wo sich die Investitionsgüterindustrien entwickelt haben (Automobilbau, Elektro- und Elektronikindustrie), wie auch in Südfrankreich, wo sich die High-Tech-Industrie niederließ (Luft- und Raumfahrtindustrie bei Toulouse und Bordeaux, Informatik in Montpellier und Umgebung).

Aber die Raumordnung brachte gelegentlich auch negative Folgeerscheinungen mit sich. Wachstum und Wohlstand verdankten die Gleichgewichtsmetropolen und die regionalen Zentren der intensiven Zuwanderung der besten Arbeitskräfte der jeweiligen Regionen, was ein Ausbluten der ländlichen Gegenden zur Folge hatte. Das war zum Beispiel in Toulouse der Fall. Nun zeichnen sich neue Trennungslinien durch das französische Land ab. Besonders hebt sich die Linie von den Pyrenäen über das Zentralmassiv zu den Ardennen hervor. Gemeinsam sind diesen Landstrichen die niedrige Bevölkerungsdichte, der diese Achse die Bezeichnung "Diagonale der Leere" verdankt. Die atlantischen Regionen sind bestrebt, sich stärker an die dynamischen europäischen Regionen um die Rheinachse anzubinden. Die Regionen im Mittelmeerraum, die stark an Attraktivität gewonnen haben, setzen auf ihre High-Tech-Hochburgen und auf den Fremdenverkehr, um ihren wirtschaftlichen Rückstand aufzuholen.

Das Geschäftsviertel *La Défense* in Paris mit Blick auf Nanterre, in der Mitte die *Grande Arche*

Das Rahmengesetz für Raumordnung und Entwicklung vom 4. Februar 1995 spiegelt den Willen der Regierung und der Volksvertreter wider, die bestehenden Ungleichheiten zwischen den teilweise von starker Abwanderung betroffenen Regionen zu korrigieren.

Zu diesem Zweck müssen zahlreiche Maßnahmen getroffen werden, von denen einige rückwirkend zum 1. Januar 1995 in Kraft traten und andere auf mehrere Jahre bis hin zum Jahr 2015 ausgelegt sind. Vorrang hat dabei die Entwicklung der bevölkerungsärmsten ländlichen Gebiete und der ärmsten städtischen Gemeinden. Auch für die europäische Metropole Paris und ihr Umland werden besondere Anstrengungen unternommen. Neben den Sonderfonds, die zur Unterstützung dieser Maßnahmen eingerichtet wurden, soll ein nationaler Fonds für den Aufbau und Ausbau von Unternehmen geschaffen werden.

Zum Ende dieses Jahrhunderts sieht man sich bei der Raumordnung neuen Problemen gegenübergestellt, und neue Prioritäten müssen gesetzt werden. Die Umgestaltung des französischen Raums erfolgt nunmehr im europäischen Rahmen und nicht mehr ausschließlich nach nationalen Kriterien. Die Konkurrenten der französischen Regionen sind heute viel weniger im eigenen Lager als in den europäischen Nachbarländern zu suchen (Flandern, Baden-Württemberg, Bayern, die Lombardei, etc.), mit denen sie übrigens auch Abkommen über eine Zusammenarbeit abschließen. Die Konkurrenten von Paris heißen nicht mehr Lyon, Lille oder Marseille, sondern London, Brüssel, Frankfurt oder Mailand. Die französische Hauptstadt ist bemüht, international an Einfluß zu gewinnen und bedeutende ausländische Entscheidungsträger sowie die Firmensitze multinationaler Konzerne anzulocken, indem ihnen Steuererleichterungen geboten werden, das Angebot an Büroflächen und Hotels erweitert wird und verstärkt Einrichtungen für Kongresse und Seminare eingerichtet werden.

Im Hinblick auf diese europäische und internationale Öffnung ist auch geplant, dem ganzen Land einen neuen Schwung zu verleihen, wobei ein Dutzend regionaler Metropolen europäischen Formats (Lyon, Marseille, Lille, Straßburg, Bordeaux, Rennes, Nancy, Metz, Nantes, Toulouse, Grenoble, Clermont-Ferrand) auf Grund ihrer tertiären Infrastruktur (Hochschulen, Forschung), ihrer Kommunikationsnetze und ihrer allgemeinen Infrastruktur jeweils als Mittelpunkt dienen sollen.

Für weitere Informationen:

M. Baleste, *La France: 22 régions de programme*, Paris, 1993
F. Damette, *La France en villes*, Paris, La Documentation française - DATAR, 1994
DATAR, *Débat national pour l'aménagement du territoire*, Paris, La Documentation française, 1993
La France et ses régions. INSEE, 1993
A. Jouve et collab., *La France des régions*, Paris, 1992
S. Lerat et R. Froment,*La France, fondements et politiques économiques, économie du territoire*, Paris, 1992
D. Noin, *L'espace français*, Paris, 1992
J.-L. Bœuf, "L'aménagement du territoire: bilan et renouveau", *Problèmes politiques et sociaux*, n° 750, Paris, La Documentation française, 1995.

BILDUNG, WISSENSCHAFT UND KULTUR

15

Das Bildungswesen

Mit den Dekreten von 1792 und 1793 wurde dem Staat eine vorrangige Rolle bei der Erziehung eingeräumt, wodurch Frankreich eines der fortschrittlichsten Bildungssysteme der Welt aufbauen konnte.

Drei Indizien belegen dies. 1994 befanden sich fast 14 Millionen Jugendliche in der Ausbildung, also fast ein Viertel der Bevölkerung; die vom Staat für Bildungszwecke bereitgestellten Mittel waren mit 292 Milliarden Franc (53 Milliarden Dollar) entsprechend hoch und machten 17,7 % des Haushalts aus; das Personal im Bildungswesen entsprach mit 1,1 Millionen Personen über der Hälfte der staatlichen Bediensteten.

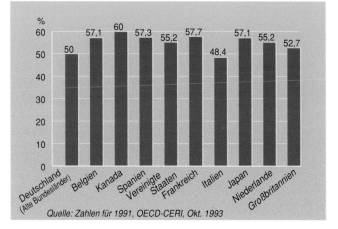

Quelle: Zahlen für 1991, OECD-CERI, Okt. 1993

Der Wille, das Niveau anzuheben wird durch internationale Vergleiche und durch eine hohe Erfolgsquote beim Abitur unterstrichen; und schließlich sind die Erwartungen der Gesellschaft in bezug auf die Ausbildung und Anpassung an die wirtschaftlichen Realitäten sehr groß.

Die Diskussionen über die Bildung

Wie in den meisten Industrieländern, ist das Bildungssystem auch in Frankreich Gegenstand ständiger Anpassungen. In den vergangenen 30 Jahren gab es mehrere Phasen des Umdenkens und der Infragestellung, die zu strukturellen Änderungen führten, in erster Linie an den Universitäten, aber mit der Einführung der einheitlichen Sekundarstufe I auch an den Schulen und berufsbildenden Gymnasien.

Außerdem löste der gesellschaftliche Wandel Diskussionen über den Laizismus, die Entwicklung neuer pädagogischer Modelle, die Anhebung des Bildungsniveaus mit dem Ziel einer höheren Abiturientenzahl sowie über die Dezentralisierung und eine größere Autonomie der Bildungseinrichtungen aus. Häufig wurde bemängelt, daß die Schüler nach der Primarstufe nur unzureichend lesen und rechnen können. Tests, die jährlich bei der Wehrerfassung bei rund 400.000 Jugendlichen durchgeführt werden, haben aber gezeigt, daß das allgemeine Bildungsniveau in 11 Jahren um 15 % gestiegen ist, und die jungen Schulabgänger, die auf den Arbeitsmarkt drängen, sind immer besser ausgebildet. In jüngster Zeit haben drei Faktoren bedeutende Auswirkungen auf das Bildungssystem gehabt.

Schüler und Studenten 1993-1994

	in 1000	% öffentlich
Vorschulen	2 548,5	87,5
Grundschulen	3 960,9	85,2
Sekundarstufe I	3 405,4	80,0
Allgemeinbildende und Fachgymnasien	1 529,5	78,7
Universitäten	1 403,8	92,4
Ingenieurschulen [(1)]	67,1	75,1

[(1)] Zahlen von 1992-1993

Quelle: Bildungsministerium, DEP. Statistische Daten 1994

Der Schulstreit - der 1984 und 1994 zu großen Demonstrationen geführt hat - entsteht in Frankreich aus dem Nebeneinander der mehrheitlich öffentlichen Schulen und der privaten Schulen, die meistens vertraglich mit dem Staat assoziiert sind. Die Lehrpläne, die Qualifikation des Lehrpersonals und die Abschlüsse unterscheiden sich zwar nicht, und das Schulgeld an den vertraglich gebundenen Privatschulen ist sehr niedrig. Die Gebäude der privaten Einrichtungen werden jedoch nicht vom Bildungsministerium unterhalten, während die Befürworter der Privatschule möchten, daß der Staat diese Kosten übernimmt. Da jede Seite auf ihrer Position beharrt, bestehen beide Systeme nach wie vor nebeneinander. Die Diskussionen haben jedenfalls gezeigt, daß die Franzosen sowohl am Grundsatz des Laizismus als auch an der Bildungsfreiheit festhalten.

Was die finanziellen Aufwendungen angeht, so erforderten die Veränderungen an den Gymnasien, vor allem an den berufsbildenden Gymnasien, die erforderlich waren, um 80 % der Schüler zum Abitur zu führen, große Summen.

Und der massive Zulauf zu den Universitäten sowie die Verlängerung der Schulzeit (durchschnittlich bis zum 18. Lebensjahr; Schulpflicht besteht vom 6. bis zum 16. Lebensjahr) haben den Finanzbedarf der Hochschulen gesteigert, der natürlich in Zeiten knapper Staatsfinanzen schwer zu befriedigen ist. Trotz allem ist die Zahl der Hochschulabgänger ohne Abschluß zu hoch.

Beständigkeit und Wandel im System

Das Bildungssystem untersteht in erster Linie dem Staat und damit dem Bildungsministerium. Manchmal gibt es außerdem einen Minister oder einen Staatssekretär nur für einen bestimmten Bereich (Hochschulen, Berufsbildung). Schließlich können weitere Ministerien für bestimmte Ausbildungszweige (z.B. das Landwirtschaftsministerium für die landwirtschaftlichen Gymnasien) zuständig sein.

Schule hatte in Frankreich immer eine symbolische Dimension. Ihr wurde als erster die Aufgabe übertragen, die nationale Einheit herzustellen und zu bewahren, vor allem durch die Integration der Kinder ausländischer Eltern. Vier große Grundsätze leiten die staatliche Erziehung: gleicher Zugang, keine Diskriminierung, Neutralität und Laizismus. Werden diese Grundsätze gewahrt und bestimmte Regeln im Hinblick auf die Gesundheit, die Sicherheit und die Wahrung der öffentlichen Ordnung eingehalten, kann jeder eine Schule oder Hochschule gründen. Das öffentliche System ist - bis auf die (geringen) Einschreibgebühren an den Universitäten - schulgeldfrei. Die Festlegung und die Einführung von Abschlüssen sind dem Staat vorbehalten; zu staatlichen Prüfungen haben alle Schüler Zugang.

Möglichst viele sollen Zugang zur Hochschule erhalten: Studenten stehen Schlange, um sich an der Universität Paris I einzuschreiben

Lange war das Bildungssystem in seiner Organisation und seinen Funktionen stark zentralisiert, hierarchisch geordnet und einheitlich. Dies hat sich seit den 60er Jahren geändert. Zum einen wurden die Lehrpläne und -methoden aktualisiert, und die Entscheidungen über die interne Organisation der Schulen werden in Räten besprochen, wobei Schüler, Eltern und lokale Persönlichkeiten einbezogen werden; zum anderen mußte der Staat die erforderlichen Maßnahmen treffen, um dem starken Anstieg der Schülerzahlen auf allen Ebenen gerecht zu werden, der sich aus der demographischen Entwicklung, der verlängerten Schulzeit, dem zunehmenden Bildungsstreben und einer Politik ergab, die auf die Vermittlung der für die wirtschaftliche Entwicklung des Landes erforderlichen Fähigkeiten abzielt.

Die Vorschule - ein verkannter Erfolg

Die *école maternelle* gibt es seit 1887; sie ist weder Kinderhort noch Kindergarten sondern eine Einrichtung des Erziehungswesens für Kinder zwischen 2 und 6 Jahren, die mehrheitlich von Lehrerinnen und nur wenigen Lehrern betreut werden.

Für diese Einrichtung besteht zwar keine Schulpflicht, aber die Nachfrage ist sehr groß: Über 99 % der 3jährigen besuchen diese Schule, und zwar überwiegend die staatlichen Einrichtungen. Gewissenhafte Beobachtungen haben gezeigt, daß der Besuch einer Vorschule positive Auswirkungen auf die weitere Schullaufbahn hat. Die Kinder lernen außerdem soziales Verhalten, entwickeln ihre Persönlichkeit und verbessern ihre Sprechfähigkeit. Sensorielle, motorische oder intellektuelle Schwierigkeiten können früh erkannt und rechtzeitig behandelt werden. Für Kinder aus sozial benachteiligten Schichten ist die Vorschule ein wirkungsvolles Instrument zur Integration. Die älteren Kinder können anfangen, Lesen zu lernen.

Das französische Schulsystem im Schema

Schulart	Durchschnittsalter	Klasse
Lycée (Gymnasium)	17 Jahre 16 Jahre 15 Jahre	Terminale Première Seconde
Collège (einheitliche Sekundarstufe I)	14 Jahre 13 Jahre 12 Jahre 11 Jahre	Troisième Quatrième Cinquième Sixième
École primaire (Grundschule)	10 Jahre 9 Jahre 8 Jahre 7 Jahre 6 Jahre	Cours moyen 2 Cours moyen 1 Cours élémentaire 2 Cours élémentaire 1 Cours préparatoire
École maternelle (Vorschule)	5 Jahre 4 Jahre 3 Jahre	Grande section Moyenne section Petite section

Für den Bau und den Unterhalt der *école maternelle* sind die Kommunen zuständig. Sie stellen auch das Hilfspersonal. Nur die Lehrer unterstehen dem Erziehungsministerium.

Rechenunterricht im
letzten Jahr der *école*
maternelle

Die neuen Herausforderungen der Grundschule

Bis auf wenige Ausnahmen kommen die Kinder mit 6 Jahren in die Grundschule. Für den Bau, die Ausstattung und die Unterhaltung der öffentlichen Grundschulen sind seit 1833 die Kommunen zuständig. Seit den unter Erziehungsminister Jules Ferry verabschiedeten Gesetzen (1881/1882) ist der Grundschulunterricht Pflicht und sind die öffentlichen Schulen laizistisch und schulgeldfrei.

Für die Ausbildung und Einstellung des Lehrpersonals ist der Staat zuständig. Die Grundschullehrer werden, wie die Lehrer der Sekundarstufe I, an den *Instituts universitaires de formation des maîtres* (IUFM) ausgebildet. Die Betriebskosten und Lehrergehälter der vertraglich gebundenen Privatschulen werden von den Kommunen bzw. vom Staat getragen.

Die normale Grundschulzeit beträgt 5 Jahre und ist in drei Stufen gegliedert: die einjährige Vorstufe, die zweijährige Grundstufe und die zweijährige Mittelstufe.

Die Schülerzahlen schwanken in Abhängigkeit der Bevölkerungsentwicklung. Infolge des Rückgangs der Schülerzahlen - um fast 900.000 in 30 Jahren - verringerten sich zwar die Klassenstärken seit Beginn der 90er Jahre, allerdings wurden auch Klassen und manchmal ganze Schulen geschlossen. Diese Entwicklung könnte zur Entvölkerung ländlicher Gebiete beitragen, auch wenn Schulbusse eingesetzt werden. In einigen städtischen und stadtnahen Gemeinden stellt sich in der Grundschule das Problem der kulturellen und linguistischen Heterogenität infolge der Einwanderung. Die Kinder ausländischer Herkunft - rund 10 % - sind geographisch ungleich verteilt und gehen zu 97 % in öffentliche Schulen.

Das collège - das entscheidende Bindeglied

Über 3 Millionen Schüler besuchen die annähernd 7.000 *collèges* (einheitliche Sekundarstufe I) für die Dauer von 4 Jahren: die Klassen *sixième* und *cinquième* (Beobachtungsstufe) und die Klassen *quatrième* und *troisième* (Orientierungsstufe). Seit 1975 wechseln alle Schüler nach der Grundschule ohne Berücksichtigung der Unterschiede im Leistungsstand in das *collège* über. Daher ist die Schülerzahl im Vergleich zu den 60er Jahren um fast 1 Million gestiegen.

Längere Ausbildungs-zeiten: Entwicklung der Schulbesuchsquote

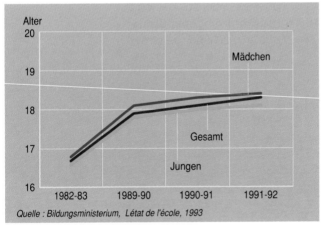

Quelle : Bildungsministerium, *L'état de l'école, 1993*

Rund 80 % der Schüler besuchen ein öffentliches *collège*. Im Rahmen der Dezentralisierung wurden der Bau, die Ausstattung, die Unterhaltung und der Betrieb dieses Schultyps den Departements übertragen. Dagegen ist der Staat zuständig für die Ausbildung, Einstellung und Bezahlung des Lehrpersonals sowie für die Anschaffung von Schulbüchern und Material (wie Computer, Medien usw.). Außerdem vergibt er zusätzliche Mittel für die *collèges* in sogenannten "vorrangigen Bildungszonen", in denen aufgrund des sozio-kulturellen Umfelds besondere Anstrengungen erforderlich sind.

Die Schülerzahlen in den privaten *collèges* sind in 20 Jahren um durchschnittlich 2,5 % gestiegen. Die Besoldung des Lehrpersonals in privaten *collèges*, die durch staatliche Verträge gebunden sind (nur 10.000 Schüler besuchen nicht staatlich gebundene) übernimmt der Staat vollständig, die Betriebskosten werden zwischen Staat und Departement aufgeteilt.

Während in der Grundschule ein Lehrer alle Fächer in seiner Klasse unterrichtet, erteilen die Lehrer des *collège* nur noch Unterricht in einem oder höchstens zwei Fächern. Im ersten Jahr lernen die Schüler eine lebende Fremdsprache, im dritten Jahr wählen sie eine weitere hinzu.

Heute verfolgt jede Schule in Anlehnung an nationale Empfehlungen und in Anpassung an regionale oder lokale Gegebenheiten bzw. Besonderheiten der Schülerschaft ein eigenes pädagogisches Konzept.

Die meisten Schüler besuchen heute das *collège* bis zum Ende. Schüler, die vor dem Abschluß 16 Jahre alt werden und somit nicht mehr schulpflichtig sind, können die Schule verlassen, aber insgesamt erreichen 94 % einer Altersklasse einen der beiden Abschlüsse *Certificat d'aptitude professionnelle* (CAP) bzw. *Brevet d'enseignement professionnel* (BEP) oder wechseln ins Gymnasium.

Nachdem 1989 die Wahlmöglichkeiten nach der Klasse *cinquième* abgeschafft wurden, veränderte sich die Zusammensetzung der Klassen erheblich. Sie sind jetzt heterogener als früher, da Kinder mit Schwierigkeiten damals in besonderen Klassen (zur Vorbereitung auf den Beruf oder auf die Lehrausbildung) unterrichtet wurden. Zwar gibt es immer noch besondere Förderungsmöglichkeiten, sogenannte "Übergangsklassen " sowie spezielle Schulzweige, aber zur Zeit werden Überlegungen angestellt, wie man die Hauptforderung des Bildungssystems, das Niveau der schwächeren Schüler anzuheben, reformieren kann.

Das Gymnasium - Ziel sind 80 % Abiturienten

Der Wechsel zum Gymnasium erfolgt nach Abschluß des *collège*. 78 % aller Schüler besuchen die 2.600 staatlichen *lycées*. Die Schüler haben die Möglichkeit, zwischen zwei Formen dieses Schultyps zu wählen.

- Die knapp 1.300 *lycées professionnels* (berufsbildende Gymnasien) bieten, neben den *collèges*, ebenfalls einen berufsbildenden Schulzweig an, der rund 700.000 Schüler auf einen Beruf in der Industrie oder im Dienstleistungsbereich vorbereitet. Die Vorbereitung auf den Abschluß CAP (*Certificat d'aptitude professionnelle*) in drei Jahren wird inzwischen weniger häufig gewählt als die nur zweijährige Vorbereitung auf den Abschluß BEP (*Brevet d'enseignement professionnel*). Rund 120.000 Schüler legen heute das 1985 geschaffene berufliche Abitur, das *baccalauréat professionnel*, ab. Die Ausbildungsinhalte der *lycées professionnels* richten sich stark nach den angestrebten Berufen aus. Problematischer als bei anderen Ausbildungen gestaltet sich jedoch

die Ausrichtung im Hinblick auf den quantitativen und qualitativen Bedarf der Unternehmen, und so wird häufig der Vorwurf laut, diese Ausbildung werde den wachsenden und vielfältigen Ansprüchen der Unternehmen nicht gerecht. Daher ist das Erziehungsministerium mit den
Unternehmen bemüht, duale Ausbildungssysteme einzurichten und den
Leistungsstand der Schüler durch stetige Kontrollen zu bewerten.

- Die traditionellen Gymnasien führen mehr als eine Million Schüler in
drei Jahren zu einem allgemeinbildenden oder einem Fachabitur. Das
allgemeinbildende Abitur, das sich im Laufe der Jahre sehr verändert
hat, kann mit den Schwerpunkten Geisteswissenschaften, Naturwissenschaften oder Wirtschaftswissenschaften abgelegt werden. Das Fachabitur bereitet auf Ausbildungen in der Industrie (Maschinenbau, Elektronik, Ingenieurwesen etc.) oder im Dienstleistungsbereiche
(Sekretariat, Rechnungswesen, Hotel- und Gaststättengewerbe etc.)
vor.

Von allen Schularten haben die Gymnasien die stärkste Zunahme der
Schülerzahlen zu verkraften, und zwar zum einen aufgrund des Zustroms der stärkeren Jahrgänge und zum anderen aufgrund des allgemein zunehmenden Bildungsstrebens sowie des politischen Ziels, bis
zum Jahr 2000 80 % eines jeden Jahrgangs zum Abitur zu führen.
1950 lag dieser Satz noch unter 10 % und 1980 unter 30 %, heute
sind es 75 %.

Das Netz der Einrichtungen der Sekundarstufe wird im Rahmen eines regionalen Ausbildungsplans festgelegt. Die Regionen sind für den Bau, die Ausstattung und den Betrieb der Gymnasien zuständig. Der Staat bezahlt die Lehrkräfte und bestimmt die pädagogischen Strukturen. In den vergangenen 6 Jahren haben die Regionen große finanzielle Anstrengungen unternommen, um die gymnasialen Einrichtungen auszubauen und zu verbessern.

Die Hochschulen: freier Zugang und freie Studienwahl

Zu den Hochschulen zählen alle Einrichtungen, für deren Besuch der Abschluß der Sekundarstufe II erforderlich ist.

Die staatlichen Aufwendungen für den Hochschulbereich beliefen sich 1992 auf 71,5 Milliarden Franc (13 Milliarden Dollar). Das entspricht einer Erhöhung um real 73 % seit 1975, jedoch ist dieser Zuwachs kaum höher als die Zunahme der Anzahl der Studierenden.

Ein Teil der Hochschulausbildung ist in die Gymnasien ausgelagert. Es handelt sich dabei um die ersten beiden Studienjahre nach dem Abitur, die mit dem *Brevet de technicien supérieur* (BTS) abschließen und heute von 200.000 Schülern (dreimal soviel wie vor 10 Jahren) absolviert werden.

Eine Besonderheit des französischen Hochschulwesens sind die *grandes écoles*. Sie entstanden im 18. Jahrhundert, als die Universitätsausbildung sich in einer Krise befand und die öffentliche Hand bzw. bestimmte Berufsgruppen begannen, nach strengen Auswahlverfahren Führungskräfte für die Verwaltung bzw. die Wirtschaft auszubilden. Heute unterstehen die *grandes écoles* den verschiedenen Ministerien und bilden etwas mehr als 200.000 Studierende aus. Fast 70.000 Schüler bereiten sich in Vorbereitungsklassen an Gymnasien auf die Aufnahmeprüfungen (*concours*) dieser renommierten Einrichtungen vor, die künstlerische, literarische und naturwissenschaftliche Ausbildungen (*École des Arts décoratifs, Écoles normales supérieures, École Polytechnique*) ebenso vermitteln wie medizinische und soziale (mit rückläufigen Studentenzahlen) oder juristische und administrative Ausbildungen, wie die *École des Hautes études commerciales* (HEC) oder die *École supérieure de sciences économiques et commerciales* (ESSEC), die wachsende Zugänge verzeichnen, und die großen Ingenieurschulen (*École Centrale, École des Mines*). Die meisten dieser Einrichtungen sind öffentlich. Das Studium dauert 4 bis 5 Jahre (die beiden Vorbereitungsjahre eingeschlossen).

Die meisten Studierenden - rund 1,4 Millionen, d. h. fünfmal mehr als vor 30 Jahren - besuchen die Universitäten. Zugangsvoraussetzung ist das Abitur oder ein gleichwertiger Abschluß. Eine Ausnahme bilden die *Instituts universitaires de technologies (IUT),* die in zwei Jahren auf das *diplôme universitaire de technologie* (DUT) vorbereiten und zu denen die Zulassung auf der Grundlage eines Auswahlverfahrens erfolgt. Die IUT bilden etwa 75.000 Studierende im Jahr aus.

Die Studierenden an den Universitäten verteilen sich auf die Fächer Rechtswissenschaften (13,9 %), Wirtschaftswissenschaften (6,8 %), Geistes- und Humanwissenschaften (35,1 %), Naturwissenschaften (19,4 %) Sport, Medizin (7,8 %), Pharmazie und Zahnheilkunde. In den letzten drei Fächern wird nach dem ersten Jahr ein Numerus Clausus angewandt. Das Studium ist in drei Studienabschnitte gegliedert. Der erste schließt im allgemeinen nach zwei Jahren mit dem *diplôme d'études universitaires générales* (DEUG) ab. Das erste Jahr des zweiten Abschnitts schließt mit der *licence* und das zweite Jahr mit der *maîtrise* ab. Der dritte Studienabschnitt, für den die Zulassung nach einem Auswahlverfahren erfolgt, führt zum *diplôme d'études supérieures spécialisées* (DESS) oder zum *diplôme d'études approfondies* (DEA), auf die nach 3 bis 4 Jahren die Promotion folgen kann.

Anzahl der Studierenden in einigen europäischen Ländern im Jahr 1992 (in 1000)

	Anzahl	in %
Großbritannien	1 178	21.2 %
Frankreich	1 584	36,4 %
Spanien	1 169	36.6 %
Deutschland	1 720	28,7 %
Italien	1 373	28,3 %
Europa der 12	8 299	24,4 %

Quelle: Eurostat

Über 10 % der Studierenden kommen aus dem Ausland, davon rund die Hälfte aus Nordafrika und dem französischsprachigen Schwarzafrika.

Die Organisation der Universitäten entstand zum großen Teil aus den Veränderungen nach den Ereignissen im Mai 1968. Neue Einrichtungen haben die Fakultäten ersetzt: die *Unités de formation et de recherche* (UFR), deren Direktoren freie Hand bei der pädagogischen Koordination haben, und die Universitäten, in denen mehrere *Unités de formation et de recherche*, die gemeinsamen Verwaltungsabteilungen (Bibliothek, Studieninformation, Weiterbildung) sowie die eventuell angeschlossenen Institute und Schulen zusammengeschlossen sind.

Dem Präsidenten jeder Universität, der für fünf Jahre gewählt wird, unterstehen die Verwaltungs- und Finanzabteilungen. Er ist verantwortlich für den Haushalt, der sich aus staatlichen Mitteln und Eigenmitteln (Schenkungen, Zuwendungen von Unternehmen, Subventionen der Gebietskörperschaften, Einschreibgebühren) zusammensetzt. Die Universitäten sind unabhängig, obwohl ihre Finanzierung größtenteils aus staatlichen Mitteln erfolgt, die Beschäftigten vom Staat bezahlt werden und der Generalsekretär vom Bildungsministerium ernannt wird. An der Verwaltung der Universitäten wirken von den Beschäftigten und Studierenden gewählte Räte mit, wobei einer dieser Räte nicht der Universität angehörende Persönlichkeiten hinzuziehen kann.

Die Universitäten - starker Zulauf und Verwaltungsautonomie

Die Universitäten und die Bildungseinrichtungen mit Universitätsstatus sind von ihrer Größe her sehr unterschiedlich und außerdem äußerst ungleich über das Land verteilt. Allein in Paris lebt fast ein Sechstel aller Studierenden Frankreichs. Zählt man die benachbarten Universitäten in Versailles und Créteil hinzu, so macht der Anteil im Großraum Paris ein Viertel aus. Die kleinen Universitäten sind im allgemeinen sehr vielseitig ausgerichtet und verzeichnen die höchsten Studentenzahlen im ersten Studienabschnitt. In den großen Provinzstädten gibt es meist mehrere spezialisierte Universitäten mit einem hohen Anteil an Studierenden im zweiten und dritten Studienabschnitt. Das gilt für Lille, Toulouse, Lyon, Aix-en-Provence, Bordeaux, Grenoble, Montpellier und Nancy.

In der Hochschule für Elektronik und Elektrotechnik in Champs-sur-Marne bei Paris (Architekt: D. Perrault)

Die ständig steigenden Studentenzahlen und die damit verbundenen finanziellen Forderungen an die Gebietskörperschaften haben zur Schaffung von Universitäts-Zweigstellen in vielen kleineren Städten geführt (Plan "Universität 2000"). Solche Auslagerungen sind zwar für die Demokratisierung des Hochschulstudiums förderlich, jedoch wird zum Teil die Qualität der Ausbildung im Vergleich zu den "Mutteruniversitäten" angezweifelt.

Ein Fördersystem in Form von Stipendien für finanziell Schwache und von Mensen und Wohnheimen ergänzt die Unterstützung der Studierenden.

Das Bemühen, die Präsenz der französischen Universitäten auf internationaler, vor allem auf europäischer, Ebene zu stärken, führt zu einer Stärkung ihrer Verwaltungsautonomie. Dasselbe Bestreben liegt der Politik des Bildungsministeriums zur Förderung einer kleinen Anzahl "europäischer Pole" zugrunde: Verschiedene Universitäten einer Stadt kooperieren miteinander und mit wichtigen Forscherteams und intensivieren ihren internationalen Austausch. Dadurch können sie sich einen Namen machen und an europäischen Austauschprogrammen zwischen Universitäten und an Partnerschaften mit Unternehmen mitwirken. Für die Universitäten Grenoble, Toulouse, Lille und Rennes-Nantes trifft das bereits zu.

Maßnahmen zur Anpassung der beruflichen Bildung

Der Begriff "berufliche Bildung" deckt ein umfassendes System ab, das auf die im Erwerbsleben stehenden Menschen zugeschnitten ist und die Vorbereitung auf Berufsabschlüsse ebenso beinhaltet wie Eingliederungspraktika, Umschulungen, Weiterbildungsmaßnahmen und Anpassungskurse.

Für die berufliche Bildung sind sowohl das Bildungsministerium als auch das Hochschulministerium sowie das Ministerium für Arbeit, Beschäftigung und Berufsbildung zuständig.

Die Dezentralisierungsgesetze (Anfang der 80er Jahre) übertrugen den Regionen weitgehende Kompetenzen. Der Staat behielt sich die Zuständigkeit für bestimmte Gruppen vor: Jugendliche ohne Schulabschluß, Arbeitsuchende, ausländische Arbeitnehmer, Frauen, die ins Berufsleben zurückkehren wollen.

Die berufliche Bildung wird sowohl aus staatlichen als auch aus privaten Mitteln finanziert. Die privaten Gelder stammen aus den Pflichtabgaben in Höhe von 1,1 % der Bruttolohnmasse, die jeder Arbeitgeber mit mindestens 10 Beschäftigten leisten muß. Diese Gelder werden entweder direkt für Bildungsmaßnahmen der Beschäftigten verwandt oder in den Ausbildungsfonds gezahlt, als Zuschuß an zugelassene Organisationen gewährt oder an den Fiskus überwiesen.

Maßnahmen für Beschäftigte des privaten Sektors, der öffentlichen Verwaltung (im allgemeinen im Rahmen eines Bildungsurlaubs) und für bestimmte vorrangige Personenkreise werden entweder von privaten oder von öffentlichen Einrichtungen durchgeführt. Fast 4.000 private Einrichtungen bestreiten über 87 % des Ausbildungsmarktes. Die öffentlichen Einrichtungen intervenieren entsprechend den Marktbedingungen. Die wichtigsten unterscheiden sich sehr voneinander und haben ihre Aufgaben klar untereinander aufgeteilt. Die "Vereinigung für die berufliche Bildung Erwachsener" (AFPA) besitzt über 100 Zentren, bereitet auf über 300 Berufe vor und richtet sich vorrangig an Arbeit-

Ein
Ausbildungszentrum
der französischen
Eisenbahngesellschaft
SNCF in Rouen

suchende, an Beschäftigte mit Arbeitsvertrag und an Beschäftigte im Bildungsurlaub. Die "Arbeitsgemeinschaften öffentlicher Bildungseinrichtungen" (GRETA) bieten Praktika in Absprache mit den Unternehmen an, Praktika für vorrangige Personengruppen (vor allem die 20 % der Jugendlichen, die keine Ausbildungs- oder Arbeitsstelle gefunden haben), Berufseinführungs-, Weiterbildungs- und Aufstiegspraktika. Die

privaten gemeinnützigen Einrichtungen bilden ein Drittel der nicht vermittelten Jugendlichen und fast ein Drittel der Arbeitslosen weiter. Die Einrichtungen der öffentlichen Verwaltung und die privaten gewerblichen Einrichtungen bilden die Hälfte der erwerbstätigen Arbeitnehmer weiter.

Für weitere Informationen:

L'état de l'école, Ministère de l'Éducation nationale, 1993
M. Flory, *Étudiants d'Europe*, Paris, La Documentation française (Vivre en Europe), 1993
J.-C. Milner, *De l'école*, Paris, 1984
A. Prost, *Éducation, société et politiques*, Paris, 1992
Tableaux de l'économie française 1994-1995, Paris, INSEE
"Le système éducatif", *Les cahiers français*, Nr. 249, Paris, La Documentation française, Januar-Februar 1991.

**Wissenschaftler und
Forscher**

Der Mediävist
Georges Duby ist
Professor am *Collè-
ge de France* und
Mitbegründer des
französischen Kultur-
kanals *La Sept*.
Professor Luc Mon-
tagnier ist Leiter des
Teams am *Institut
Pasteur*, das das
AIDS-Virus isoliert
hat.
Maurice Allais er-
hielt den Nobelpreis
für Wirtschaft.
Jean-Marie Lehn er-
hielt den Nobelpreis
für Chemie.
Gilles de Gennes
und Georges Char-
pak erhielten den No-
belpreis für Physik.

16

Wissenschaft und Technologie

Die starke internationale Wettbewerbsfähigkeit der französischen Wissenschaft hat eine lange Tradition. Auch heute leistet Frankreich in allen Disziplinen einen wichtigen Beitrag zur Weiterentwicklung der wissenschaftlichen Grundlagen und entsprechender Technologien.

Grundlagenforschung: Fortsetzung einer Tradition

Die französischen Mathematikwissenschaftler, die das Anfang des Jahrhunderts von der "Bourbaki"-Gruppe begonnene Werk fortgesetzt und beträchtlich erweitert haben, gehören international zur Spitzenklasse. Sie wurden mit sieben Fields-Medaillen ausgezeichnet, zwei davon wurden 1994 verliehen. In Bereichen wie der fraktalen Geometrie, der partiellen Differentialgleichungen oder der Chaos-Theorie - d.h. mathematischer Untersuchungen komplexer Phänomene mit sehr empfindlichen Reaktionen auf Ausgangs- oder Nebenbedingungen wie zum Beispiel Börsenschwankungen, die Zunahme von Krebskrankheiten, die Meteorologie oder die Akustik von Konzertsälen- sind französische Wissenschaftler tonangebend. Mathematiker wie Alain Connes, Jean-Pierre Serre, René Thom, Alexander Grothendieck, Pierre-Louis Lions oder Jean-Christophe Yoccoz sind international renommierte Mathematiker.

Durch die wissenschaftliche Kompetenz im Bereich der Mathematik hat Frankreich natürlich auch auf einem benachbarten Gebiet, dem der Software und der Software-Produkte, eine hervorgehobene Position, insbesondere bei der komplexen Software für große, auf bestimmte Bedürfnisse wie die Signal- und Bildverarbeitung, aufwendige wissenschaftliche Berechnungen usw., zugeschnittene Rechnersysteme. Französische Teams wie die von Alain Comerauer in Marseille zeichnen sich in einem besonders zukunfsträchtigen Gebiet aus: der Entwicklung von Sprachen für Supercomputer, die sich immer mehr der natürlichen Sprache annähern und eine direkte Mensch-Maschine-Interaktion ermöglichen sollen.

Auch die heutigen französischen Physiker, die auf den Spuren berühmter Vorgänger - von Becquerel über Curie bis Kastler und Néel - wandeln, tun sich immer wieder in den verschiedensten Bereichen hervor: der Quantenoptik, der Kernphysik, dem Magnetismus, der Festkörperphysik, der Hydrodynamik, der Werkstoffe für die Mikroelektronik etc.

Beispiele hierfür sind die Verleihung des Nobelpreises für Physik an Pierre-Gilles de Gennes 1991 und an Georges Charpak 1992. De Gennes widmete sich erfolgreich verschiedenen Bereichen der Physik sowie der modernen molekularen physikalischen Chemie. Er beschäftigte sich speziell mit praktischen Anwendungen auf so unterschiedlichen Gebieten wie den Flüssigkristallen, den supraleitenden Werkstoffen, Polymerlösungen oder Klebemitteln. Charpak ist die Erfindung eines hochempfindlichen Detektors für Strahlungen und geladene Teilchen zu verdanken, die die Grundlage für eine ganze Reihe innovativer Entdeckungen über die innere Struktur der Materie ist.

Die französischen Physiker leisten auch ihren Beitrag zur Weiterentwicklung der Wissenschaft, die in den international angesehenen Großforschungsanlagen betrieben wird. So ist Frankreich im Europäischen Kernforschungszentrum *CERN* vor allem an den Forschungen im Bereich der Elementarteilchenphysik beteiligt. Es verfügt in der Nähe von Caen über einen besonders leistungsfähigen Schwerionenbeschleuniger und gibt Wissenschaftlern aus aller Welt die Möglichkeit, dort ihre Forschungen auf dem Gebiet der Atom- und Kernphysik zu betreiben.

Die Chemie ist ein Gebiet der Wissenschaft, auf dem sich französische Forscher schon lange hervortun. Zu den Glanzlichtern zählt die supramolekulare Chemie, die sozusagen auf Abruf komplexe molekulare Aggregate mit neuartigen funktionellen Gruppen herzustellen vermag, wie etwa die berühmten Kryptanden, die von Jean-Marie Lehn, dem Nobelpreisträger für Chemie des Jahres 1990, entdeckt wurden und mit denen man selektiv Ionen in Lösung einfangen kann; hierzu zählen auch die Festkörperchemie mit der Synthese der ersten festen Hochtemperatur-Supraleiter, die auf Prof. Raveau zurückgeht, die "sanfte" Chemie, die neue Werkstoffe unter Umgebungsbedingungen herstellt, die Synthese von Medikamenten zur Krebstherapie, die den Arbeiten des Instituts für Naturstoffchemie zu verdanken ist, etc.

Im Bereich der Biologie und ganz allgemein der Biowissenschaften sind die französischen Wissenschaftler, insbesondere die Forscher des *Institut Pasteur* und des *Institut national de la Santé et de la Recherche médicale (INSERM)* - mit Luc Montagnier, Pierre Chambon u. a. - Urheber bedeutender Arbeiten in der Molekulargenetik, der Immunologie (genetische Rekombinationen in vitro sowie AIDS) und der Hormonforschung (Reproduktion und Entwicklung). So ist heute allgemein anerkannt, daß das für AIDS verantwortliche HIV-Virus zum ersten Mal am *Institut Pasteur* in Paris isoliert wurde.

Die große Aufgabe der kommenden Jahre wird die Erforschung des menschlichen Genoms sein: Hierbei geht es um die vollständige Entschlüsselung der Gene aller 23 Chromosomen des Menschen, um deren Funktionen nachzuweisen - eine Arbeit, die mit der Lektüre eines Textes von 3,5 Mrd. Buchstaben in einer unbekannten Sprache verglichen werden kann - und hierdurch vielleicht eines Tages die Mehrzahl der Erbkrankheiten vermeiden oder heilen zu können. Dieses Ziel, von dem vor noch 10 Jahren niemand zu träumen wagte, ist heute Gegenstand einer internationalen Zusammenarbeit, bei der französische Teams zahlreiche Erfolge zu verzeichnen haben: So hat Daniel Cohen am *Généthon* in Evry, einem der weltweit modernsten Labors für Genomforschung, im September 1992 die erste vollständige Karte des Chromosoms 21 erstellt; im darauffolgenden Monat konnte Jean Weissenbach der Öffentlichkeit 1.400 "Genmarker" vorstellen, die praktisch die Gesamtheit des menschlichen Genoms abdecken (22 von 23 Chromosomen). Am *INSERM* wurde im Februar 1993 unter der Leitung von Patrick Aubourg das für die Adrenoleukodystrophie verantwortliche Gen lokalisiert, eine Krankheit, die das Gehirn zerstört. Aufgrund erfolgreicher Versuche mit Ratten kündigten französische Teams (Axel Kahn, Michel Perricaudet, Marc Peschanski, Jacques Mallet)

Das Forscher- und Technikerteam des *Généthon*: In der Mitte Daniel Cohen (mit verschränkten Armen), rechts daneben Prof. Jean Dausset (Nobelpreis für Medizin)

wiederum einen Monat später eine Behandlungsmethode der Alzheimerschen Krankheit durch Gentherapie an und heilten durch Genübertragung die Duchennesche Myopathie bei Mäusen. Schließlich wurde vor kurzem die erste vollständige Karte des Genoms angefertigt: Niemand zweifelt mehr daran, daß die detaillierte Kartierung wesentlich eher als bisher angenommen, wahrscheinlich noch in diesem Jahrhundert, gelingen wird. Diese Perspektive ist in erster Linie französischen Biologen zu verdanken.

Das *Institut national de la Recherche agronomique (INRA)* hat beachtliche Erfolge bei der Erforschung der Biologie bestimmmter Tiere und Pflanzen und ganz allgemein im Bereich der Agrarforschung vorzuweisen. Zum Beispiel ist im Gartenbau, im Wein- und Getreideanbau durch In-vitro-Kulturen die rasche Vermehrung verschiedener Rebsorten und Blumenarten gelungen und durch den Einbau spezifischer Gene die Herstellung von Sorten, die gegen einzelne Krankheiten resistent sind.

Nicht weniger dynamisch sind die Aktivitäten auf dem Gebiet der Geowissenschaften und der Extraterrestrik. So waren französische Forscher maßgeblich an der Entwicklung der Theorie über die Plattentektonik und der Seismologie beteiligt. Hervorzuheben ist auch ihre umfassende

Ein Versuchsgelände
des *Institut national de
la recherche agronomi-
que* (INRA) in der Nähe
von Paris

Beteiligung an großen internationalen Programmen wie dem französisch-
amerikanischen Projekt "Famous" zur Erforschung des Meeresgrundes sowie dem Programm zu untermeerischen Bohrungen IPOD (*International
Project for Ocean Drilling*). Eine hervorragende Position nimmt Frankreich
auch im Bereich der Raumforschung ein, wie zahlreiche Erfolge zeigen,
die teilweise im Rahmen der europäischen oder internationalen Zusammenarbeit erzielt wurden: Hierzu gehören die Trägerraketen Diamant und
Ariane, das SPOT-Programm (Erdbeobachtungssatelliten) zur wirtschaftlichen Nutzung terrestrischer Ressourcen, Projekte auf dem Gebiet der Telekommunikation und der Meteorologie, die Beteiligung am europäischen
Projekt der bemannten Raumstation Columbus, das französisch-amerika-
nische Programm zur Meeresüberwachung Topex-Poseidon etc.

Bei den Geistes- und Sozialwissenschaften sind permanent Neuerungen
zu beobachten, sei es in den Universitäten oder den geistes- und sozial-
wissenschaftlichen Hochschulen (*Ecoles normales supérieures*, *École pratique des hautes études*, *École des hautes études en sciences sociales*,
etc.) oder im *Centre national de la recherche scientifique (CNRS)*. Zu den
berühmtesten und schöpferischsten französischen Historikern gehören
zum Beispiel Fernand Braudel, Emmanuel Leroy-Ladurie, Jean Favier,
Georges Duby oder Hélène Carrère d'Encausse. Gleichzeitig haben viele
Archäologen-Teams, die in Frankreich und an den Mittelmeerküsten, in
Asien oder in Lateinamerika arbeiten, ihrer Disziplin, in der sich Frankreich
schon im 19. Jahrhundert durch die Expedition nach Ägypten und einige
Jahrzehnte später die Gründung der *École d'Athènes* auszeichnete, neuen
Glanz gegeben. Auch andere Fachbereiche machen von sich reden, wie
die Soziologie oder die Anthropologie, die Claude Lévi-Strauss so viel
verdankt, sowie die Demographie, in der das *Institut national d'études
démographiques (INED)*, das noch unter dem Einfluß von Alfred Sauvy
steht, international Anerkennung erlangt hat.

Die Rechtswissenschaft blickt in Frankreich auf eine lange Tradition zurück. Bislang war diese anspruchsvolle Wissenschaft, die bedeutende Juristen hervorgebracht hat, in erster Linie individuell geprägt. Um der wachsenden Komplexität der Welt der Jurisprudenz sowie der immer größeren Verflechtung der einzelnen Fachbereiche zu begegnen, wird die Zusammenarbeit auf diesem Gebiet heute immer wichtiger. Da sich die Rechtswissenschaft intensiv mit den Problemen unserer Zeit auseinandersetzt, ist sie um Neuerungen auf den wichtigsten Gebieten bemüht - hierzu zählen u.a. das Verfassungsrecht, die staatsbürgerlichen Grundrechte, die vergleichende Rechtswissenschaft - und sucht nach Lösungen in ganz jungen Bereichen wie der Bioethik, dem EU-Recht und dem Datenschutzrecht.

Die Forschung in der mathematischen Wirtschaftstheorie und der Wirtschaftswissenschaft wurde in Frankreich belebt und gefördert durch das internationale Ansehen von Maurice Allais (Nobelpreisträger für Wirtschaftswissenschaften) und Edmond Malinvaud, die aufgrund ihrer Arbeiten in der Mikroökonomie das Funktionieren der Marktwirtschaft in Risikosituationen oder in Situationen aufzeigten, die von dem Zusammenwirken zentral geplanter und dezentralistisch orientierter Maßnahmen geprägt sind.

Neue Technologien: Kooperation zwischen Wissenschaft und Industrie

Frankreich ist die fünftstärkste Industrienation und steht weltweit an 4. Stelle beim Export von Wirtschaftsgütern und an 2. Stelle beim Export von Dienstleistungen; dies zeigt, daß es ihm gelungen ist, die für seinen wirtschaftlichen und sozialen Aufschwung erforderlichen modernen Technologien zu entwickeln und die zur Sicherung seiner Zukunft unerläßliche Forschung und Entwicklung zu fördern.

Wenn die französischen Spitzenindustrien wettbewerbsfähig bleiben wollen, müssen sie sich die beachtlichen Fortschritte in der Elektronik, Mikroelektronik, Informatik und Biotechnologie, im Bereich der Kernenergie oder der Verbundwerkstoffe zunutze machen. Anwendung finden diese Spitzentechnologien in innovativen Industriezweigen ebenso wie in den traditionellen Branchen, zu deren Erneuerung sie beitragen.

Strategische Technologien

Die Unabhängigkeit Frankreichs wird außer von der Rüstungsindustrie, die zahlreiche Technologiebereiche vereint (Werkstoffe, Feinmechanik, Elektronik, Informatik etc.), durch den Raumfahrt-, Luftfahrt- und Energiesektor gesichert.

Die Mehrzahl der internationalen Weltraumstarts erfolgt mit Hilfe der Trägerrakete Ariane, deren Gesamtkonzeption, Zuverlässigkeit und Leistungsfähigkeit im Rahmen des europäischen Raumfahrtprogramms zahlreiche technologische Erfolge bei der Erdbeobachtung und im Bereich der Kommunikation zu verdanken sind.

Die großen technologischen Fortschritte beim Bau des Airbus A 340 - welcher im Hinblick auf den geringen Brennstoffverbrauch, die niedrigen Schadstoffemissionen, die verminderten Schallemissionen der Triebwerke und die Verwendung von Verbundwerkstoffen bei den sicherheitstechnisch entscheidenden Bauteilen international an 1. Stelle steht -, zeugen von der

Montage des Airbus
A 330 und A 340 in der
Fabrik *Clément Ader* in
Toulouse-Colomiers

Dynamik und dem Sachverstand der französischen Teams, die an Kooperationsprogrammen der europäischen Luftfahrt mitwirken.

Die französische Erdölindustrie ist aufgrund ihres hohen qualitativen Standards bei der Exploration, den petrochemischen Produktionsverfahren und dem Know-how der entsprechenden Verfahrenstechniken in vielen Regionen der Welt tätig.

Schließlich beherrscht Frankreich sämtliche Verfahren des Kernenergiesektors und setzt sie selbst ein, von der Brennstoffaufbereitung bis zur Wiederaufarbeitung abgebrannter Brennstoffe, einschließlich der Energieerzeugung. Zuverlässigkeit und Sicherheit zeichnen diese Industrie aus, die beweist, daß sich Senkung der Energiekosten und Umweltschutz nicht ausschließen.

Landverkehr, Baugewerbe und Werkstofftechnik

Die Stärken Frankreichs im Schiff-, Eisenbahn- und Automobilbau sind das Know-how bei Verbrennungs- und Elektromotoren, die Zuverlässigkeit der Techniken und Werkstoffe für den Bremsbau sowie das Design im Hinblick auf die aeroakustischen Eigenschaften, die Leistungsfähigkeit der Software in Sicherheits-, Steuerungs- und Kontrollsystemen sowie die Signaltechnik und die Synthese von Leichtbau und Aufprallsicherheit.

So hat der Eisenbahnsektor im Ausland mehrere Märkte zum Bau von U-Bahnen und Hochgeschwindigkeitszügen erobert.

Der *Grande Arche de La Défense*, der Kanaltunnel oder die Normandiebrücke sind Ergebnisse der neuen Technologien im Bereich des

Eine technische
Meisterleistung: Die
Normandie-Brücke
wurde im Januar 1995
eröffnet

Hoch- und Tiefbaus und angrenzender wissenschaftlicher Disziplinen. Das Know-how auf dem Gebiet der Chemie, der physikalischen Chemie und der Werkstofftechnik, das in der Glasindustrie, bei Stahl-Aluminium- und Plastikverpackungen sowie in der Reifenindustrie Anwendung findet, geht einher mit einer Spitzenforschung zur Entwicklung spezieller und innovativer Verfahren.

Elektronik und Informationsindustrie

Eine ganz entscheidende Rolle für die Weiterentwicklung der Wissenschaft spielt die Elektronik. Die Fortschritte, die mit ihrer Hilfe gemacht werden können, sichern nicht nur ihre eigene industrielle Entwicklung, sondern fördern oft auch Fortschritte in zahlreichen anderen Bereichen (Signal- und Bildverarbeitung, Telekommunikation, Robotik, elektronischer Zahlungsverkehr mit der Bank- oder Telefon-Chipkarte).

Die gezielte Politik Frankreichs im Bereich der Telekommunkation und der Telematik hat die Situation und den Vorsprung der französischen Unternehmen noch verbessert. Sie schlug sich unter anderem in der Entdeckung des *Asynchronous Transfer Mode*, kurz ATM, am *Centre national d'études des télécommunications (CNET)* nieder. Entwickelt wurde diese Technologie zur Übermittlung sehr großer Datenmengen durch die Digitalisierung von Daten, Sprache und Bildern, und zum Aufbau von Datenautobahnen scheint sie unerläßlich. Dank der Zusammenarbeit zwischen dem *CNET* und dem *Laboratoire d'électronique et des technologies de l'information (LETI)* in Grenoble auf dem Gebiet der integrierten Schaltungen wird Frankreich über eine Baulinie (0,35 Mikrometer) bei der Komponentenherstellung in der Mikrosystemtechnik verfügen.

Gesundheitswesen, Biotechnologie und Nahrungsmittelindustrie

Der gute Ruf der französischen Gastronomie in Verbindung mit der Qualität seiner Naturprodukte wird heute auf höchstem wissenschaftlichem Niveau bestätigt durch die Qualitiät und Sicherheit der Verfahren im Bereich der Biotechnologie und der landwirtschaftlichen Verarbeitungs- und Nahrungsmittelindustrie sowie durch das unablässige Bemühen um einwandfreie Hygiene bei den Nahrungsmitteln, Verpackungen und Verfahren zur Gewährleistung der Haltbarkeit.

Impf-Sprechstunde in Drahine (Senegal): Eine entwicklungspolitische Maßnahme des ORSTOM

Zur wissenschaftlichen und technischen Zusammenarbeit zählen große interdisziplinäre Forschungsprojekte, deren Ziel es ist, die Kulturen südlicher Länder zu sichern, den Menschen in Dürregebieten zu helfen, Wasserressourcen zu nutzen und für die feuchten Tropengebiete besser geeignete Systeme zu entwickeln; all dies sind von den Partnern Frankreichs im Bereich der Entwicklungszusammenarbeit äußerst geschätzte Projekte. Sie ergänzen auf sinnvolle Art und Weise die allgemein anerkannten Aktivitäten französischer Forscher auf dem Gebiet der Immunologie und der Impfungen (Impfstoffe gegen Tollwut, Kinderlähmung, Hirnhautentzündung, etc.).

So legen die französischen Wissenschaftler in der Verbindung von Tradition und Innovation große Schaffenskraft an den Tag, die ihnen erlaubt, erfolgreich an internationalen Kooperationsprojekten mitzuarbeiten und gleichzeitig entscheidend zur wirtschaftlichen Wettbewerbsfähigkeit Frankreichs beizutragen.

Die Adressen der wichtigsten französischen Forschungseinrichtungen:

Mission scientifique et technique (Ministère de l'Enseignement supérieur et de la Recherche)
1, rue Descartes, 75231 PARIS CEDEX 05
Fax: 1.46.34.34.39
Centre national de la recherche scientifique (CNRS)
3, rue Michel-Ange, 75794, PARIS CEDEX 16
Fax: 1.44.96.50.00
Centre national d'études spatiales (CNES)
2, Place Maurice Quentin, 75039 PARIS CEDEX 01
Fax: 1.44.76.76.76
Institut national de la santé et de la recherche médicale (INSERM)
101, rue de Tolbiac, 75654 PARIS CEDEX 13
Fax: 1.45.85.68.56
Institut national de la recherche agronomique (INRA)
147, rue de l'Université, 75338 PARIS CEDEX 07
Fax: 1.47.05.99.66
Institut français de recherche pour l'exploitation de la mer (IFREMER)
155, rue Jean-Jacques Rousseau, 92138 ISSY-LES-MOULINEAUX CEDEX
Fax: 1.46.48.22.96
Commissariat à l'énergie atomique (CEA)
31-33, rue de la Fédération, 75752 PARIS CEDEX 15
Fax: 1.40.56.23.85
Institut national de recherche en informatique et automatique (INRIA)
Domaine de Voluceau, ROCQUENCOURT, B.P. 105
78153 LE CHESNAY
Fax: 1.39.63.56.38
Institut français du pétrole (IFP)
1 et 4, avenue de Bois-Préau, BP 311, 92506 RUEIL-MALMAISON Cedex
Fax: 1.47.52.70.00
Institut français de recherche scientifique pour le développement en coopération (ORSTOM)
213, rue La Fayette, 75480 PARIS CEDEX 10
Fax: 1.48.03.08.29
Centre de coopération internationale en recherche agronomique pour le développement (CIRAD)
42, rue Sheffer, 75116 PARIS
Fax: 1.47.55.15.30

17

Die Kultur

Frankreich und seine Kultur gehören untrennbar zusammen: Das wissen auch die ausländischen Touristen, die in großer Zahl den *Louvre* oder das *Centre Georges-Pompidou,* die Vorstellungen der *Opéra-Bastille* oder der *Comédie-Française* besuchen. Diese künstlerische Vielfalt wird manchmal einer speziell französischen Tradition der Kulturpolitik zugeschrieben, in die sich der Staat immer wieder einschaltet, was natürlich häufig zu Kontroversen führt.

Schon im 16. Jahrhundert griff der Staat in kulturpolitische Belange ein. So wurde bereits 1539 durch die königliche Verordnung von Villers-Cotterêts verfügt, daß Gerichtsurteile und notarielle Unterlagen in Französisch abzufassen seien. Und nach ihrer Gründung im Jahr 1635 wurde die *Académie française* damit betraut, die Entwicklung der französischen Sprache zu überwachen. Im 17. Jahrhundert erklärte sich der Staat zum "Protektor der Künste" und förderte als solcher Künstler und Schriftsteller, gab ihnen Arbeit und zahlte ihnen Ruhegelder. Der Bau des Schlosses von Versailles und die Einrichtung der *Comédie-Française* (1680) zeugen von den ehrgeizigen Zielen des Monarchen als Mäzen.

Mit der Eröffnung eines Museums im Louvre-Palast im Jahr 1793 trat der Staat nicht nur als Geldgeber, sondern zugleich als Konservator auf. Mérimées Aktivitäten (1832) an der Spitze der neuen Verwaltung Historischer Bauwerke oder die des Architekten und Restaurators Viollet-le-Duc sind Beispiele dafür.

Erst im 20. Jahrhundert wurde neben der großzügigen Förderung von Künstlern und der Bewahrung des kulturellen Erbes als drittes Ziel die kulturelle Ausstrahlung des Landes formuliert. Die Pionierleistung des Ministers für die öffentliche Erziehung und die schönen Künste, Jean Zay, unter der Volksfrontregierung wurde nach der Befreiung in einer Politik fortgeführt, die danach strebte, Kulturschätze, die bis dahin nur wenigen zugänglich waren, einem möglichst breiten Publikum zu erschließen. So wurde zum Beispiel die Arbeit Jean Vilars, des Direktors des *Théâtre national populaire* (TNP), vom Staat unterstützt. André Malraux, in der Fünften Republik Kulturminister von General de Gaulle, erklärte 1959 vor der Nationalversammlung, daß für die Demokratisierung der Kultur das getan werden müsse, "was die Dritte Republik in ihrem republikanischen Bestreben für die Bildung verwirklicht hat".

Diese dreifache Ausrichtung der Kulturpolitik hat auch am Vorabend des 21. Jahrhunderts nicht an Aktualität verloren. Heute stehen sogar für jedes dieser drei Ziele mehr Mittel zur Verfügung. Aber der Staat agiert auf diesem Gebiet nicht mehr allein.

Die Mitwirkenden

Der Staat

Die Mittel des Kulturministeriums, welches in seiner Arbeit vom Erziehungsministerium unterstützt wird, sind im Laufe der Jahre konstant gestiegen und erreichten 1994 die symbolische Schwelle von 1 % des Staatshaushalts, rund 14 Milliarden Franc (2,54 Milliarden Dollar).

Der Schriftsteller André Malraux war von 1959 bis 1969 Minister für kulturelle Angelegenheiten

Parallel dazu wurden die Dienststellen des Ministeriums umorganisiert. Sie beschäftigen 1995 fast 12.000 Personen und decken acht wesentliche Bereiche ab: Kulturerbe, Museen, Archive, Theater und Schauspiel, bildende Künste, Film, Musik und Tanz, Buch und Lesen. Auch bei der Ausbildung der Fachleute und Verantwortlichen in dieser Verwaltung wurden Anstrengungen unternommen. So wurde z.B. 1993 die *Ecole nationale du patrimoine* eröffnet.

Die Gebietskörperschaften

Die Zuständigkeiten der Gebietskörperschaften und ihre Möglichkeiten, die Kulturpolitik mitzugestalten, wurden im Rahmen der Dezentralisierungsgesetze (1982-1983) beträchtlich erweitert. Die Kulturhaushalte der Departements und Regionen wurden im Laufe der 80er Jahre verfünffacht und die der Gemeinden verdoppelt. Insgesamt übernehmen die Gebietskörperschaften heute 60 % der Kulturausgaben in diesem Bereich. Die Zusammenlegung ihrer Mittel mit denen des Staates hat unbestreitbar einen Multiplikatoreffekt.

So besitzen heute viele Städte beachtliche Einrichtungen: Saint-Etienne und Grenoble erhielten Museen für moderne Kunst, Arles die Nationale Schule für Photographie, Marseille eine Tanzhochschule, Angoulême das Nationale Comic-Zentrum, Roubaix das Archiv über die Arbeitswelt, Nizza das Matisse-Museum, Rennes, Amiens und Lille Kunstmuseen usw. Die Liste ließe sich fortsetzen und gibt einen Eindruck von einem bemerkenswerten Phänomen des vergangenen Jahrzehnts: Im Kontrast zur traditionellen Pariser Vormachtstellung entfalten sich die Kultur und die Kunst heute in ganz Frankreich.

Vereine und Unternehmen

Bemerkenswert ist auch das kulturelle Engagement von Vereinen und Unternehmen. Die Vereine beschäftigen fast 20.000 Menschen und werden oft vom Staat oder von den Gebietskörperschaften unterstützt. Sie tragen zu den unterschiedlichsten Veranstaltungen bei und fördern Amateurkünstler, die Aussicht auf eine professionelle Karriere haben könnten. Seit Anfang der 80er Jahre engagieren sich auch Unternehmen im kulturellen Bereich. Sie unterstützen junge Kunstschaffende, beteiligen sich an der Finanzierung großer Ausstellungen oder stellen ihr technisches Know-how für bestimmte Projekte zur Verfügung.

Die 1994 eröffnete *Fondation Cartier* am Boulevard Raspail in Paris nach den Plänen des Architekten Jean Nouvel

Der Aufbau zahlreicher Stiftungen (*Cartier* für die bildenden Künste, *Groupe des assurances nationales* für den Film, *Vuitton* für das Musik-

theater usw.) verfolgt diese vielfältigen Ziele ebenso wie die Beiträge von IBM oder der *Banque nationale de Paris* zu Ausstellungen im *Grand Palais* und im *Musée d'Orsay*, die Beteiligung von Electricité de France an der Restaurierung des Invalidendoms oder die Mitwirkung von Kodak bei der Reproduktion der Höhlen von Lascaux. Mit dem Gesetz vom 23. Juli 1987 hat der Staat einen gesetzlichen Rahmen für diese Art der Förderung geschaffen, die jährlich insgesamt rund eine Milliarde Franc (18 Millionen Dollar) ausmacht.

Die Kulturindustrien

Zu den "Kulturindustrien" zählen natürlich die Verlage (1992 fast 14 Mrd. Franc Umsatz, also 2,5 Mrd. Dollar), die Presse (57 Mrd. Franc, 10 Mrd. Dollar), die Schallplattenindustrie (5,8 Mrd. Franc, 1 Mrd. Dollar), die Filmindustrie und die audiovisuellen Dienste (50 Mrd. Franc, 9 Mrd. Dollar). Auch der Kunstmarkt ist eine nicht zu vernachlässigende wirtschaftliche Größe: Der Umsatz bei Auktionen, der durch mehr Verkäufe von zeitgenössischen Werken stieg, betrug 1990 fast 5 Mrd. Franc (0,9 Mrd. Dollar). Die Zahl der Kunstgalerien außerhalb von Paris hat sich in den 80er Jahren verdoppelt, und in Paris haben sich neben den traditionellen Vierteln Faubourg Saint-Honoré und Saint-Germain-des-Prés zwei neue Schwerpunkte für den Kunsthandel entwickkelt: Beaubourg und seit kurzem Bastille. Insgesamt bilden die Kulturindustrien im weitesten Sinne einen Markt von 165 Mrd. Franc (30 Mrd. Dollar) mit mehr als 300.000 Beschäftigten.

Gedächtnispflege und Kulturerbe

Die neuen Kulturteilnehmer wirken auch an der Erneuerung der Politik des kulturellen Erbes mit. Zum einen stehen für die Erhaltung des traditionellen Kulturerbes - öffentliche Baudenkmäler, kirchliche Gebäude, archäologische Stätten - heute mehr Mittel und modernere Techniken bereit. Zum anderen wird der Begriff des Kulturerbes mittlerweile breiter gefaßt und schließt heute viele Zeugnisse der Vergangenheit ein, die bisher vernachlässigt wurden.

Konservierung, Restaurierung, Archäologie

Das klassische Kulturerbe kommt in dieser Entwicklung nicht zu kurz. Das zeigen umfassende fachbezogene Programme für die Erhaltung von Kathedralen oder Parks und Gärten. Insgesamt ist die Zahl der in das Inventar historischer Bauwerke aufgenommenen Gebäude seit 1980 um einige Hundert jährlich gestiegen. 1993 waren es 37.000 geschützte Bauwerke.

Restaurierungen stehen im Mittelpunkt der Aktivitäten der Abteilung für kulturelles Erbe im Kulturministerium, das Techniken französischer und ausländischer Labors nutzt. Alle empfindlichen oder gefährdeten Teile (Steine, Glasfenster, Wandgemälde, Gewebe usw.) finden die Aufmerksamkeit der Wissenschaftler. Einige beispielhafte Arbeiten zeigen, welche Fortschritte im Laufe der Zeit bei den Techniken erzielt wurden: die Reinigung der Kathedrale von Amiens mit Laser, die Restaurierung der Kirchenfenster von Chartres und Troyes, die Aufarbeitung der Orgeln von Notre-Dame und Saint-Eustache in Paris, ebenso die technische Untersuchung der verschiedenen Schädigungen durch Umweltverschmutzung vor der Instandsetzung der 69 Statuen im Napoleon-Hof des Louvre oder die Restaurierung der Blattvergoldung des Invalidendoms.

Auf dem Gebiet der Archäologie wurden bis Ende 1994 insgesamt 200.736 Fundorte katalogisiert, die bis in die Anfänge des Kulturerbes zurückreichen. Bedeutende

Restaurierungsarbeiten an der Kirche Saint-Trophime in Arles (1991)

Funde eröffneten neue Erkenntnisse über die Jungsteinzeit und die Eisenzeit: Flußaufwärts von Paris wurden am Ufer der Seine drei außergewöhnlich gut erhaltene Pirogen gefunden; am Chalain-See im Jura konnten einige für diese Zeit charakteristische Pfahlbauten rekonstruiert werden; bei La Combe d'Arc (Ardèche) wurden Ende 1994 Felsmalereien freigelegt, die die Darstellungen von Lascaux in den Schatten stellen. Die Mittelalter-Archäologen profitierten von Baumaßnahmen in mehreren Städten: Die Umbauarbeiten am Louvre wurden zu Ausgrabungen genutzt, bei denen wichtige Spuren dieser Zeit freigelegt wurden, insbesondere der Ende des 12. Jahrhunderts von Philippe-Auguste errichtete Burgturm.

Neue Objekte

Nach und nach wurde der Begriff "Kulturerbe" in den vergangenen Jahrzehnten ausgedehnt und umfaßt heute viele Bereiche, die früher unberücksichtigt blieben: Volkskunst und Volkstraditionen, die städtische Architektur des 19. und 20. Jahrhunderts, die Industrie-Architektur und schließlich alle Stätten menschlicher Aktivitäten, die man vor dem Vergessen bewahren sollte. Der Anstoß dazu kam zunächst von den Ethnologen, denen es darum ging, Zeugnisse der Lebensweisen ländlicher Gesellschaften zu erhalten. Einem von ihnen, Georges-Henri Rivière, und der Unterstützung durch Claude Lévi-Strauss verdanken wir die Einrichtung des *Musée des Arts et Traditions populaires* in Paris. Dieses Beispiel wurde überall in Frankreich nachgeahmt, um so die Erinnerung an regionale und lokale Gebräuche wachzuhalten: im Camargue-Museum zwischen Provence und Languedoc, im Dauphinois-Museum in den Alpen oder in den "Ökomuseen" in Cazals im Departement Lot oder in Ungersheim im Elsaß. Die Delegation für das ethnologische Erbe wacht darüber, daß solche jahrhundertealten Traditionen in Erinnerung bleiben.

Auch die Industrielandschaften und Städte, die die vergangenen beiden Jahrhunderte geprägt haben, wurden nicht vergessen. In den Kohlebecken in Ost- und Nordfrankreich sind der Staat und die Gebietskörperschaften bemüht, Stätten zu erhalten, die ein Symbol für die Geschichte des Bergbaus und die mit ihr verbundenen sozialen Kämpfe sind, so z.B. das Zechengelände im lothringischen Forbach oder im nordfranzösischen Denain, wo Emile Zola die Atmosphäre erlebte, die er in seinem Roman "Germinal" so hervorragend wiedergab. Aber auch Teile des Stadtbilds wurden, wenn sie von besonderem architektonischem oder historischem Interesse sind, in den Rahmen des kulturellen Erbes eingegliedert. So sind jetzt auch das berühmte Restaurant "Le Fouquet's" auf den Champs-Elysées oder der alte Billardsaal des Olympia-Theaters, wo Mistinguett und Maurice Chevalier gesungen haben, als "historische Baudenkmäler" ausgewiesen.

Neue Kulturzweige

Frankreich, die Heimat von Nicéphore Niepce und Robert Doisneau, kann natürlich die Kunst der Fotografie nicht unberücksichtigt lassen. Im Fort von Saint-Cyr bei Versailles lagern seit 1981 über fünf Millionen Negative der größten Fotografen seit Nadar.

Eine der Aufgaben der Delegation für das fotografische Erbe besteht darin, Bestände zu erwerben, die die Geschichte der Fotografie geprägt haben, wie die Harcourt-Sammlung. Sie verdankt viele fotografische Zeugnisse der Großzügigkeit berühmter Fotografen wie Jacques-Henri Lartigue, der ihr Klischees aus über 80 Jahren hinterließ, von der Republik Emile Loubets (1899-1906) bis zur Republik François Mitterrands; oder Amélie Galup, die zwischen 1895 und 1920 die bäuerliche Gesellschaft beim Arbeiten oder beim Feiern auf rund 2.800 Glasplatten bannte; oder auch Willy Ronis, der in den Pariser Arbeitervierteln der 50er Jahre fotografierte. Um seiner Rolle als Zeitzeuge gerecht zu

Paris aus der Sicht des Fotografen Robert Doisneau (1961)

werden, kauft das *Centre Georges-Pompidou* systematisch zeitgenössische Fotografien.

Auch das Kino hat ein kulturelles Erbe zu bewahren. Filmkopien werden systematisch dem *Centre national de la cinématographie* (CNC) übergeben, aber ihre Konservierung und gegebenenfalls Restaurierung ist sehr problematisch. 1990 wurde ein Notplan für 15 Jahre aufgestellt, um die Bänder von 250.000 vor 1954 gedrehten Filmen vor dem Verfall zu schützen. Unter den Filmen, die so vor der Zerstörung bewahrt werden konnten, ist eines der Meisterwerke des Kinos zwischen den beiden Weltkriegen: "L'Atalante" von Jean Vigo mit Michel Simon.

Frankreich pflegt eine lange Tradition in der systematischen Konservierung von Archiven und gedruckten Dokumenten, die im 20. Jahrhundert auf die Fotografie und den Film ausgedehnt wurde. Entsprechend wird jeweils ein Exemplar jedes Dokuments bei der Nationalbibliothek hinterlegt. Per Gesetz von 1992 wurde dieses System neu organisiert, und jetzt werden auch audiovisuelle Dokumente der wichtigsten Radio- und Fernsehsender sowie Computersoftware hinterlegt. Auch dies ist symptomatisch für die Ausweitung des Begriffs Kulturerbe.

Interesse an der Geschichte

Vielleicht kann dieses starke Bemühen um den Erhalt des Kulturerbes mit der Begeisterung in Zusammenhang gebracht werden, die viele Franzosen heute für die Geschichte entwickeln - sowohl für die nationale als auch die regionale oder die eigene Familiengeschichte. In den letzten Jahren haben zahlreiche Veranstaltungen an große nationale Ereignisse erinnert: der 50. Jahrestag der Volksfront (1986), der 1000. Jahrestag des Kapetinger-Reichs (1987), der 200. Jahrestag der Französischen Revolution (1989), der 100. Geburtstag von General de Gaulle (1990), der 50. Jahrestag der Landung der Alliierten in der Normandie und in der Provence sowie der Befreiung Frankreichs (1994-1995). All diese Feierlichkeiten waren ein Publikumserfolg, wie auch die zahlreichen lokalen Initiativen gezeigt haben: über tausend Veranstaltungen - Ausstellungen, Kolloquien, Konzerte, Feste und historische Nachstellungen - zwischen 1986 und 1992 zeugen von dieser neuen Begeisterung der Franzosen für ihre kollektive Erinnerung.

Das zeitgenössische künstlerische Schaffen

Dieses Bemühen um den Schutz des Kulturerbes bedeutet jedoch nicht, daß die französische Kultur sich auf die Begeisterung für die Werke der Vergangenheit beschränkt. Die letzten Jahrzehnte des 20. Jahrhunderts sind vielmehr geprägt von einer neuen Schaffenskraft.

Bildende Kunst und Architektur

Seit Beginn des 19. Jahrhunderts spielten französische Künstler eine entscheidende Rolle für das Aufblühen der modernen Malerei. So haben die Werke der Impressionisten, Cézannes und der *Fauves* den Weg für den Kubismus bereitet. Auch die Besucherströme im Louvre, im Musée d'Orsay, im Museum für moderne Kunst im Centre Georges-Pompidou oder im Picasso-Museum unterstreichen diese Rolle. Schon der Name Picasso erinnert daran, daß Paris immer eine außergewöhnliche Anziehungskraft auf Künstler aus der ganzen Welt ausübte, die in den Ateliers von Montparnasse oder Montmartre gearbeitet haben (Van Gogh, Miró, Van Dongen, Modigliani, Soutine, Chagall, Brancusi, Giacometti und viele andere).

Im Gefolge neuer Trends und Strömungen, die ab Ende der 50er Jahre entstanden und - von der Geometrischen Abstraktion bis hin zur Pop Art - die moderne Kunst revolutionierten, hat Paris zwar seinen Platz

Warteschlangen vor den neuen Sälen des Louvre (1993)

als Zentrum der künstlerischen Avantgarde an New York abgetreten. Doch die französischen Künstler sind nicht weniger aktiv. Die Werke von Daniel Buren, Pierre Soulages, César oder Ipoustéguy sind international anerkannt. Die junge Generation leistet weiterhin ihren Beitrag zu den großen Strömungen der zeitgenössischen Kunst.

Die Förderung des künstlerischen Schaffens durch die öffentliche Hand zeigt sich zunächst in der Kunstausbildung und der Unterstützung junger Künstler über Studienbeihilfen und begehrte Stipendien (z.B. für den Zugang zur *Académie de France* in Rom in der Villa Medici) oder in verschiedenen Beihilfen für Veröffentlichungen oder für die erste Ausstellung, die vom *Fonds d'incitation à la création* (FIACRE) des Kulturministeriums verwaltet werden. Und schließlich schlägt sich die Förderung des Staates in den letzten Jahren wieder verstärkt in der Vergabe öffentlicher Aufträge nieder.

Einige öffentliche Aufträge an zeitgenössische Künstler haben viel Aufsehen erregt. Die "Säulen" von Daniel Buren im Palais-Royal waren monatelang Gegenstand heftiger Kontroversen, die an die Aufregung über die Balzac-Statue von Rodin ein Jahrhundert zuvor erinnerten. Um beim Beispiel Paris zu bleiben, könnte man auch die "Koffer- und Uhrenstapel" von Arman auf dem Vorplatz des Bahnhofs Saint-Lazare (1985), die Hommage an Picasso von César (1985), den "Figurenturm" von

Jean Dubuffet auf der Insel Saint-Germain (1988) oder den Bühnen-
vorhang des Athénée-Theaters von Jean-Pierre Chambas (1989) nennen.

Bei den Großbauprojekten, die seit Beginn der 80er Jahre in Angriff
genommenen wurden, war die Phantasie der Architekten in der ganzen
Welt gefragt. In den 70er Jahren war das nationale Kunst- und Kultur-

Die *Bibliothèque natio-
nale de France* des Ar-
chitekten Dominique
Perrault

zentrum Georges-Pompidou
von dem Briten Richard Rogers und dem Italiener Ren-
zo Piano gebaut worden. Der
frühere Bahnhof von Orsay,
ein Symbol der urbanen Architektur des ausgehenden
19. Jahrhunderts, in dem
heute das Musée d'Orsay
untergebracht ist, wurde von
drei französischen Architekten und einer italienischen
Architektin umgebaut. Und
das berühmteste Pariser Museum wurde anläßlich seines
200. Bestehens von dem
amerikanischen Architekten
I.M. Pei vollkommen umge-
staltet und präsentiert sich
heute als der "Große Louvre".
Symbolisiert durch die Glas-
pyramide, bildet das Bau-
werk die Achse einer beeindruckenden Perspektive, die sich durch die
Tuilerien-Gärten über die Champs-Elysées bis zur *Grande Arche de la
Défense* des dänischen Architekten Von Spreckelsen hinzieht. Im Norden der Stadt breitet sich der Park von La Villette nach den Plänen
von Bernard Tschumi wie eine Garten-Stadt aus, in die mehrere Gebäude integriert sind: vom *Zénith*, in dem verschiedene Großveranstal-
tungen stattfinden, über die bemerkenswerte *Géode*, ein "Rundumkino"
von Adrien Fainsilber, bis zur *Cité de la Musique*, nach den Worten
ihres Erbauers, Christian de Portzamparc, eine "Architektur für den
Klang". Oberhalb von Notre-Dame am Seine-Ufer beeindrucken das
Institut du monde arabe von Jean Nouvel und der neue Sitz des Fi-
nanzministeriums in Bercy von Paul Chemetov ebenso wie etwas weiter
die Opéra-Bastille des Architekten Carlos Ott und die vier Türme der
neuen Nationalbibliothek, die Dominique Perrault konzipiert hat und die
1996 eröffnet werden soll.

Die Musik

Die allgemeine Begeisterung für die Musik erstreckt sich auf die unterschiedlichsten Richtungen. Alle Musikformen, von der Klassik über Rock, Schlager bis hin zu Rai und Rap, werden von der öffentlichen Hand gefördert. Der Staat unterstützt das Zentrum für Barockmusik in Versailles ebenso wie das Nationale Zentrum für Chanson und Unterhaltungsmusik, das Nationale Jazzorchester oder das Rock-Informationszentrum.

Auf dem Gebiet der "wissenschaftlichen" Musik haben zeitgenössische Kompositionen durch die Werke von Olivier Messiaen, Pierre Boulez, Yannis Xenakis oder Henri Dutilleux ein neues Publikum gefunden. Das IRCAM (*Institut de recherche et de coordination acoustique/musique*) bietet dieser Form der musikalischen Kreativität einen entsprechenden Rahmen, und die Gastspiele des *Ensemble intercontemporain* im In- und Ausland tragen dazu bei, das Repertoire des 20. Jahrhunderts bekanntzumachen.

Auch das Musiktheater profitierte in den letzten Jahren von der Fürsorge des Staates. Die *Opéra-Bastille* (1988 eröffnet) ist mit modernster Technik ausgestattet und bietet im großen Saal 2.700 Zuschauern Platz. Die *Opéra-Comique* konzentriert sich auf das französische Repertoire, das *Châtelet*, der ehemalige Operettentempel, bringt abwechselnd Konzerte und Opern, und im *Palais Garnier* sind hauptsächlich Tanzaufführungen zu sehen. Außerhalb von Paris hat sich das *Théâtre français de la musique* in Compiègne einen Namen gemacht, und auch

Der Sänger Johnny Hallyday bei einem Auftritt im *Parc des Princes* (1993)

die Opern von Lyon, Toulouse, Rouen, Nantes u.v.a. bringen bemerkenswerte Produktionen heraus.

Der Tanz

Wie die Musik läßt sich auch der Tanz nicht mehr in die zu eng gefaßten Begriffe klassisch oder modern einordnen. Das Ballet der *Opéra de Paris* pflegt eine lange, ausgezeichnete Tradition. Dank vieler in jüngerer Zeit entstandenen Tanzgruppen hat sich die Tanzkunst von Grund auf erneuert. Maurice Béjart hat auf seine Weise die Welt des Tanzes neu entdeckt. Ihm folgten andere, die diese Kunstform ebenfalls prägten, so Régine Chopinot, Jean-Claude Gallota, Dominique Bagouet und Angelin Preljocaj. Einfluß auf den französischen Tanz hatten auch ausländische Choreographen wie William Forsythe, Merce Cunningham oder Pina Bausch, die regelmäßig auf französischen Bühnen auftreten.

Der Film

Frankreich hat genau ein Jahrhundert Filmerfahrung. 1895 bannten die Brüder Lumière ihre ersten bewegten Bilder auf Zelluloid ("La Sortie des usines Lumière"), und im Grand Café in Paris wurde dieses revolutionäre Verfahren zum ersten Mal der Öffentlichkeit vorgestellt. Nach wie vor ist Frankreich eine Wahlheimat der "7. Kunst", der es einige legendäre Persönlichkeiten verdankt, von dem genialen Vorläufer Méliès über die Generation des "poetischen Realismus" der 30er Jahre (Renoir, Carné, Prévert) bis hin zur "nouvelle vague" der 60er (Truffaut, Godard, Chabrol, Malle, Rohmer). Die französische Tradition des "Autorenkinos" hat ebenfalls glänzende industrielle Erfolge (Pathé, Gaumont) und international angesehene Stars hervorgebracht: gestern Brigitte Bardot oder Alain Delon, heute Gérard Depardieu oder Isabelle Adjani, um nur einige zu nennen.

Angesichts der Konkurrenz durch das Fernsehen und folglich der rückläufigen Besucherzahlen wurde ein recht umfassendes System zur Förderung des französischen Films aufgebaut. Das *Centre national de la cinématographie* (CNC) unterstützt das künstlerische Schaffen, die Produktion und den Vertrieb und verteilt entsprechend die Mittel aus den Abgaben, die auf die Einnahmen der Kinosäle, auf den Verkauf von Videokassetten und auf die Ausstrahlung von Kinofilmen im Fernsehen erhoben werden. Ein wesentliches Merkmal dieses Systems ist der Vorschuß auf die Einnahmen. Dadurch können neue Talente gefördert und zusätzliche Kosten bei ehrgeizigen Projekten gedeckt werden.

Einige große
Persönlichkeiten der
französischen
darstellenden Künste:

der Theaterregisseur
Patrice Chéreau
der Filmregisseur;
Jean-Jacques Annaud;
der Komponist Pierre
Boulez;
der Tänzer Patrick
Dupond;
der Schauspieler
Gérard Depardieu in
der Rolle des Cyrano de
Bergerac;
die Schriftstellerin
Marguerite Duras

Diese Politik schlägt sich auch in der Quantität nieder. So hat Frankreich in Europa nach Rußland die meisten Kinosäle (4.400). Viele Kinos konnten modernisiert werden. Der bis Ende der 70er Jahre besorgniserregende Rückgang der Einnahmen infolge geringerer Besucherzahlen konnte in den Jahren danach erfolgreich gebremst werden. Jährlich werden rund 100 abendfüllende Spielfilme produziert, davon sind fast ein Drittel Erstlingswerke. Damit steht Frankreich nach Indien und den USA weltweit an dritter Stelle. Und - was einzigartig in Europa ist - fast ein Drittel aller Kinobesuche galten 1994 französischen Filmen, ohne daß Quotenregelungen eine Rolle gespielt hätten.

Die Vitalität des französischen Filmschaffens drückt sich auch in der Vielfalt der Stile aus: Klassizismus bei Bertrand Tavernier (*Das Fest beginnt*, *Ein Sonntag auf dem Land*, *Der Saustall*, *L 627*), Ironie und Poesie bei Bertrand Blier (*Buffet froid*, *Abendanzug*, *1,2,3 Soleil*), Realismus bis zur Härte bei Maurice Pialat (*A nos amours*, *Der Loulou*, *Van Gogh*). Eine weniger intimistische Ader kultivieren Luc Besson (*Das tiefe Blau*, *Nikita*, *Leon und Mathilde*), Jean-Jacques Beneix (*Diva*, *Betty Blue - 37° am Morgen*, *IP5*), Jean-Jacques Annaud (*Der Bär*, *Der Name der Rose*, *Der Liebhaber*) oder Jean-Paul Rappeneau (*Cyrano de Bergerac*), die in Frankreich wie im Ausland vom Publikum begeistert gefeiert wurden. Mit Léos Carax, André Techiné, Olivier Assayas, Christian Vincent, Eric Rochant u.a. gibt es bereits eine neue Generation von Filmemachern, während deren potentielle Nachfolger am FEMIS (*Fondation européenne des métiers de l'image et du son*) ausgebildet werden, einem Institut, das im *Palais de Tokyo* in Paris untergebracht ist. In diesem Zusammenhang muß man auch die Autoren erwähnen, die für das Fernsehen arbeiten, Dokumentarfilme drehen (wie Raymond Depardon), oder die meisterhaften Schauspieler der zeitgenössischen Komödie wie Michel Blanc, Josiane Balasko, Christian Clavier, Gérard Jugnot, die an Volkstraditionen anknüpfen. 1993 hat das Publikum mit *Die Besucher* das Rezept für einen Erfolg entdeckt, wie es ihn seit den 60er Jahren nicht gegeben hat.

Das Theater

Entsprechend einer Tradition, die auf das "freie Theater" von Antoine zurückgeht und mit dem Werk des "Kartell" (Gémier, Copeau, Baty, Jouvet) zwischen den beiden Weltkriegen und dann mit dem *Théâtre national populaire* (TNP) von Jean Vilar nach der Befreiung fortgesetzt wurde, verdankt die französische Theaterkunst ihre Dynamik besonders den großen richtungsweisenden Regisseuren. Der 1990 allzu früh verstorbene Antoine Vitez hat Generationen von Schauspielern geformt und den Umgang mit dem Repertoire, von Molière über Hugo und Aragon bis Claudel, erneuert. Aber auch viele andere haben die französische Bühne mit ihren Experimenten bereichert: Roger Planchon in Lyon, Marcel Maréchal in Marseille, Ariane Mnouchkine in der *Cartoucherie* in Vincennes, Peter Brook im *Bouffes du Nord*, Jean-Pierre Vincent im *Théâtre des Amandiers* in Nanterre, Jorge Lavelli im *Théâtre de la Colline* in Paris, Georges Lavaudant in Villeurbanne, Jacques Nichet in Montpellier, Jérôme Savary im *Théâtre de Chaillot*, Bernard Sobel in Gennevilliers. Aber auch Daniel Mesguich, Patrice Chéreau, Gildas Bourdet oder Jacques Lassalle beleben mit ihrer Leidenschaft die französischen Bühnen.

Diese Namen geben aber nur eine vage Vorstellung von der Zahl und Vielfalt an Stücken, die jährlich gezeigt werden. Es gibt 42 nationale Theater, 170 unter Vertrag stehende und 398 subventionierte Truppen. Die Zahl der freien Theatertruppen hat sich im Laufe der 80er Jahre verdreifacht und liegt heute weit über 1000. In den letzten Jahren wurden außerdem viele Theater eröffnet, modernisiert oder renoviert (*Théâtre national de la Colline* in Paris, *Théâtre du Port de la Lune* in Bordeaux, *Théâtre de la Salamandre* in Lille, *Nouveau Théâtre* in Nizza u.v.m.).

Eine Akrobatentruppe auf dem *Place de l'Horloge* in Avignon: eine Off-Veranstaltung (1988)

Auch andere Schauspielformen wie der Zirkus sind mit der Zeit gegangen. Truppen wie der Zirkus *Plume*, *Archaos* oder das Reiterkabarett *Zingaro* haben dieses Genre vollständig verwandelt. Mehrere Schulen sind erfolgreich, und der um die Zirkustradition bemühte Zirkus *Gruss* feierte ein Comeback.

Die französische Literatur: Tradition und Moderne

Die Schriftsteller von heute stehen vor der nicht leichten Aufgabe, die Nachfolge einer glanzvollen Generation zeitgenössischer Klassiker anzutreten: Gide, Sartre, Camus, Céline, Malraux, Mauriac, Anouilh, Becket, Genet, Montherlant. Das ist um so schwieriger, als die heutige Zeit nicht von eindeutig zu bestimmenden Strömungen, wie im Surrealismus, und noch weniger von Schulen geprägt ist. Zwar setzen die "Husaren", die Waisen von Roger Nimier und Antoine Blondin, noch auf Jacques Laurent und Michel Déon, um die anti-konformistische Tradition fortzuführen, die gleich nach dem Krieg entstand. Auch die Schriftsteller des *nouveau roman* der 50er Jahre, wie Michel Butor, Alain

Robbe-Grillet, Nathalie Sarraute, haben experimentiert. Und Claude Simon erfuhr 1985 die höchsten Weihen durch die Verleihung des Nobelpreises. Es herrscht der Eindruck eines Feldes experimentierfreudiger Individuen vor, wo jeder von Werk zu Werk seine persönliche Furche zieht. Julien Gracq, der seit *Auf Schloß Argol* einen einsamen Dialog mit der großen klassischen Tradition führt, ist in diesem Punkt beispielhaft. Aber auch Michel Tournier, der mit *Freitag oder im Schoß des Pazifik* berühmt wurde, oder die erste Frau in der *Académie française,* die 1987 verstorbene Marguerite Yourcenar, deren Werk tief in der Geschichte verwurzelt ist *(Die Erinnerungen des Kaisers Hadrian, Die schwarze Flamme),* und Marguerite Duras, die mit *Der Liebhaber* einen großen Publikumserfolg hatte. In der nachfolgenden Generation gehören Philippe Sollers, Jean-Marie Le Clézio, Patrick Modiano und Patrick Grainville zu den anerkanntesten Talenten. Einen Einblick in die Vielfalt der Trends und Stile der zeitgenössischen französischen Literatur geben auch die jüngsten Preisträger der wichtigsten französischen Literaturauszeichnung, des *Prix Goncourt:* die Ironie und Schelmenhaftigkeit von Erik Orsenna *(Gabriel II. oder was kostet die Welt,* 1988*),* der metaphysische Ernst von Jean Rouault *(Die Felder der Ehre,* 1991*),* die Klangfülle von Patrick Chamoiseau *(Texaco,* 1993*),* die Identitätssuche von Didier Van Cauwelaert *(Un aller simple,* 1994).

Der Roman ist zwar nach wie vor die vom Publikum bevorzugte Gattung, aber auch die Dichtkunst kommt nicht zu kurz: Aragon, Saint-John Perse, René Char und Francis Ponge waren nicht die letzten französischen Dichter. Jacques Roubaud, Michel Deguy, Yves Bonnefoy haben das immense Erbe angetreten und widerstehen glückvoll einem für diese Literaturgattung leider unfruchtbaren Klima.

Öffentlichkeit und Praxis

Neben der Erneuerung des kulturellen Schaffens fällt die Entwicklung des Publikums auf. Der Konsum von "Kulturgütern" ist zwar wie bisher je nach Alter, Schulbildung, sozialer Zugehörigkeit und geographischer Herkunft ungleich verteilt, doch der ständig zunehmende Konsum zeigt sich in allen sozialen Gruppen in der Ausstattung der Haushalte mit audiovisuellen Geräten sowie in höheren Besucherzahlen in Museen und bei Veranstaltungen.

Zugang zur Kultur

Zur Bekämpfung der ersten und zur Förderung der zweiten Tendenz verfolgt die öffentliche Hand eine rege Politik der "kulturellen Verbreitung". Dazu werden an erster Stelle Anstrengungen in den Bereichen Schule und Ausbildung unternommen. Der eher bescheidene Stellenwert, den die künstlerische Ausbildung - hauptsächlich Musik und bildende Kunst - früher hatte, wurde in den 80er Jahren deutlich

Vielbesuchte Klöster, Schlösser und Museen

Linke Spalte:
Das *Schloß und der Park von Versailles* hatten 1993 mehr als 3 Mio. Besucher,
das *Futuroscope*, der Freizeit- und Technologiepark bei Poitiers (in der Mitte das *Kinémax*), mehr als 1 Mio.,
das *Centre national d'art et de culture Georges-Pompidou* (Architekten: Piano und Rogers) fast 1 Mio.,
die Abtei *Mont Saint-Michel* 850.000
Rechte Spalte:
das *Musée d'Orsay*, ein Museum des 19. Jahrhunderts (Architekten: Aulenti, Colboc, Philippon und Bardon), 2,5 Mio.,
das *Carré d'art* in Nîmes (Architekt: Foster), eine Mediathek und ein Museum für moderne Kunst,
der Technologiepark von La Villette und die *Cité des sciences et de l'industrie* (Architekten: Tschumi und Fainsilber) 5 Mio. Besucher

gestärkt. Ein dichtes Netz regionaler und kommunaler Einrichtungen bietet zu niedrigen Preisen Musik-, Theater- und Tanzkurse an. Und mehrere hochrangige Einrichtungen widmen sich der Ausbildung künftiger professioneller Künstler: zwei *Conservatoires nationaux supérieurs de musique*, die *École nationale des beaux-arts*, das *Conservatoire national supérieur d'art dramatique*, die *École nationale de la photographie* und die *Fondation européenne des métiers de l'image et du son* (FEMIS).

Die öffentlich-rechtlichen Fernsehanstalten widmen schon lange einen Teil ihres Programms der Kultur: Die Literatursendung *Apostrophes*, die zehn Jahre lang jeden Freitag von Bernard Pivot moderiert wurde, wurde unter dem Titel *Bouillon de culture* mit einem breiteren Spektrum kultureller Themen wiederaufgenommen. Seit 1992 kommt das Publikum in den Genuß eines reinen Kultursenders, des deutsch-französischen Kulturkanals *Arte*, der zweisprachige Programme sendet und der erste europäische Versuch dieser Art ist. Und da *Arte* nur abends sendet, werden die freien Zeiten tagsüber von dem ersten französischen Bildungsprogramm *La Cinquième* belegt (s. Kapitel 18).

Schauplätze der Kultur

Um ein breiteres Publikum anzusprechen, führte André Malraux zu Beginn der 60er Jahre die *Maisons des jeunes et de la culture* (Jugend- und Kulturhäuser) ein. 30 Jahre später ist die Zahl der Kulturstätten um ein Vielfaches gestiegen. So sind überall in Frankreich Theater renoviert oder gebaut worden. Die Veranstalter von Rockkonzerten und anderen modernen Musikaufführungen zählen jährlich rund 15 Millionen Zuschauer. Der *Parc omnisports* in Paris-Bercy bildet von seiner Größe her - bis zu 15.000 Plätze - noch eine Ausnahme. Besonders beliebt sind Hallen wie das "Zénith" in Paris, die es auch in Montpellier, Toulon, Marseille, Pau, Caen, Lyon, Nancy und Tours gibt oder bald geben wird.

Auch Museen spielen eine entscheidende Rolle. Eine neue Disziplin, die Museumskunde, ist entstanden, damit diese ursprünglich für die Bewahrung von Kunstwerken bestimmten Einrichtungen sich dem Publikum noch weiter öffnen. Die Eröffnung des *Centre Georges-Pompidou* für zeitgenössische Kunst, des *Musée d'Orsay* für die Kunst der zweiten Hälfte des 19. Jahrhunderts, des Picasso-Museums und der *Cité des sciences et de l'industrie* wirkten anregend auf alle französischen Museen. Seit 1981 sind in Frankreich fast 80 Museen entstanden oder renoviert worden. Sie wurden von bedeutenden Architekten geschaffen, wie zum Beispiel das *Carré d'Art* in Nîmes von Norman Foster. Und 1997 steht schließlich die Fertigstellung des *Grand Louvre* mit der Eröffnung von 35 neuen Sälen mit französischer Malerei des 17. bis 19. Jahrhunderts bevor. Der Richelieu-Flügel, der alleine so groß ist wie das ganze *Musée d'Orsay*, wurde bereits 1993 eröffnet. Seit Herbst 1994 steht der erneuerte Denon-Flügel dem Publikum offen und zeigt die Sammlungen italienischer, spanischer und nordeuropäischer Skulpturen, u.a. die berühmten "Sklaven" von Michelangelo.

Es gibt insgesamt 34 Nationalmuseen (19 davon außerhalb von Paris) und fast 900 "kontrollierte" Museen, die meist den Gebietskörperschaften gehören. Ihr Erfolg entspricht den Erwartungen: Sie haben jährlich über 70 Millionen Besucher, die vor allem die Neuerwerbungen sehen wollen - seit kurzem ein La Tour, ein Frans Hals und ein Vermeer im Louvre - oder die großen Wechselausstellungen wie Poussin im Grand Palais oder die Meisterwerke der Barnes-Stiftung im Musée d'Orsay.

Die "Kulturfeste"

Die Kultur hat auch Höhepunkte. Die *Fête de la musique* findet seit 1982 statt und ist in gewisser Weise das Symbol für diese Kulturfeste. Jeweils am 21. Juni versammeln sich Zigtausende von Berufs- und Amateurmusikern in allen Städten des Landes. Mittlerweile haben fast 80 Länder diese Initiative übernommen. Die großen Sommerfestspiele der Oper (Aix-en-Provence), des Chorgesangs (Vaison-la-Romaine) und der zeitgenössischen Musik (Straßburg) geraten dadurch nicht in den Hintergrund. Auch die Unterhaltungs- und die Rockmusik kommen auf ihre Kosten: Der *Printemps de Bourges* hat mittlerweile Tradition, und bei den *Trans-Musicales* in Rennes wurden Étienne Daho, Niagara und Stéphan Eicher entdeckt.

Seit 1985 findet das Filmfest statt, das etwas über eine Woche dauert. Über die diplomatischen Vertretungen und die *Alliances françaises* soll versucht werden, auch dieses Fest in das Ausland zu exportieren. Für den Preis einer Vorstellung kann man den ganzen Tag Filme sehen. Daneben gibt es auch internationale Filmfestspiele, an erster Stelle das Festival von Cannes, dessen Goldene Palme zweifellos eine der gefragtesten Auszeichnungen ist. Andere Veranstaltungen haben ausländische Filme zum Schwerpunkt: So beschäftigt sich das Festival von Deauville mit amerikanischen Produk-

Fête de la musique 1993: ein Schlagzeuger vor den Säulen von Daniel Buren im Garten des Palais Royal in Paris

tionen und hat als Gegenstück das Festival des französischen Films in Sarasota.

Auch die Literatur wird gefeiert. Bei der Veranstaltung *Temps des livres* finden jedes Jahr im Oktober unterschiedliche Initiativen statt, um die Lesebegeisterung bei möglichst vielen zu wecken. Der *Salon du livre* ist darüber hinaus die Gelegenheit, die Öffentlichkeit einmal im Jahr (seit 1981) in die größte Buchhandlung Frankreichs zu locken: 1.200 Aussteller zeigen an 450 Ständen die ganze Bandbreite ihrer Verlagsprodukte - Romane, Enzyklopädien, Kunstbücher, Jugendbücher usw. Im Zuge seines Erfolgs sind auch in anderen Städten Buchmessen entstanden (in Brive, Bordeaux, Nantes, Le Mans, Saint-Etienne, Saint-Malo, Lyon, Straßburg).

Der *Salon du livre*
1993 im Grand Palais

Zwei Millionen Menschen nutzen jedes Jahr die besondere Gelegenheit, bei einem Tag der offenen Tür die 8.300 staatlichen Gebäude zu besichtigen, die als Baudenkmäler des Kulturerbes ausgewiesen sind: Der Elysée-Palast ist dann ebenso für die Öffentlichkeit zugänglich wie das *Institut de France*, das *Hôtel Matignon*, das *Palais Bourbon*, die Nationalbibliothek oder die Bastille-Oper. Nach dem gleichen Prinzip verläuft die Kampagne "Besuchen Sie einen Garten in Frankreich", die jedes Frühjahr stattfindet und diesen noch recht unbekannten Aspekt des Kulturerbes ein wenig bekannter machen soll.

Die Öffnung auf die Welt

Die Mona-Lisa ist das berühmteste Gemälde, das im Louvre ausgestellt ist. Das Meisterwerk Leonardo da Vincis symbolisiert, was die französische Kultur seit jeher ausländischen Künstlern und Einflüssen verdankt. Auch heute wird diese Tradition der gegenseitigen Öffnung weiter gepflegt.

Zugang zu allen Kulturen

Die Franzosen interessieren sich sehr für die Werke aus aller Welt. Fast die Hälfte aller in Frankreich verkauften Schallplatten und Kassetten stammen aus ausländischer Produktion, und 70 % der Kinoeinnahmen stammen aus der Vorführung ausländischer Filme. Es handelt sich zwar meistens um amerikanische Filme, aber Paris ist sicher die einzige Stadt der Welt, in der ein Kino-Fan je nach Geschmack und Neugier auch Werke aus Indien, Afrika, China oder Lateinamerika und natürlich aus allen europäischen Ländern sehen kann.

Diese Auswahlmöglichkeit besteht auch in vielen anderen Bereichen. Ein Beispiel dafür ist die Begeisterung, die ausländischen Choreographen in Frankreich zuteil wird, wie dem Schweizer Gallotta, den Amerikanern Merce Cunningham, William Forsythe oder Carolyn Carlson, die die Forschungsgruppe der *Opéra de Paris* geleitet hat. Dasselbe gilt für das Theater: Peter Brook, Lucian Pintillé, Jorge Lavelli führen an großen französischen Bühnen Regie. Das frühere Odéon-Theater, das jetzt *Théâtre de l'Europe* heißt und unter der Leitung des Katalanen Lluis Pasqual steht, bringt heute vornehmlich Stücke großer ausländischer Bühnen. Auch die bildenden Künste sind von diesem Willen zur Öffnung geprägt, wie der Erfolg von Ausstellungen ausländischer Schulen oder Künstler zeigt, die regelmäßig in den staatlichen Museen organisiert werden. Eine Besonderheit des *Centre Georges-Pompidou* sind große Retrospektiven, die den gegenseitigen Einfluß der Kulturen zum Gegenstand haben, von "Paris-New York" und "Paris-Moskau" vor zehn Jahren bis zu den jüngsten Würdigungen der großen Kosmopoliten Borgès, Amado oder Brancusi.

Der Staat fördert das Interesse für ausländische Werke und ist bemüht, diese dem französischen Publikum näherzubringen. Auf dem Gebiet der Literatur wurden Anstrengungen unternommen, um die Verleger von den hohen Übersetzungskosten zu entlasten. Dazu wurde 1989 in Arles ein Internationales Übersetzerkolleg geschaffen, und allein 1993 konnten auf diese Weise annähernd 300 Veröffentlichungen aus 35 Sprachen gefördert werden. Darüber hinaus wird dem französischen Publikum im Rahmen der *Belles étrangères* zwei- bis dreimal im Jahr ausländische Literatur vorgestellt, indem die bekanntesten Vertreter eines Landes eingeladen werden. 1994 waren es Schriftsteller aus den Niederlanden, Israel und Ägypten, 1995 kommen sie aus Schweden und Korea.

Wahlverwandtschaften

Es bleibt also keine Kultur und kein Kontinent unberücksichtigt. Jedoch gibt es bestimmte Wahlverwandtschaften, in denen noch heute zum Ausdruck kommt, wie lebendig alte Traditionen der wechselseitigen Befruchtung und der Solidarität sind. In diesem Rahmen nimmt die Frankophonie einen besonderen Platz ein. Seit die Kulturminister der

frankophonen Länder 1981 zum ersten Mal in Cotonou zusammenka-
men, haben zahlreiche Initiativen zur Stärkung der Beziehungen zwischen den Kulturschaffenden und den Kulturinteressierten der Länder
des frankophonen Raums beigetragen. Das internationale Frankopho-
nie-Festival in Limoges ist mittlerweile zum jährlichen Treffpunkt der
französischsprachigen Theater der ganzen Welt geworden, und bei den
Francofolies in La Rochelle sind französischsprachige Lieder aller Gen-
res zu hören. Auch die französischsprachige Literatur wird durch Werke
von Schriftstellern der ganzen Welt bereichert: von den epischen Er-
zählungen der Antillen und des Indischen Ozeans über den neuen Ton
der Prosaisten des Maghreb und des Nahen Ostens bis hin zu dem
neuen Sinn für das Geheimnisvolle bei den afrikanischen Dichtern. Als
Beispiel seien nur die Werke von Leopold Sedar Senghor, Aimé Cé-
saire, Tahar Ben Jelloun oder Ampathé Bâ genannt.

Aber nicht nur die frankophonen Länder der Südhalbkugel unterhalten
privilegierte Kulturbeziehungen zu Frankreich. Einige Einrichtungen
und Ereignisse belegen, daß der kulturelle Austausch auch mit Ländern gepflegt wird, die nicht französischsprachig sind. Das *Institut du
monde arabe* und das *Maison de l'Amérique latine* in Paris unterstreichen die Nähe der französischen Kultur zum Mittelmeerraum und zu
Lateinamerika. Durch das Festival *Musiques métisses* in Angoulême
hat das französische Publikum afrikanische Gruppen wie *Touré Koun-
da* oder *Mory Kante* entdeckt, die mittlerweile international bekannt
sind. Das "Fest der drei Kontinente" in Nantes präsentiert jeden Herbst
eine Auswahl afrikanischer, asiatischer und südamerikanischer Filme.
Und das 1982 eröffnete "Haus der Kulturen der Welt" lädt Musiker,

Bei den *Francofolies* in
La Rochelle treten je-
des Jahr im Juli viele
französischsprachige
Sänger auf

Künstler, Tänzer und Maler der ganzen Welt ein, damit sie sich in Frankreich vorstellen können. Zu einer Zeit, da die Völker Europas immer engere politische und wirtschaftliche Bindungen knüpfen, möchte Frankreich die kulturelle Dimension nicht vernachlässigt sehen. Daher unterstützt es einige große institutionalisierte Initiativen wie die "europäischen Kulturhauptstädte", die Schaffung eines europäischen Literaturpreises oder die Einführung eines Programms zur Förderung des Films und der audiovisuellen Medien. Aber ein Europa der Kultur beinhaltet auch,

"Don Juan kommt aus dem Krieg" von Ödon von Horvath in einer Inszenierung von S. Braunschweig im Paul-Eluard-Theater in Dijon im September 1990

und vielleicht vor allem, daß spontane Initiativen, Gemeinschaften und Begegnungen zustande kommen: mehr Übersetzungen, mehr gemeinsam produzierte Filme, die gemeinsame Ausbildung junger Kunstschaffender usw. Oder auch, um nur einige symbolische Beispiele zu nennen, die regelmäßigen Auftritte des Mailänder *Piccolo teatro* auf französischen Bühnen, eine Woche der schwedischen Musik in Paris, die Wiederherstellung der Pilgerwege nach Santiago de Compostella, die Ausstellung englischer Meisterwerke der Malerei aus französischen Sammlungen usw.

Die kulturelle Ausnahme

Frankreich hat, nach Absprache mit seinen Partnern der Europäischen Union und der französischsprachigen Gemeinschaft, in der Schlußphase der GATT-Verhandlungen darauf bestanden, daß die kulturellen Güter und Dienstleistungen besonders behandelt werden.

In Anbetracht des oben Gesagten wird verständlich, daß diese grundsätzliche Haltung nicht von dem Willen diktiert wurde, den kulturellen Austausch auch nur im geringsten einzuschränken. Im Gegenteil, mit der Feststellung, die Kultur könne nicht als simple Ware betrachtet werden, und mit der Forderung, jeder Staat müsse seine Kunstschaffenden fördern können, beabsichtigte Frankreich, die verschiedenen Traditionen zu bewahren, die das Kulturerbe der Menschheit ausmachen. Dasselbe Ziel verfolgt Frankreich in den internationalen Gremien zur Förderung der Kultur, wie zum Beispiel dem Europarat oder der UNESCO:

Der freie Verkehr von geistigen Werken soll gefördert werden, wobei darauf zu achten ist, daß jede Kultur die Voraussetzungen für ihr Überleben und ihre kontinuierliche Erneuerung sicherstellen kann.

Für weitere Informationen:

R. Caron, *L'État et la culture*, Paris, 1989
J. Caune, *La culture en action: de Vilar à Lang, le sens perdu*, Grenoble, 1992
M. Cointet, *Histoire culturelle de la France 1918-1959*, Paris, 1989
C. Dantzig, *Le style Cinquième*, 1992
La décentralisation culturelle, Rapport au ministre de la Culture, Paris, La Documentation française, 1990
O. Donnat, D. Cogneau, *Les pratiques culturelles des Français 1973-1989*, Paris, La Documentation française, 1990
M. Fumaroli, *L'État culturel, une religion moderne*, Paris, 1992
P. Goetschel, E. Loyer, *Histoire culturelle et intellectuelle de la France au XXe siècle*, Paris, 1994
Ministère de la Culture, *"La politique culturelle 1981-1991"*, Paris, 1991
Ministère de la Culture et de la francophonie, *"Chiffres clés 1994"* - Statistiques de la culture (sous la dir. de J. Cardona et C. Lacroix), Paris, La Documentation française, 1994
R. Moulin, *L'artiste, l'institution et le marché*, Paris, 1992
P. Ory, *L'aventure culturelle 1945-1989*, Paris, 1989
J. Rigaud, *Libre culture*, Paris, 1990
G. Saez, "Les politiques de la culture", in *Traité de science politique*,sous la direction de M. Grawitz et J. Leca, *Les politiques publiques*, Paris, 1985

Zeitschriften:
"Culture et société", *Les Cahiers français*, n° 260, Paris, La Documentation française, 1993
"Culture et politique", *Le Débat*, Nr. 70, Mai-August 1992
O. Donnat, "Politique culturelle et débat sur la culture", *Esprit*, November 1988
P. Gerbod, "L'action culturelle de l'État au XIXe siècle", *Revue historique*, Nr. 548, Oktober-Dezember 1983
J.-P. Rioux, "L'évolution des interventions de l'État dans le domaine des affaires culturelles", *Administration,* Nr. 151, April 1991.

18

Die Medien

Die Meinungsfreiheit ist in Frankreich rechtlich verankert. Artikel 11 der Erklärung der Menschen- und Bürgerrechte bestimmt, daß jeder Bürger "frei reden, schreiben und drucken kann, sich aber für den Mißbrauch dieser Freiheit nach Maßgabe des Gesetzes verantworten muß". Ohne Pressefreiheit gibt es keine Demokratie. Dennoch verlief die Erlangung der Pressefreiheit nicht reibungslos. Nach 1789 wechselten liberale mit autoritären Phasen, und erst durch das Gesetz vom 22. Juli 1881 wurde der Grundsatz einer freien Presse endgültig festgeschrieben. Alle Hindernisse (wie Zulassung, Bürgschaft, Gebührenmarken usw.) wurden abgeschafft und die Presse erhielt mehr Freiheiten. Folglich kamen immer mehr Zeitungen auf den Markt.

Während der Besatzungszeit unterstützte ein Teil der Presse die Kollaborationspolitik mit dem deutschen Nazi-Regime, so daß nach der Befreiung rigorose Säuberungen erfolgten. Die Provisorische Regierung der Republik erließ zwischen Juni und August 1944 drei Verordnungen, um die Presse vor Eingriffen der politischen Gewalt, aber auch vor finanziellem und kommerziellem Druck zu schützen.

Da die Marktlogik den Pluralismus nicht immer fördert, wurden in den Gesetzen vom 23. Oktober 1984, vom 1. August 1986 und vom 27. November 1986 die für die demokratische Debatte wesentliche Pressevielfalt und die Vermeidung einer zu großen Pressekonzentration als Ziele definiert. Seither darf eine Pressegruppe allein höchstens 30 % der Tageszeitungen kontrollieren.

Parallel dazu stellte der Gesetzgeber im Laufe der Jahrzehnte ein System zum Schutz von Personen, zur Garantie des "öffentlichen Friedens" sowie zur Gewährleistung der Unabhängigkeit und des Status von Journalisten auf. Innerhalb dieses rechtlichen Rahmens entwickelt sich die französische Presse heute.

1994 gab es in Frankreich 27.900 Journalisten mit Presseausweis; 35 % davon waren Frauen, und über die Hälfte war jünger als 40 Jahre.

Die Printmedien in der Krise

Die gedruckten Medien stecken zur Zeit in einer Krise, wie es sie noch nie gab. Ihre Situation ist jedoch unterschiedlich: Die überregionalen Tageszeitungen kämpfen verzweifelt und hoffen, daß der Niedergang nicht unumgänglich ist. Die regionale Presse reagierte schon früher und konnte sich daher ihre Dynamik bewahren. Die Fachpresse schließlich erlebt einen ungeahnten Aufschwung.

Die überregionale Tagespresse

Die meisten Tageszeitungen erscheinen morgens. Nur *Le Monde* und *La Croix* werden nachmittags herausgegeben. Sie verzichten im großen und ganzen darauf, eine bestimmte politische Farbe zu bekennen. Der Ton ist - mit Ausnahme der Leitartikel und Meinungsseiten - allgemein neutraler geworden.

Die parteigebundene Tagespresse, die vor dem Krieg ziemlich einflußreich war, ist fast verschwunden: Ausnahmen bilden *La Lettre de la Nation*, das Organ des *Rassemblement pour la République* (RPR), L'Humanité, das 1904 von Jean Jaurès gegründete Organ der Kommunistischen Partei Frankreichs, sowie *Présent,* das Sprachrohr der extremen Rechten. Die katholische Tageszeitung *La Croix-L'Evénement*

Ein Zeitungskiosk in Paris

gehört zwar der größten kirchlichen Pressegruppe, Bayard Presse, verbreitet aber eher allgemeine Informationen und kann daher weniger der Meinungspresse zugeordnet werden.

Die Aushängeschilder der sogenannten Top-Niveau-Tagespresse sind *Le Monde, Le Figaro* und *Libération.* Trotz ständig sinkender Absatzzahlen haben sie immer noch großen Einfluß auf die öffentliche Meinung und die anderen Medien. Ihre Gesamtauflage (rd. 850.000) ist jedoch niedriger als die anderer großer europäischer Zeitungen.

Libération machte die Konkurrenz durch den Newcomer *InfoMatin* zu schaffen, der ersten erfolgreichen Neugründung einer Tageszeitung seit zwanzig Jahren, die sich an Menschen richtete, die eigentlich keine Tageszeitung lesen. Sie hatte nur 24 Seiten und ein kleineres Format als andere und ließ sich daher leicht in öffentlichen Verkehrsmitteln lesen. Mit ihrem Preis von 3,80 Franc (0,7 Dollar) war sie die billigste

Die drei großen Tageszeitungen

Le Monde, eine echte französische Institution und <u>das</u> Referenzblatt für das Ausland, gilt als die ausführlichste und zuverlässigste Tageszeitung Frankreichs. Sie erscheint seit 50 Jahren und ist täglich ab 13.00 Uhr für 7 Franc (1,30 Dollar) erhältlich. Außer über das tagespolitische Geschehen im In- und Ausland informiert sie auf Sonderseiten oder in themenspezifischen Beilagen über Wirtschaft, Literatur, Hörfunk und Fernsehen. *Le Monde* hat einige interne Krisen überstanden, eine kostspielige Modernisierung erfahren, jedoch einen Teil ihrer Leserschaft verloren (1973 wurden 500.000 Exemplare verkauft, 1993 nur noch 376.000). Durch ihre Organisationsstrukturen, die in der französischen Presselandschaft einzigartig sind, konnte *Le Monde* sich ihre Unabhängigkeit bewahren, vor allem nachdem neben den Redakteurs-, Gründer-, Führungskräfte- und Angestelltengesellschaften eine Leser-Mitbeteiligungsgesellschaft gegründet wurde. Durch eine neue Konzeption (seit Anfang 1995) hofft *Le Monde*, ihre Leserschaft zurückzugewinnen.

Le Figaro wurde 1826 gegründet und ist die älteste französische Tageszeitung (Auflage 390.000, Preis 6 Franc (1,10 Dollar). Das Vorzeigeblatt der größten französischen Pressegruppe, Hersant, galt lange Zeit als ultrakonservativ, präsentiert sich aber mittlerweile gemäßigter. *Le Figaro* gibt in erster Linie reine Information wieder, humoristische Beiträge und Kommentare sind auf den Leitartikel und die Seite "Meinungen" beschränkt. Viel Raum nehmen internationale Nachrichten und Fotos ein. Die Bedürfnisse und Interessen der Leserschaft finden Berücksichtigung auf mehreren Seiten Kleinanzeigen, auf "praktischen Seiten", in Wirtschafts- und Finanzbeilagen, einem Kulturführer (*Le Figaroscope*) und einer Literaturbeilage, die montags erscheint. Samstags veröffentlicht *Le Figaro* drei Wochenbeilagen, die im Ton wesentlich konventioneller sind als die Tageszeitung: *Le Figaro-Magazine*, *Madame Figaro* und *Le Figaro-Télé* (insgesamt über 500 Seiten für 25 Franc, 3,60 Dollar).

Libération, 1973 von linksextremen Aktivisten gegründet, wurde im Laufe der Jahre gemäßigter. Um neue Leser anzusprechen, wurde im September 1994 zum dritten Mal das Konzept geändert. "Libé-III" will die "Bürger-Zeitung für das Jahr 2000" sein. Trotz einer gestiegenen Seitenzahl kostet sie nach wie vor 7 Franc (1,60 Dollar). Sie möchte "alle Zeitungen in einer" anbieten und bringt neben den klassischen Nachrichtenseiten einen Regionalteil und regelmäßige Beiträge über Alltagsfragen. Viel Platz wird Fotos eingeräumt (mehrere Dutzend pro Ausgabe).

französische Tageszeitung. Doch aufgrund der niedrigen Auflage (80.000 Exemplare) geriet sie in finanzielle Schwierigkeiten und mußte nach 2 Jahren aufgeben.

Eine andere große Boulevardzeitung, die konservative Tageszeitung *Le Parisien*, hat den Wandel geschafft, nachdem sie zunächst Leser verloren hatte. Sie ist politisch wieder in die Mitte gerückt, indem sie ihre Spalten Leitartiklern der linken Mitte geöffnet und gleichzeitig eine regionale Strategie entwickelt hat. Außerdem gibt sie eine überregionale Ausgabe unter dem Titel *Aujourd'hui* heraus. Diese Anstrengungen waren erfolgreich: *Le Parisien* ist mit 400.000 Exemplaren zur Nummer zwei der überregionalen Tagespresse aufgerückt und hat zwischen 1991 und 1993 eine Verkaufssteigerung von 9 % verzeichnen können.

Die Boulevardzeitung *France-Soir* dagegen hat nicht mithalten können, und ihre Auflage ist von 1,5 Millionen Exemplaren 1955 auf 500.000 im Jahr 1985 und mittlerweile 200.000 (1994) gesunken.

Die Fachpresse ist erfolgreicher. Das gilt vor allem für die Wirtschafts- und Finanzzeitungen - *Les Echos* (Auflage 138.000), *La Tribune Des-fossés* (78.000) - und die Sportzeitungen mit *L'Equipe* an der Spitze (381.000 Exemplare während der Woche, über 400.000 am Montag).

Daneben sind zwischen Mai 1993 und September 1994 Zeitungen von Arbeitslosen oder Obdachlosen auf den Markt gekommen (*Macadam, Le Réverbère, La Rue, Faim de Siècle* usw.), die wöchentlich, zweiwö-chentlich oder monatlich in einer Auflage von 45.000 bis 500.000 er-scheinen. Sie werden zum Preis von 10 Franc von den Betroffenen verkauft, die einen Teil der Einnahmen für sich behalten können.

Die regionale Tagespresse

Die regionalen Tageszeitungen haben die Krise insge-samt besser überstanden als die überregionale Presse, da sie häufig als einzige Zeitung in einem bestimmten Gebiet erscheinen und somit den Anzeigenmarkt für sich verbuchen können. Regionale Nachrichten und Dienste sowie die Lokalseiten schützen sie vor der Konkurrenz durch Hörfunk und Fernsehen.

Anfang der 70er Jahre fing die regionale Presse an, sich technisch zu modernisieren. Dazu waren beachtliche finanzielle Mittel erforderlich, die nur durch die Zusammenlegung von Titeln und Konzentration auf-gebracht werden konnten. Heute beherrschen wenige große Gruppen den Sektor. So kontrolliert Robert Hersant rund 30 % des Marktes (*Le Dauphiné Libéré, Paris-Normandie, Le Progrès de Lyon, Les Dernières Nouvelles d'Alsace, Nord-Matin, Nord-Éclair, Le Havre-Libre, Midi-Libre* u.a.). Auch die Gruppe Hachette-Filipacchi Presse ist überall vertreten (*Le Provençal, Le Méridional, La République*). Daneben gibt es noch eine Reihe kleinerer Gruppen, die meist eine Hauptausgabe mit meh-reren Regionalausgaben haben (*Ouest-France, Sud-Ouest, La Dépê-che du Midi, La Voix du Nord*).

Das Verbreitungsgebiet von *Ouest-France,* der größten französischen Tageszeitung (17 Ausgaben, über 800.000 Exemplare), erstreckt sich über 17 Departements in den Regionen Bretagne, Normandie und Pays de la Loire. Mit rund 7 Millionen verkauften Exemplaren täglich und damit mehr als 20 Millionen Lesern macht die regionale Tagespresse dem Fernsehen den Platz des wichtigsten Mediums im Lande streitig.

Wirtschaftliche Aspekte

Die französische Tagespresse hat bessere Zeiten erlebt. 1945-1946 wurden täglich 179 regionale und überregionale Titel und 15 Millionen Exemplare verkauft. 1993 erschienen nur noch 75 Titel in weniger als 9 Millionen Exemplaren. Die französischen Zeitungen stehen damit weltweit an 25. und europaweit an 7. Stelle. Nur 41 % der Franzosen über 15 Jahre lesen täglich oder fast täglich eine Tageszeitung (vor 20 Jahren waren es 55 %).

Zur wirtschaftlichen Krise und zur Konkurrenz durch das Fernsehen, die einen Rückgang der Werbeeinnahmen zur Folge hatten, kam das Verbot bzw. die strikte Einschränkung der Werbung für Tabak und Alkohol hinzu. 1980 erzielten die Zeitungen noch 60 % und das Fernsehen 20 % der Werbeeinnahmen. 1994 war der Anteil der Presse auf 42,8 % (einschließlich Kleinanzeigen) gesunken und der des Fernsehens auf 35,7 % gestiegen.

Der französischen Presse fehlen außerdem Eigenmittel. Ihre Ausgaben sind hoch, und sie mußte und muß noch viel in die Modernisierung investieren, um zu überleben. Schwierige Zeiten also für ein Produkt, das man zweimal verkaufen muß: an die Leser und an die Inserenten. Auch der Anstieg der Papierpreise und die Vertriebskosten (die zwei Drittel der Verkaufseinnahmen verschlingen) schlagen voll auf den Gestehungspreis durch.

Die mit modernen Kommunikationsmitteln ausgestattete Redaktion der Tageszeitung *Libération* in Paris

Verglichen mit Großbritannien und Deutschland liegt der Preis der französischen Tageszeitungen trotz staatlicher Unterstützung beträchtlich höher: *Le Monde* kostet 7 Franc (1,30 Dollar), das britische Äquivalent *The Times* umgerechnet 0,3 Dollar. Der Verkaufspreis für Zeitungen, der früher an den Preis für Briefmarken angeglichen war, stieg zwischen 1970 und 1980 um das Achtfache, während die Lebenshaltungskosten nur um das Vierfache anstiegen.

Das wirtschaftliche Gewicht der französischen Presse (60 Milliarden Franc, also 10,9 Milliarden Dollar, Umsatz 1993) ist nicht so groß wie das der britischen oder der deutschen Presse, die die Krise früher durchlebt und überwunden haben.

Die Wochenpresse

Der Zeitschriften-Markt entwickelt sich sehr dynamisch. Mit 1.354 verkauften Exemplaren pro 1000 Einwohner stehen die Franzosen weltweit an erster Stelle.

Wochenzeitschriften

In Frankreich erscheinen wöchentlich sechs große Nachrichtenmagazine, und mit Ausnahme von *L'Evénement du Jeudi* hat keines von ihnen - *L'Express*, *Le Point*, *Le Nouvel Observateur*, *Paris-Match*, *VSD* - wirtschaftliche Probleme. Nach wirtschaftlicher Umstrukturierung und erfolgreicher Neugestaltung erscheinen sie in fast 2,32 Mio. Exemplaren. *Paris-Match* allein hat eine Auflage von 828.600. Die 1949 gegründete Illustrierte mischt Nachrichten, Kultur und Rubriken über "die Großen dieser Welt" (Künstler, Politiker, Königshäuser) und räumt Fotoreportagen viel Platz ein. Die Preise der Wochenmagazine liegen zwischen 14 und 30 Franc (2,50 bis 5,40 Dollar).

Neben diesen Magazinen erscheint *Le Canard Enchaîné*. Die satirische, unabhängige Wochenzeitung ohne jede Werbung ist das Barometer der Pressefreiheit in Frankreich. Sie erscheint seit 1916, kostet 8 Franc (1,45 Dollar) und verkörpert Respektlosigkeit und Informationsfreiheit ohne Rücksicht auf die jeweils herrschende Macht. Sie kritisiert Amtsmißbrauch und deckt mit Hilfe eines gefürchteten Netzes von Informanten und Rechercheuren Skandale, Veruntreuungen oder andere Mißstände jeglicher Art auf, wobei zwar gerne Karikaturen und Wortspiele benutzt werden, jedoch Wert auf einen guten Stil gelegt wird. Wöchentlich werden 550.000 Exemplare von über 2,5 Millionen Lesern gelesen.

Fachzeitschriften

Durch den Zuwachs an Freizeit, den besseren Zugang der breiten Masse zur Kultur und den Erfolg des Fernsehens sind in Frankreich außerordentlich viele Fachzeitschriften auf den Markt gekommen. Jährlich erscheinen mehrere Dutzend neue Titel.

Zu den sieben Wirtschaftszeitungen, die es 1979 gab, kamen bis 1991 weitere 10 hinzu, und fast alle sind erfolgreich. Auch die Wirtschaftskrise, ein größeres Interesse für die Spar- und Anlagetätigkeit und seit neuestem für den Unternehmensalltag haben sich positiv auf diesen Sektor ausgewirkt. *Capital* von der deutschen Prisma-Gruppe findet monatlich 335.700 Käufer und ist der größte Erfolg der letzten Jahre. Die Zeitschrift informiert Führungskräfte in kurzen und praxisnahen Artikeln. *Le Revenu français* (205.252 Exemplare), *Mieux vivre votre argent* (192.000), *Investir Magazine* (166.115), *Valeur actuelles* (98.000) sind weitere Beispiele für diesen dynamischen Markt.

Die höchsten Auflagen erzielen die Radio- und Fernsehzeitschriften *Télé 7 jours* (3 Mio.), *Télé Star* und *Télé Z* (fast 2 Mio.).

Individualistisch wie die Franzosen selbst ist auch ihre Presse: Keine Mode, kein Sport, keine Kultur, keine Kunst, keine Lebensart, die nicht ihre eigene Publikation hätte. So haben rund 15 Zeitschriften das Auto zum Thema, 6 das Motorrad, 9 die Fotografie oder den Film, 20 die Gastronomie, den Tourismus und das Reisen, 7 die Wissenschaft, 6 die Musik, 16 die Informatik, 32 verschiedene Sportarten, 11 die Literatur, Geschichte und Kunst, 23 das Haus und den Garten, 11 die Jagd und die Fischerei.

Auch die Jugendzeitschriften sind mit 18 Titeln für Heranwachsende - drei davon richten sich an Studierende - und 28 für Kinder im Aufschwung. Von der Geburt (*Parents*, *Enfants Magazine* usw.) bis zum Ruhestand (*Notre Temps*, über 1 Mio. Exemplare) hat jedes Alter sein Magazin.

Die amerikanische und die französische Ausgabe der Frauenzeitschrift *Elle*

Frauenzeitschriften haben eine sehr alte Tradition und entwickeln sich glänzend. Viele erscheinen auch im Ausland und tragen damit zur Verbreitung des traditionellen Bilds Frankreichs bei (Mode, Schönheit, Savoir-vivre). Dieser ausgeprägt zielgerichteten Sparte ist es gelungen, eine treue Leser- und Werbegemeinschaft zu binden. Magazine wie *Femme actuelle* (1,78 Mio. Exemplare), *Prima* (1.174.863), *Modes et Travaux* (867.262), *Madame Figaro* (572.916), *Marie-Claire* (560.782) gehören zu den 28 französischen Titeln mit einer Auflage von über 500.000.

Die anspruchsvollste und einflußreichste Frauenzeitschrift ist zweifellos *Elle*. Sie erscheint seit 1945 und verfolgt gekonnt die Entwicklung des Lebens und den Kampf der Frauen im In- und Ausland, wobei Mode- und Stilfragen immer glanzvoll im Vordergrund stehen. *Elle* kostet 13 Franc (2,40 Dollar) und erscheint in 347.703 Exemplaren, auch in Englisch, Deutsch, Italienisch, Spanisch, Japanisch, Arabisch und Chinesisch.

Die Presseagenturen

Zeitungen, Fernsehen und Hörfunk könnten ohne die Presseagenturen nicht bestehen. Als "Informationsgroßhändler" liefern sie den Presseorganen und Institutionen Nachrichten jeglicher Art - Texte, Fotos, Graphiken - über ein Abonnement, dessen Preis sich nach der Auflage oder Einschaltquote richtet. Die Informationen mancher Zeitungen stammen zu über 80 % aus einer oder mehreren Presseagenturen. Die Agenturen melden bewertungsneutral nur Tatsachen, damit Abonnenten unterschiedlicher politischer Färbung und Nationalität sie verwerten können.

AFP

Die *Agence France Presse* ging 1944 aus der 1935 gegründeten Agentur *Havas* hervor und beliefert heute weltweit über 2.500 Kunden. Sie verbreitet täglich Nachrichten (rd. 3 Mio. Wörter) in 6 Sprachen (Französisch, Englisch, Spanisch, Deutsch, Arabisch und Portugiesisch), die AFP-Büros oder -Korrespondenten aus 129 Ländern übermitteln. Von den 2.000 Beschäftigten sind 800 Journalisten und Fotografen. Die Einnahmen stammen je zur Hälfte aus den Abonnements der Presseunternehmen und denen des öffentlichen Dienstes (Ministerien und Verwaltungen). Nach mehreren defizitären Jahren konnte die Bilanz von AFP 1994 dank eines Sparplans wieder ausgeglichen werden. Ihre Statuten passen in keinen bestehenden rechtlichen Rahmen, sondern wurden 1957 "maßgeschneidert", um zu vermeiden, daß die Agentur de jure oder de facto von einer ideologischen, politischen oder wirtschaftlichen Gruppe kontrolliert wird. An der Spitze steht ein Verwaltungsrat, in dem zwei Personalvertreter, acht Vertreter der regionalen und der überregionalen Presse, drei Vertreter der öffentlichen Hand und zwei des öffentlichen Rundfunks sitzen. Die Unabhängigkeit gegenüber dem Staat wird durch die Satzung sichergestellt.

AFP hat ihren Rückstand gegenüber ihren beiden Konkurrenten, *Associated Press* und *Reuter*, durch enorme Anstrengungen zur Modernisierung und Diversifizierung ihrer Dienste aufgeholt. Sie hat mittlerweile vollständig auf Datenverarbeitung umgestellt und empfängt bzw. sendet ihre Informationen über Satelliten und Telefoto. Mit der britischen Finanzagentur EXTEL hat AFP einen Wirtschaftsdienst in Englisch, *AFX*, eingerichtet. Ihr *Infographie*-Dienst zur Übermittlung von Graphiken, Kurven, Diagrammen und Tabellen ist sehr erfolgreich. Außerdem betreibt sie eine Hörfunkagentur, *AFP Audio*, die jährlich rund 5.000 Hörfunkberichte "schlüsselfertig" anbietet, und einen Fotodienst, der nach seiner Gründung im Jahr 1959 nur für Frankreich zuständig war, seit 1985 aber international arbeitet.

Die *Agence France Presse* (AFP) ist eine der drei großen Agenturen der Welt (neben der amerikanischen *Associated Press* und der britischen *Reuters*).

Daneben gibt es Fotoagenturen. Die drei größten weltweit - *Sygma, Gamma* und *Sipa* - sind französisch.

Die explosionsartige Entwicklung der audiovisuellen Medien

Der Rückgang der Presse ist auf den Erfolg der audiovisuellen Medien und in geringerem Maße des Buchs, das ebenfalls mehr und mehr das aktuelle Geschehen, das traditionelle Jadgrevier der Presse, für sich beansprucht, zurückzuführen. 1993 verbrachten die Franzosen durchschnittlich 3 Stunden 39 Minuten vor dem Fernseher, während sie der Zeitungslektüre nur 36 Minuten widmeten.

Hörfunk und Fernsehen unterstanden bis 1982, als 18 private Hörfunkstationen eine Sendeerlaubnis erhielten, dem Monopol des Staates. Um die Unabhängigkeit der Medien, vor allem gegenüber der politischen Gewalt, zu gewährleisten, wurden alle französischen Fernseh- und Hörfunknetze - mit Ausnahme des deutsch-französischen Senders *Arte* - einem unabhängigen Verwaltungsgremium, wie in den USA oder in Kanada, unterstellt. Diese Medienkontrollbehörde heißt seit 1989 *Conseil supérieur de l'audiovisuel* (CSA).

Der Conseil supérieur de l'audiovisuel (CSA)

Die oberste französische Medienbehörde CSA wacht darüber, daß die Hörfunk- und Fernsehunternehmen ihre rechtlichen Verpflichtungen einhalten. Sie erteilt außerdem die Frequenzen, benennt die Leiter der öffentlichen Sendeanstalten und gibt auf Anfrage der Regierung oder des Parlaments Stellungnahmen ab. Sie achtet darauf, daß der politische Pluralismus, der freie Wettbewerb, der Jugendschutz und die Pflege der französischen Sprache gewährleistet sind. Das Gesetz erteilt ihr Sanktionsgewalt (Strafen, Absetzung von Sendungen usw.).

Die Mitglieder des CSA werden zu einem Drittel von den drei höchsten Amtsinhabern der Republik ernannt: dem Staatspräsidenten, dem Senatspräsidenten und dem Präsidenten der Nationalversammlung. Der Präsident des CSA wird vom Staatspräsidenten ernannt. Die Mitglieder werden für sechs Jahre bestimmt, wobei ein Drittel alle zwei Jahre erneuert wird. Um ihre Unabhängigkeit besser zu gewährleisten, können sie nicht abgesetzt und nicht erneut bestellt werden.

Immer mehr Fernsehprogramme

Seit 1982 sind in Frankreich auch private Fernseh- und Hörfunksender zugelassen. In 10 Jahren ist das französische Angebot von drei auf über 30 (einschließlich Kabel) gestiegen. Damit begann auf diesem Gebiet das Zeitalter des Wettbewerbs.

1995 gibt es neben den rund 20 Kabelfernsehsendern sieben Anstalten, die auf terrestrischer Frequenz ausstrahlen. Vier davon sind öffentlich und werden über Gebühren (650 Franc, also 118 Dollar, jährlich), staatliche Subventionen und Werbung finanziert: *France 2*, *France 3*, der deutsch-französische Kulturkanal *Arte* und *La Cinquième*. Die drei anderen sind Privatsender: *TF1* und *M6*, die von privaten Aktionären finanziert werden und nur von Werbeeinnahmen leben, sowie der Pay-TV-Sender *Canal Plus*, der ebenfalls Werbeeinnahmen erzielt.

Der "Rat der Weisen" der obersten französischen Medienbehörde CSA (in der Mitte der Vorsitzende Hervé Bourges)

Unabhängig vom Anbieter sehen die französischen Zuschauer am liebsten Kinofilme, Fernsehfilme und Informationssendungen (Journale, Magazine, Dokumentationen). Die 20-Uhr-Nachrichten, vor allem von *TF1* und *France 2,* haben die höchsten Einschaltquoten.

Seit 1989 sind *France 2* und *France 3* zu *France Télévision* zusammengeschlossen. Sie haben eine gemeinsame Leitung, damit mehr Kohärenz und eine bessere Ergänzung gewährleistet sind. *France 2* ist ein nationales Vollprogramm mit der Aufgabe zu informieren, zu unterhalten und zu bilden. Der Sender hält rund 25 % des Marktanteils. Im Vorabendprogramm wird französischen und europäischen Fernsehfilmen viel Raum gewidmet. Die höchsten Einschaltquoten (um diese Uhrzeit) erzielen das Nachrichtenmagazin *Envoyé spécial*, die Kultursendungen *Bouillon de culture* und *Le cercle de minuit*, die Portraits und Augenzeugenberichte in *Bas les masques* u. a. Außerdem stehen bei *France 2* sonntags vormittags seinem Leistungsverzeichnis entsprechend kirchliche Sendungen für alle großen, in Frankreich vertretenen Religionsgemeinschaften auf dem Programm.

France 3 ist sowohl national als auch regional ausgerichtet und sendet zu bestimmten Tageszeiten regionale und lokale Nachrichten und Sendungen. Aufgrund seiner starken nationalen Identität und seiner anspruchsvollen Programmgestaltung wird der Sender immer erfolgreicher und konnte 1993 sein Ziel von 15 % Marktanteil erreichen und 1994 die 16 %-Marke überschreiten. Zuschauerrekorde erreichen die große Diskussionsrunde *La marche du siècle* und das Nachrichtenmagazin 19-20 (vor allem wegen der regionalen Nachrichten). Die Fernsehfilme, die Kindersendungen am Mittwoch und die Quizsendungen (wie *Questions pour un champion*, *Fa si la chanter*) erreichen gute Einschaltquoten. Der Sonntag abend ist dem Kinoklassiker vorbehalten (*Cinéma de minuit*).

Arte, der anspruchsvolle deutsch-französische Kulturkanal, sendet von 19.00 bis 3.00 Uhr morgens (in Frankreich auf Kanal 5, in Deutschland über Kabel) und bietet vor allem Themenabende - Filme, Gespräche, Reportagen - an. Der Kanal wurde am 2. Oktober 1990 durch einen deutsch-französischen Vertrag gegründet und ist europäisch ausgerichtet. Das belgische Fernsehen hat sich bereits angeschlossen, andere könnten bald folgen. Die Zuschauerzahlen sind noch nicht sehr hoch (1994 waren es in Frankreich im Durchschnitt 300.000).

Die von *Arte* nicht genutzten Zeiten auf Kanal 5 (6.00 bis 19.00 Uhr) belegt seit dem 14. Dezember 1994 das erste französische Bildungsprogramm: *La Cinquième* unter der Leitung von Jean-Marie Cavada mit Unterstützung eines wissenschaftlichen und pädagogischen Ausschusses, den der Philosoph Michel Serres leitet. *La Cinquième* ist für 1995 mit einem Budget von 800 Millionen Franc (145 Millionen Dollar) ausgestattet und richtet sich an alle Zuschauer, die tagsüber zu Hause sind (Hausfrauen, junge Leute, Arbeitslose und Schüler). Der Sender hat den Anspruch, "der sozialen Ausgrenzung durch Wissen vorzubeu-

Die Fernsehsendung La marche du siècle mit J.-M. Cavada läuft jeden Mittwoch in France 3. Thema dieser Sendung vom 21. April 1993: "Sei schön und halt den Mund"

gen", indem er "ganz allgemeine Wissensprogramme und Zugang zu Wissensgebieten" anbietet, wobei er jegliches Elitedenken ablehnt und eine für alle verständliche Sprache benutzt. Er möchte das Vollprogramm-Angebot, die Antwort auf spezielle Wünsche und die Schaffung einer riesigen Wissensbibliothek unter einen Hut bringen. Angeboten werden Lernspiele, Zeichentrickfilme in Originalfassung, Filme, Dokumentationen, Lernprogramme und Sendungen über Arbeits- und Beschäftigungsfragen.

Anne Sinclair und Alain Juppé am 28. März 1995 in der Sendung *7 sur 7*

TF1 ist der größte und zugleich auch der älteste französische Fernsehsender, was sich neben dem breitgefächerten Angebot durchaus positiv auf die Zuschauerzahlen auswirkt (1993 über 38 %). *TF1* wurde

1987 privatisiert und gehört mehrheitlich der Bouygues-Gruppe (Hoch- und Tiefbau). Der populäre Vollprogrammsender bietet schwerpunktmäßig Spiele, Sport, Unterhaltung und Filme für das breite Publikum an. Sonntags um 19.00 Uhr überträgt er die große politische Sendung *7 sur 7*. TF1 erzielt 55 % der Fernseh-Werbeeinnahmen.

M6 gehört mehrheitlich der *Compagnie luxembourgeoise de télédiffusion* (CLT) und der *Lyonnaise des Eaux-Dumez* und ist ein Vollprogrammsender mit Schwerpunkt Fernsehfilm am Vorabend und Musik. Für 12 französische Großstädte sendet er eigene Nachrichtenmagazine. Die Hälfte seiner Zuschauer ist jünger als 35 Jahre.

Der älteste französische Privatsender, *Canal Plus*, wurde 1984 gegründet. Er ist ein verschlüsselter Pay-TV-Sender (man muß also einen Decoder mieten, um die Sendungen sehen zu können, außer wenn sie unverschlüsselt ausgestrahlt werden). Trotz der anfänglichen allgemeinen Skepsis erwies sich *Canal Plus* als Erfolg. Mit mehr als 3,5 Millionen Abonnenten, über 10 Milliarden Franc (1,8 Milliarden Dollar) Umsatz und 1,2 Milliarden Franc (0,21 Milliarden Dollar) Gewinn 1993 ist der Sender der größte Erfolg der französischen Medienlandschaft. Seine Zugpferde sind Kinofilme und Sport. Darüber hinaus sendet er eine der berühmtesten Fernsehsendungen Frankreichs: *Les guignols de - l'info* parodiert mit ihren Gummipuppen höchst respektlos Persönlichkeiten aus Politik, Kunst und Sport.

Neben diesen fünf auf terrestrischer Frequenz übertragenen Sendern können rund 250 französische und ausländische Sender über Kabel oder Satellit empfangen werden. Tatsächlich empfangen die meisten Haushalte heute jedoch nur die Spartenprogrammpakete (die sogenannten "Bouquets"), die über denselben Satelliten übertragen werden. Rund 1 Million Haushalte sind mit Parabolantennen ausgestattet, und 1,1 Millionen verkabelte Haushalte haben den "Grundservice" abonniert, der für rund 150 Franc (27 Dollar) monatlich etwa 15 Programme anbietet: die terrestrischen Programme, die französischen Spartenprogramme, die ausländischen Programme (BBC, MTV, CNN, TVE, RAI, ZDF u.a.) und den europäischen Nachrichtensender *Euronews*.

Die wichtigsten französischen Spartenprogramme sind heute *Canal J*, das täglich von 7 bis 20 Uhr in erster Linie für Jugendliche sendet, bevor *Canal Jimmy* mit seinen Sendungen für Liebhaber der 60er und 70er Jahre übernimmt, *Planète* (Dokumentationen und aktuelle Reportagen), *Eurosport*, *MCM* (Musik) und der erste französische Nachrichtensender *LCI* (*La Chaîne Info*), eine Tochter von *TF1*, die seit Juni 1994 existiert und täglich jede halbe Stunde umfassende Nachrichten und, je nach Aktualität, auch Sonderberichterstattungen ausstrahlt und außerdem Diskussionen und Interviews. Mit einem zusätzlichen Abonnement können zwei weitere Filmprogramme über Kabel empfangen werden.

Es ist für Frankreich von großer Bedeutung, die Ausstrahlung von "Programmbouquets" über Satelliten auszubauen, damit es einerseits seinen Platz, seinen Rang und seinen Einfluß in der Welt von morgen - in allem, was kulturell und wirtschaftlich damit verbunden ist - bewahren und der ausländischen Konkurrenz standhalten kann und andererseits in dem Bemühen um Diversifizierung mehr als die derzeitigen terrestrischen Programme anbieten kann. *Canal Satellite tut* das bereits. Dieses von *Canal Plus* verwaltete "Bouquet" bietet rund 220.000 Abonnenten über den Satelliten Telecom 2A insgesamt neun Spartenprogramme für 139 Franc (25 Dollar) monatlich an. Alle französischen Anbieter planen Spartenprogramme, und weitere müßten bald auf den Markt kommen. Die Technik der Digitalisierung müßte es möglich machen, zwischen vier und acht Programmen auf demselben Kanal auszustrahlen und dadurch das Angebot bei geringeren Ausstrahlungskosten zu steigern.

Die Digitalisierung wird auch die Entwicklung des Pay-TV à la carte steigern, das dem Zuschauer die Möglichkeit gibt, das Programm seiner Wahl zu dem von ihm gewünschten Zeitpunkt zu sehen. *Multivision 1* ist mit über 25 Kabelnetzen verbunden und bietet schon heute 150.000 Kunden Filme zum Preis von 35 Franc (6,30 Dollar) pro Stück an. *Multivision 2* gibt es seit dem 1. Januar 1995.

Begeisterung für das Radio

Anders als vorausgesagt, steht der Hörfunk nicht hinter dem Fernsehen zurück. Vielmehr hat die Gründung neuer Radiosender, die durch das Gesetz von 1982 ermöglicht wurde, und das entsprechend vielfältige Angebot den Hörfunk zum bevorzugten Medium der Franzosen gemacht, das nur abends vom Fernsehen überflügelt wird. Franzosen aller Altersgruppen hören täglich durchschnittlich 1 Stunde und 15 Minuten Radio. Diese Begeisterung geht jedoch zu Lasten der Zeitungen: Der französische Hörer ist schon umfassend informiert, wenn er zwischen 7 und 9 Uhr das Haus verläßt und zur Arbeit geht und scheint daher wenig geneigt, eine Tageszeitung zu kaufen.

Der öffentliche Hörfunk ist in der nationalen Hörfunkgesellschaft *Radio France* zusammengefaßt, die für die Programmplanung und Ausstrahlung von 53 Radiosendern zuständig ist: fünf nationale, 39 lokale und neun sogenannte Spartenradios (z.B. FIP), die seit 1971 entstanden sind und täglich rund um die Uhr Informationen und Ansagen (Wetter, Veranstaltungen, Verkehrsnachrichten, Arbeitsangebote, Fernseh- und Radioprogramme) vor ununterbrochener Hintergrundmusik ausstrahlen.

Die fünf nationalen Sender sind *France-Inter*, die zweitgrößte Hörfunkanstalt nach *RTL*, *France-Culture*, *France-Musique*, der jährlich mehr als tausend Konzerte überträgt, *Radio Bleue* mit französischen Chansons für die über 50jährigen und *France Info*, der erste französische und europäische Nachrichtensender, der 1987 gegründet wurde und sogleich einen beachtlichen Erfolg hatte. *France Info*, der die Hörgewohnheiten der Franzosen völlig verändert hat, sendet täglich nonstop und bringt jede halbe Stunde sieben Minuten lang Nachrichten und alle 10 Minuten Schlagzeilen.

Die öffentlichen Radiosender werden über Gebühren und teilweise vom Staat finanziert. Die Werbung ist streng begrenzt (nichtkommerzielle Werbung).

Radio-France Internationale (*RFI*) wird weitgehend vom Staat finanziert. *RFI* sendet weltweit und ist eines der Glanzstücke der französischen Rundfunk-Aktivitäten im Ausland.

RFO (*Radio-France Outre-mer*) ist zuständig für die Programmplanung, die Herstellung und die Ausstrahlung von Fernseh- und Hörfunksendungen in den Übersee-Gebieten Frankreichs.

Der private Sektor besteht aus drei Vollprogrammsendern: *RTL* (8,4 Millionen Hörer), *Europe 1* (4,8 Millionen Hörer) und *Radio Monte-Carlo* (RMC, 0,9 Millionen Hörer). Außerdem gibt es nationale Musiksender, die über FM ausstrahlen (*NRJ*, *Nostalgie*, *Europe 2*, *Fun Radio*, *Skyrock* u.a.) sowie etwa 30 regionale Privatsender (u. a. *Sud-Radio*, *Radio-Service*, *Radio 1*, *Alouette FM*, *RVS*) und mehr als 350 Bürgerradios, also 450 Programme auf rund 2.650 Frequenzen. Ende der 80er Jahre ging die Hörerzahl der privaten Vollprogramme spürbar zurück. Um dem entgegenzuwirken, setzen *RTL*, *Europe 1* und *RMC* zum einen auf interaktives Radio (Hörer werden aufgefordert, sich direkt zu einem Sendethema zu äußern), und zum anderen haben sie UKW-Netze aufgekauft (*RMC* hat *Radio-Montmartre* und *Nostalgie* übernommen, *CLT Fun Radio*) oder ihre eigenen UKW-Sender aufgebaut (*Europe 1* z.B. mit *Europe 2*).

Der UKW-Sender
Skyrock richtet sich in erster Linie an junge Leute

Laut Gesetz vom 1. Februar 1994 müssen die Unterhaltungsmusikprogramme mindestens 40 % französischsprachige Lieder bringen, wovon die Hälfte "von neuen Talenten oder neue Produktionen" sein sollen. Im übrigen sieht dieses Gesetz vor, daß eine natürliche oder juristische Person nur dann über mehrere Netze verfügen kann, wenn damit nicht mehr als 150 Millionen Menschen erreicht werden.

Frankreichs Auslandsaktivitäten auf audiovisuellem Gebiet

Frankreich war das erste Land, das über Schulen, Kulturzentren, die *Alliances françaises* sowie die wissenschaftliche und technische Zusammenarbeit eine regelrechte Kulturdiplomatie betrieben hat. Heute werden auch die audiovisuellen Medien einbezogen, und entsprechend hat die Regierung im April und im September 1994 einen Fünfjahresplan verabschiedet, der den Ausbau der großen weltweiten Kommunikationskanäle vorsieht, zu denen *TV5*, *Canal France International* (*CFI*) und die Hörfunkgesellschaften der SOFIRAD gehören, in der die Beteiligungen des Staates an den öffentlichen oder gemischtwirtschaftlichen Medienunternehmen zusammengefaßt sind.

Entsprechend muß die öffentliche Finanzierung dieser Gesellschaften bis 1998 von 900 Millionen (163 Millionen Dollar) auf 1,3 Milliarden Franc (0,23 Milliarden Dollar) aufgestockt werden.

TV5 ist ein multilateraler französischsprachiger Sender, der über Satellit in Kabelnetze eingespeist wird. Er wurde 1984 gegründet. Beteiligt sind der französische öffentliche Mediensektor (*France 2*, *France 3*, *CFI* und das *Institut national de l'audiovisuel*) und die öffentlichen Fernsehanstalten der Schweiz, Belgiens, Kanadas und Québecs - daher auch der Name *TV5*. Der Sender war 1994 mit einem Budget von 300 Millionen Franc (54 Millionen Dollar) ausgestattet, wurde von 40 Millionen Haushalten in Europa empfangen und sendete seine zu 75 % französischen Programme über vier Satelliten täglich nach Europa, in die Mittelmeerländer, nach Afrika sowie nach Nord- und Südamerika. *TV5* hat auf diesem weitläufigen Markt gut Fuß gefaßt, wird sich aber in Europa und im Mittelmeerraum gegen große angelsächsische Gruppen wie *NBC* oder *Time Warner* sowie gegen eine mögliche Festigung der Position der britischen *Sky* (Murdoch-Gruppe) behaupten müssen.

Die Logos einiger Radio- und Fernsehsender, die international ausstrahlen

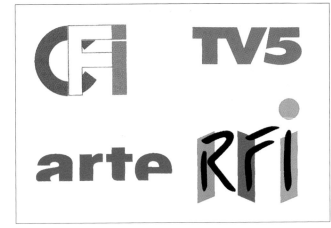

Canal France International (*CFI*) war bei seiner Gründung 1989 eine Bilddatenbank der französischen Sender, die per Satellit übertragen wurde und im wesentlichen für die nationalen afrikanischen Programme bestimmt war. Heute stellt sich *CFI* als Schaufenster für die französischen Rundfunkprogramme in der ganzen Welt dar. 1994 hat *CFI* 9.560 Programmstunden über Anbieter in 64 Ländern ausgestrahlt. Über sechs Satellitenkanäle erreicht es mehrere Hundert Millionen Haushalte auf allen fünf Kontinenten. Das Budget für 1995 beträgt 171 Millionen Franc. *CFI* sendet täglich 11 Nachrichtensendungen (davon 2 in Englisch) sowie zahlreiche Direktübertragungen von Sportereignissen (z.B. Tennis aus dem Stadion Roland-Garros, Fußball-Worldcup, Tour de France) und bietet im Jahr 150 abendfüllende Spielfilme sowie Dokumentationen, Fernsehfilme, aktuelle Magazine, Unterhaltung und Jugendsendungen an. Die neuen Aufgaben, die *CFI* übertragen wurden, machen den Sender zu einem audiovisuellen Instrument der kulturellen Ausstrahlung Frankreichs. Spezielle Programmstrukturen für Afrika, Nahost, Mittel- und Osteuropa sowie Lateinamerika ermöglichen eine bessere Anpassung der Sendungen an das jeweilige Publikum und vollziehen damit den Schritt von der Angebots- zur Nachfragelogik. Die Programme werden in Französisch, Englisch, Arabisch und Spanisch ausgestrahlt und eventuell in der jeweiligen Landessprache wiederholt. Neben den Nachrichtensendungen von *France 2*, *France 3*, *TF1* und *LCI* wird *CFI* ab 1996 eine internationale Nachrichtensendung ausstrahlen, die dem ausländischen Publikum besser angepaßt ist. Im übrigen hat *CFI* Kapitalanteile von *TV5 Europe* übernommen, wodurch eine bessere Ergänzung der beiden Programme möglich ist. Mit künftigen regionalen Tochtergesellschaften, mit französischen oder mit ausländischen Partnern wird CFI seine Entwicklung fortsetzen und dabei die vielfältigen Möglichkeiten der Digitalisierung nutzen (geographische, thematische, sprachliche Zielgruppen usw.).

RFI - Frankreichs Stimme im Ausland

Ein weiterer Pfeiler der französischen Medienaktivitäten im Ausland ist der Hörfunksender *Radio-France Internationale* (*RFI*). *RFI* sendet seit 1931 und ist heute eine Hörfunkanstalt mit vielfältigen Programmen, die alle Möglichkeiten zur Ausstrahlung nutzt und deren Journalisten ihre Unabhängigkeit unter Beweis gestellt haben.

Nachdem RFI seine englischsprachigen Programme ausgeweitet hatte, wurde die Zahl seiner fremdsprachigen Redaktionen von 10 auf 16 vergrößert und sein Sendesystem ausgebaut. Parallel dazu hat RFI regionale Fensterprogramme in französischer Sprache für Afrika und Europa eingeführt. Da die Haushaltmittel aufgestockt wurden, kann diese Politik bald durch neue Spartenprogramme (hauptsächlich Musiksendungen) ergänzt werden.

Bis Ende 1995 soll die Ausstrahlung über Satelliten mit digitaler Qualität gewährleistet sein. Dazu wurde bereits ein Netz von Relaissendern aufgebaut, die rund um die Uhr ausstrahlen oder über UKW, Mittelwelle oder Kabel Teilübernahmen in mehr als 50 Städte der Welt senden, darunter 17 afrikanische Hauptstädte sowie Paris, Moskau, New York, Washington und Tokio.

Gleichzeitig wurden die Sendeeinrichtungen für Kurzwelle ausgebaut und modernisiert: In Kürze wird für die Versorgung Asiens ein neuer Umsetzer in Thailand gebaut.

Auch die Ausstrahlung über UKW wird ausgebaut, und UKW-Sender könnten in einigen Ländern Lateinamerikas, wo es die Gesetzgebung erlaubt, sogar auf den Dächern der Gebäude installiert werden, in denen die *Alliances françaises* untergebracht sind.

Diese Vielfalt macht es *RFI* möglich, die Programmgestaltung an die jeweilige Situation anzupassen (rund um die Uhr oder partielle Übernahmen, direkte Ausstrahlung über Satellit) und so der Konkurrenz durch die lokalen Radiosender - die infolge des Übergangs zur Demokratie in mehreren Ländern zunehmen - und durch die großen weltweiten Hörfunkanstalten wie *Voice of America*, *BBC* oder *Deutsche Welle* besser standhalten zu können.

In diesem Zusammenhang sind zwei weitere Hörfunksender zu erwähnen: *RMC Moyen-Orient* sendet täglich auf Mittelwelle 18 Stunden in Arabisch und 3 Stunden in Französisch für 13 Millionen Hörer im Nahen und Mittleren Osten, und *Médi 1* sendet täglich 19 Stunden in Arabisch und Französisch für 11 Millionen Hörer in den Maghreb-Ländern.

Für weitere Informationen:

L'abrégé du droit de la presse, Paris, Éditions du Centre de formation et de perfectionnement des journalistes (CFPJ), 1994 (umfassende Bibliographie)
P. Albert, *La presse*, Paris, PUF (Que sais-je?), 1994
N. Toussaint-Desmoulins, *L'économie des médias*, Paris, PUF (Que sais-je?), 1992
"Les médias", *Cahiers français*, Nr. 266, Paris, La Documentation française, Mai-Juni 1994

ANHANG

Frankreich 1973-1993
Entwicklung einiger Kennzahlen

	1973	1993
Anzahl der Haushalte	17,6 Millionen	22 Millionen
jährliche Zunahme der Kaufkraft	4,4 %	2,2 %
Inflationsrate	8,5 %	2 %
Arbeitslosigkeit (in % der Erwerbsbevölkerung)	2,4 %	11,5 %
Anzahl der Teilzeitstellen	787 000	2,27 Millionen
Erwerbspersonen	22,3 Millionen(1975)	24,6 Millionen (1991)
Anteil der Landwirte	9,5 %	5,9 %
Anzahl der Kinder pro Frau	2,3	1,77
Anzahl der Scheidungen pro Jahr	39 000	106 000
Lebenserwartung der Männer	68,4	72,7
Lebenserwartung der Frauen	75,9	80,9
Todesfälle infolge von Alkoholmißbrauch	22 000	15 000
Anzahl der Verkehrstoten	15 469	9 083
Anzahl der Girokonten	29,33 Millionen	60,65 Millionen
Anteil der Einkommensteuer am Budget der privaten Haushalte	6,12 %	8,92 %
Anteil der einfachen Wohnungen	46 %	8,6 % (1990)
Anzahl der Verbrauchermärkte	245	976
Anzahl der privaten PKW	14 Millionen	24 Millionen
Straßennetz	2 040 km	7 109 km
Schienennetz	35 145 km	32 730 km
Anzahl der Telefonanschlüsse	5 Millionen	30 Millionen
Anteil der Waschmaschinenbesitzer	14,9 %	93,7 % (1991)
Anzahl der veröffentlichten Buchtitel	23 013	38 616
Anzahl der Kinosäle	4 250	4 402
Anzahl der Besucher der nationalen Museen	7,4 Millionen	16 Millionen
Anteil der Besitzer einer Stereoanlage	8 %	61 % (1991)
Anteil der Tageszeitungsleser	55 %	41 %
Durchschnittliche Fernsehdauer (pro Tag)	2h42	3h39

Quelle: *Libération*

Stichwortverzeichnis

Namensverzeichnis

Bildnachweis

Die Zahlen verweisen auf die Seiten ;
hg = oben links ; hd = oben rechts ; mg = Mitte links ; md = Mitte rechts ; b = unten ;
bg =unten links ; bd = unten rechts.

- Aérospatiale : 212 • AFM : 209 • AFP : 34, 42, 70 • Altitude : Coulon 11 md
- Archipress : Couturier 218, 231 hd ; Schwarz 231 md • BNF : Ph. Morand 224
- Bundesbildstelle-Bonn : 93 hg • J.-L. Charmet : 30 • Diaphor/Duplan : 57
- Documentation française : 28, 33, 93 hd, 245 ; Bailey/Usine nouvelle 158 ;
Bar Floréal/Vallorani 231 mg ; Bessard/Editing 248 ; Cervo/Usinor-Sacilor 122 ; Challon 63 ;
Crédit du Nord 175 ; Dewarez 164, 240, 243 ; Émery 14 md ; ESA 7 ; Ferré 231 mg ;
Guignard 189, 213, 231 bd ; Helsinger/Usinor-Sacilor 168 ; Huguier/Vu 174 ;
Interphotothèque 8, 11b, 231 hg ; Ivaldi/Viva 177 ; Jahan 11 hd ; Morin/Sénat 54 ; Miette 154 ;
Nègre/CRDP Paris 178 ; Photothèque Premier ministre 49, 52 ; Saône-et-Loire tourisme 14 h ;
Schuller/Editing 131, 200 ; SNCF-CAV/Cambon 187 ; SNCF-CAF/Fabro 205 ; SNCF/Vignal 132 ;
Taulin-Hommell 14 bd, 147 ; Thierry 22
- Editing : Lalier 64 • Elf-Aquitaine : 61 • Enguerand : Rubinel 23
- France Telecom DCO : Reynaud 172 • France 3 : Labat 249
- Société générale: Fotogram-Stone/Bélier : 156
- Gamma : Apesteguy 71 ; Benainous 55 ; Buu 79 ; Depardon 38 ; Francolon 98 ;
Gifford Liaison 227 hd ; Guillarde 223 ; Raguet 80 ; Simon 78 ; Vioujard 76, 77
- G. Genty/Mairie de La Rochelle : 148, 235 • P. Guéna : 206 hd • Ph. Guignard/Épamarne : 203
- INRA : Gosselin 210 • Institut Pasteur : 206 mg • H. Josse : 27, 68 • Keystone : 47
- La Poste : Tudela 181 • Magnum : Cartier-Bresson 36 • Maison de la France : 14 bg, 231 bg
- M Sat édition : 6 • Moatti : 227 md
- Außenministerium : 87, 92, 103, 108, 227 md ; F. de la Mure 14 md, 16, 17, 20, 60, 93 md, 99, 120,
121, 127, 130, 165, 167, 233, 234
- ORSTOM Paris : 214 • Présidence de la République : 50, 88, 93 hd, 93 b
- Rapho : Ancellet 253 ; Baret 195 ; Charles 133 ; Doisneau 206 hg, 221 ; Dourdin 217 ;
Freire 227 hg ; Manceau 195, 206 md ; Michaud 206 bd ; Niepce 227 bd ; Pasquier 142 ;
Schmidt 206 bg ; Tulane 227 mg
- REA : 220, Bellavia 143 ; Vigneron 144. • Renault : Pons 171 • RMN : 26 • Scope : 9 ;
Barde 10 ; Guillard 11 hg ; Sudre 11 mg • Sipa-press : Witt 40 • Sirpa/Ecpa France : 96, 102, 105, 110,
111, 112 • SNCF-Centre audiovisuel : 179 • Stills : Pat/Garcia 225 • TF1 : Sureau 250
- UNESCO : Forbes/Claude 91 • Vandystadt : Black 125

Infographie : Graffito, Paris

Photogravure : Dawant, Paris

Impression : Art Graphique du Perche, 28240 Meaucé

Dépôt légal : mai 1996

Imprimé en France